주한미군지위협정(SOFA)

서명 및 발효 10

주한미군지위협정(SOFA)

서명 및 발효 10

한국학술정보

| 머리말

미국은 오래전부터 우리나라 외교에 있어서 가장 긴밀하고 실질적인 우호 · 협력관계를 맺어 온 나라다. 6 · 25전쟁 정전 협정이 체결된 후 북한의 재침을 막기 위한 대책으로서 1953년 11월 한미 상호방위조약이 체결되었다. 이는 미군이 한국에 주둔하는 법적 근거였고, 그렇게 주둔하게 된 미군의 시설, 구역, 사업, 용역, 출입국, 통관과 관세, 재판권 등 포괄적인 법적 지위를 규정하는 것이 바로 주한미군지위협정(SOFA)이다. 그러나 이와 관련한 협상은 계속된 난항을 겪으며 한미 상호방위조약이 체결로부터 10년이 훌쩍 넘은 1967년이 돼서야 정식 발효에 이를 수 있었다. 그럼에도 당시 미군 범죄에 대한 한국의 재판권은 심한 제약을 받았으며, 1980년대 후반 민주화 운동과 함께 미군 범죄 문제가 사회적 이슈로 떠오르자 협정을 개정해야 한다는 목소리가 커지게 되었다. 이에 1991년 2월 주한미군지위협정 1차 개정이 진행되었고, 이후에도 여러 사건이 발생하며 2001년 4월 2차 개정이 진행되어 현재에 이르고 있다.

본 총서는 외교부에서 작성하여 최근 공개한 주한미군지위협정(SOFA) 관련 자료를 담고 있다. 1953년 한미 상호방위조약 체결 이후부터 1967년 발효가 이뤄지기까지의 자료와 더불어, 이후 한미 합동위원회을 비롯해 민 · 형사재판권, 시설, 노무, 교통 등 각 분과위원회의 회의록과 운영 자료, 한국인 고용인 문제와 관련한 자료, 기타 관련 분쟁 자료 등을 포함해 총 42권으로 구성되었다. 전체 분량은 약 2만 2천여 쪽에 이른다.

2024년 3월

한국학술정보(주)

| 일러두기

· 본 총서에 실린 자료는 2022년 4월과 2023년 4월에 각각 공개한 외교문서 4,827권, 76만여 쪽 가운데 일부를 발췌한 것이다.

· 각 권의 제목과 순서는 공개된 원본을 최대한 반영하였으나, 주제에 따라 일부는 적절히 변경하였다.

· 원본 자료는 A4 판형에 맞게 축소하거나 원본 비율을 유지한 채 A4 페이지 안에 삽입하였다. 또한 현재 시점에선 공개되지 않아 '공란'이란 표기만 있는 페이지 역시 그대로 실었다.

· 외교부가 공개한 문서 각 권의 첫 페이지에는 '정리 보존 문서 목록'이란 이름으로 기록물 종류, 일자, 명칭, 간단한 내용 등의 정보가 수록되어 있으며, 이를 기준으로 0001번부터 번호가 매겨져 있다. 이는 삭제하지 않고 총서에 그대로 수록하였다.

· 보고서 내용에 관한 더 자세한 정보가 필요하다면, 외교부가 온라인상에 제공하는 『대한민국 외교사료요약집』 1991년과 1992년 자료를 참조할 수 있다.

| 차례

머리말 4
일러두기 5

한 · 미국 간의 상호방위조약 제4조에 의한 시설과 구역 및 한국에서의 미국군대의 지위에 관한 협정(SOFA) 전59권. 1966.7.9 서울에서 서명 : 1967.2.9 발효(조약 232호) (V.26 관계부처 의견 문의, 1964) 7

한 · 미국 간의 상호방위조약 제4조에 의한 시설과 구역 및 한국에서의 미국군대의 지위에 관한 협정(SOFA) 전59권. 1966.7.9 서울에서 서명 : 1967.2.9 발효(조약 232호) (V.27 협정체결교섭 촉진위원회 구성 및 회의, 1964-65) 179

한 · 미국 간의 상호방위조약 제4조에 의한 시설과 구역 및 한국에서의 미국군대의 지위에 관한 협정(SOFA) 전59권. 1966.7.9 서울에서 서명 : 1967.2.9 발효(조약 232호) (V.28 실무교섭회의, 제69-72차, 1965.1-3월) 377

정/리/보/존/문/서/목/록					
기록물종류	문서-일반공문서철	등록번호	924 9597	등록일자	2006-07-27
분류번호	741.12	국가코드	US	주제	
문서철명	한.미국 간의 상호방위조약 제4조에 의한 시설과 구역 및 한국에서의 미국군대의 지위에 관한 협정 (SOFA) 전59권. 1966.7.9 서울에서 서명 : 1967.2.9 발효 (조약 232호) *원본				
생산과	미주과/조약과	생산년도	1952 - 1967	보존기간	영구
담당과(그룹)	조약	조약	서가번호	--	
참조분류					
권차명	V.26 관계부처 의견 문의, 1964				
내용목차	* 일지 : 1953.8.7 이승만 대통령-Dulles 미국 국무장관 공동성명 - 상호방위조약 발효 후 군대지위협정 교섭 약속 1954.12.2 정부, 주한 UN군의 관세업무협정 체결 제의 1955.1월, 5월 미국, 제의 거절 1955.4.28 정부, 군대지위협정 제의 (한국측 초안 제시) 1957.9.10 Hurter 미국 국무차관 방한 시 각서 수교 (한국측 제의 수락 요구) 1957.11.13, 26 정부, 개별 협정의 단계적 체결 제의 1958.9.18 Dawling 주한미국대사, 형사재판관할권 협정 제외 조건으로 행정협정 체결 의사 전달 1960.3.10 정부, 토지, 시설협정의 우선적 체결 강력 요구 1961.4.10 장면 국무총리-McConaughy 주한미국대사 공동성명으로 교섭 개시 합의 1961.4.15, 4.25 제1, 2차 한.미국 교섭회의 (서울) 1962.3.12 정부, 교섭 재개 촉구 공한 송부 1962.5.14 Burger 주한미국대사, 최규하 장관 면담 시 형사재판관할권 문제 제기 않는 조건으로 교섭 재개 통고 1962.9.6 한.미국 간 공동성명 발표 (9월 중 교섭 재개 합의) 1962.9.20~1965.6.7 제1-81차 실무 교섭회의 (서울) 1966.7.8 제82차 실무 교섭회의 (서울) 1966.7.9 서명 1967.2.9 발효 (조약 232호)				

마/이/크/로/필/름/사/항				
촬영연도	*롤 번호	화일 번호	후레임 번호	보관함 번호
2006-11-23	I-06-0069	03	1-172	

0001

기 안 용 지

자체 통제	외무사무관 손일동	기안처	미주과 이근팔	전화번호	근거서류접수일자
	과장	국장	차관	장관	
관계관 서명					
기안 년월일	1964. 2. 4.	시행 년월일	검열 1964. 2. 통제관	보존 년한	정서 기장
분류 기호	외구미722.2	전체 통제	종결		
경유 수신 참조	재무부장관	발신	장관		
제목	주둔군지위협정 체결 교섭 촉진				

1. 당부에서는 미주둔군지위협정의 조기 체결을 목표로 상금 합의를 보지 못한 제조항의 심의를 촉진시키고저 한.미 실무자교섭회의를 더욱 빈번히 개최하고 있아오며 따라서 관계 각부처의 가일층 긴밀한 협조를 요망하고 있읍니다.

2. 실무자교섭회의에 임하는 우리 나라 대표의 입장 결정을 위하여 귀부에 관련된 조항에 대한 의견을 조속히 제시할 것을 수차 의뢰한바 있으나 귀견 제시 지연으로 말미아마 교섭 진전에 막대한 지장을 초래하고 있는 실정이오니 다음 각조항에 관한 귀부 견해를 조속 제시하여 협정의 조기 체결에 이바지하도록 조처하여 주시기 바랍니다.

1919

귀부 관계조항: 가. 군표조항 다. 현지조달.
나. 외환관리 끝.

승인양식 1-1-3 (1112-040-016-018) (190mm×260mm16절지)

0002

기 안 용 지

관리번호 1985 / 55

자체통제		기안처	조약과 이정빈	전화번호 74-2474	근거서류접수일자
과장		국장 전결		차관	장관
관제관 서명	미주과장	미주과장 구미국장		검토필(196.4.12.30)	
기안년월일	1964. 2. 8.	시행년월일	1964. 2. .	보존년한 영구	정서기장
분류기호	외방조 741.12	전체통제		종결	
경유 수신 참조	국방부장관			발신	장관
제목	한미간 군대지위협정 중 노무조항에대한 의견 문의				

별첨 노무조항에 대한 미측안에서 볼수 있는바와 같이 미측은 Korean Service Corps 와 미군종업원에 대한 병역면제등에 관하여 규정하고 있는 바, 본건에 대한 토의가 2월 14일 제 42 차 한미간회의에서 있을예정이니 아래사항에 대한 귀부의 의견을 2월 12일까지 당부에 회보하여 주시기 바랍니다.

기

1. 미측은 국가 비상시에 미군업무에 필수적인 기술을 습득한 한국인 고용자는 한국의 병역 및 기타 강제노역으로부터 면제되어야 한다고 제안 한바 이에 대한 귀부의 의견.

2. Korean Service Corps 에 관하여 다음사항에 대한 귀부의 의견 및 자료

가. KSC 노무를 미군측에 제공하는 법적근거 및 이에 관한 미군측과의 합의사항 유무 및 있다면 그 내용과 경위

0003

승인서식 1-1-3 (11-00900-03) (195mm×265mm16절지)

나.KSC 노무자의 고용조건의 내용 및 고용조건의 결정은 미측이 하는지 한국측이 하는지 또는 쌍방 합의하에 하는지

다. 현재7가지KSC 를 존속시킨 이유 및 앞으로 존속 시킬 필요성 유무 및 그 이유

라.KSC 현황에 대한 의견 및 자료

마. 기타KSC 에 대한 귀부의 의견 및 자료

유첨 : 노무조항에 대한 미측안 사본 1 부 끝.

보통문서로 재분류(본협정 종료시)

0004

승인서식 1-1-2 (11-00000-02) (195mm×265mm 16절지)

번호 188

협 조 전	응 신 기 일

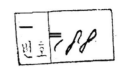

문서번호 방조 22 제 목 군대지위 협정 토의를 위한 자료제공

수 신: 구미국장 발 신: 방교국장 년 월 일 64. 2. 13. 제 1 의 견

한미 군대지위협정중 노무조항 및 청구권조항 토의를 위하여 별첨 1960 년도 한미 합의 의사록 부록 " 비 " 사본을 송부하오니 본건 토의에 참고 하시기 바랍니다.

유첨 : 1960 년도 한미 합의 의사록 부록 " 비 " 사본 1 부 끝.

예고문 : 노무조항 및 청구권조항에 대한 실무자회의가 끝나는 즉시 당국으로 반환할것.

담 당	과 장	국 장	2월 13일	양고재	조약과
2/13					

방 교 국 장 송 광 정

0005

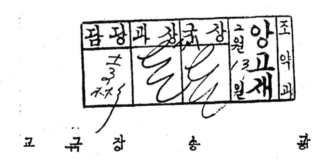

승인서식 1—34 (11—13330—01) (195mm×265mm16절지)

접수:
통상課
金在均
64.2.12
16:00

기 안 용 지

자체통제	외무사무관 손일충	기안처	미주과 이근팔	전화번호	근거서류접수일자
	과장	국장	차관	장관	
	(서명)	전결		(서명)	

관리번호 1414

관계관 서명							
기안 년월일	1964. 2. 12.	시행 년월일		보존 년한		정서기장	
분류 기호	외구미722.2	전체 통제		종결			
경유 수신 참조	법무부장관		발신	장관			
제목	미주둔군지위협정 체결 교섭 촉진						

1. 당부에서는 접종하는 주한미군의 각종 사건과 이에 따르는 국민의 여론에 호응하여 조속한 시일내에 미주둔군지위협정을 체결코저 예의 노력중에 있으며 형사재판관할권을 위시하여 미토의중에 있는 조항초안을 가급적 단시일내에 교환토의할 것을 미측에 촉구하여 왔읍니다.

2. 미측에서는 우리측 요구에 따라 1964. 2. 6.일 개최된 제 41 차 한.미간 실무자교섭회의에서 형사재판관할권에 관한 초안을 ~~수주일내에~~ 조속히 제시할 것을 통고한바 있읍니다. 따라서 당부에서는 미측의 초안 제시와 동시에 우리측 초안과 교환하기 위하여 사전 검토를 마치고저 하오니 귀부에서 검토중에 있는 형사재판관할권에 관한 우리측 초안을 조속 검토하시어 당부로 송부하여 주시기 바랍니다.

0006

3. 귀부의 동 초안 검토를 위하여 미.일간주둔군지위협정,

승인양식 1-1-3 (1112-040-016-018) (190mm×260mm16절지)

및 기타 각국의 주둔군지위협정에 관한 자료를 첨송하오니 참고하시기 바랍니다.

유 첨: 미일간 주둔군지위협정 ~~2부~~ 및 각국의 주둔군지위협정관계 참고자료 각 1부씩. 끝.

0007

승인양식 1-1-2 (1112-040-016-017) (190mm×260mm 16절지)

기 안 용 지

관리번호 18

자체통제	[illegible]	기안처	조약과 이정빈	전화번호 74-2474	근거서류접수일자
과장	국장 전결		차관		장관
관계관 서명	미주과장				
기안년월일	1964.2.15	시행년월일	1964.2.	보존년한 영구	정서 기장
분류기호	외방조 741.12	전체통제			
경유 수신 참조	보건사회부 장관		발신	장관	
제목	한국 노무단 (Korean Service Corps)에 대한 문의				

1. 현재 KSC 라는 명칭을 가진 노무단체가 주한미군에 의하여 이용되고 있는데 당부가 탐지한바로는 귀부가 상기 노무자를 모집하여 미군측에 제공하고 미군측은 이를 선정하며 임금 기타 보급품을 지급하고 있는것으로 알고 있읍니다. 별첨 귀부앞 "테일러" 장군의 서한 (발신 일자 미상)에 비추어 보면 귀부에서는 일즉이 본건 KSC 성격 및 동 노무자의 처우문제에 관하여 미군 당국과 접촉 내지 교섭한것으로 추정되는바 현재 진행중인 한미간의 군대 지위협정 교섭상에서 미당국은 KSC 노무자가 한국정부의 고용인으로 간주한다고 함으로서 본건 KSC 및 동 노무자의 성격 및 지위 대우 등에 관한 현황 파악이 시급하므로 아래사항에 관하여 귀부의 의견 및 자료를 2월 18일한 당부에 제시하여 주시기 바랍니다.

가. KSC 노무자를 귀부측에서 미군측에 제공하게된 최초의 시기 및 그 근거 (국내법령 및 규정, 정부부처간의 합의사항, 미군측과의

승인서식 1-1-3 (11-00900-03) (195mm×265mm16절지)

0008

합의 사항등)

나. KSC 노무자 모집 방법

다. 미군측에 대한 KSC 노무자의 제공 절차

라. 귀부에서 모집한 노무자를 KSC 노무자로 최종적으로 결정하는 측이 미군당국인지 귀부측인지, 만일 이를 미군측이 최종적으로 결정한다면 그 결정 조건

마. 미군측에 의한 KSC 노무자 처우에 대한 현황 및 동 처우 조건 결정 절차

바. 본건 KSC 문제에 대하여 그간 귀부와 미군당국과 접촉, 협의 교섭한 경위 일체

사. 귀부의 견해로서 본건 KSC 노무자 존폐 필요성 여부 및 그 이유, 만약 존속이 필요하다고 인정되는 경우에는 처우조건에 대한 귀부의 의견

2. 본건 KSC 문제는 2월 20일에 개최되는 제 43 차 한미간 군대지위협정에 관한 회의에서 토의될 안건입니다.

유 첨 : 귀부 앞 "테일러" 장군의 서한 사본 1부 끝.

예고 : 한미간 군대지위협정 종료시 일반문서로 재분류

0009

승인서식 1-1-2 (11-00900-02) (195mm×265mm16절지)

Mr. J. Lee

노 동 청

노직업 741.12 - 146 (3-4651) 1964. 2. 19.

수신 외무부 장관

제목 한국 노무단 (K.S.C)에 대한 질의회시

1. 외방조 741.12-92 (64.2.15) 에 의거한"한국 노무사단" 에 대한 질의를 각항별로 다음에 의거 회시합니다.

가. "가" 항 미군측에 제공하게된 최초의 시기및 근거 별첨 전시 근로 동원 연혁 참조

나. "나" 항의 노무자 모집방법

미제8군 요청에 의거 각 시.도립 직업 안정소로 하여금 광고 소집하여 공급 하는것임

다. "다" 미군측에 대한 K.S.C 노무자 제공절차

(1) 미제8군 요청에 의거 시도 지사로하여금 관할 직업 안정소를 통하여 모집토록 함과동시 미제8군 관계관에게도 직접 해 직업안정소에서 인원을 인수하도록 통보하는것임

(2) 미제8군은 이통보에 의거 현장에 와서 인수하는것임

라. "라"항 최종결정 및 그 결정 조건

미제8군은 병역을 필한 35세 이하의 남자로서 신체 건강하고 신원이 확실한자를 공급받어 미군측은 소정의 신체검사및 제 자격요건을 심사한후 채용 여부를 결정하는것임

마. "마" 항 K.S.C 노무자 처우현황 및 처우조건 결정절차

(1) 처우 현황 (고용주인 미8군이 정한 고용조건)

0010

조약과

(가) 임금

초 임 금 월 2.472 원

입대6개월후임금 월 2.709 원

입대9개월후임금 월 3.033 원

(나) 기타의 근로조건

피복. 침식. 담배. 치료(환자) 무료 제공

근로시간 1일 8시간 (1주 6일)

(다) 업무상의 재해로 인한 신체장해에 대한 보상금은 없음

(2) 처우조건 결정 절차 ?

미제 8군이 결정함

바. "바" 항 K.S.C 노협의 교섭 경위

별첨 전시 근로 동원 연혁 참조

사. "사" 항 존폐여부 및 처우개선에 대한 당청의견

(1) 군작전 수행에 관련된 문제이므로 당청에서 결정할 문제가 아님

(2) 당청의 의견

(가) 1955. 9. 23 이후 강제 동원제가 자유 모집제로 됨에 따라 현 종업원은 사용주인 미제8군이 직접현지 채용하는 경우가 많음

(나) 모집 임명. 해임. 임금조절. 처우개선등 제반 노무관리를 하는것은 미제8군이므로 고용주는 미제 8군이며 한국정부는 동모집에 협조함에 불과함

(다) 1961. 5. 1 일자로 결정된 현노임은 현물가고에 비하여 최저 생활도 할수없는 실정이나 임금조절을 미제8군이 일방적으로 결정하는것이므로 인상문제는 한국정부로서는 불가능한것임 ?

0011

노직업 741.12 (3-4651) 1964. 2. 19.

마. 따라서 K.S.C 노무자들은 미제8군의 피용자로서 한국 노동법에 의거 근로자들의 처우 개선을 하도록 조속 조치하여야할것입니다.

유첨 전시근로 동원 연혁 1부. 끝

청 장 이 찬

0012

관리번호 1237

대 법 원

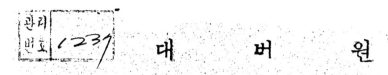

조사제 53 호 1964. 2. 17.

수신 외무부장관

제목 한미행정협정을 위한 형사재판관할권에 관한 초안사본 송부 의뢰

1. 재판 관할에 관한 참고에 자하고자 하오니 한미간의 행정협정을 위한 형사재판관할권에 관한 초안사본 1부를 송부 하여주시기 바랍니다

2. 이문서는 Ⅲ 급 비밀로 분류하며 기본 문서가 일반문서로 저하되는때 일반문서로 재분류 바랍니다. 끝.

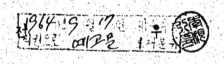

64. 2. 19

법원행정처장

1964. 9. 17. 예고문

0013

1964. 10. 22. 에 예고문에 의거 일반문서로 재분류됨

외총무126 (1964. 10. 20)호에 의거 일반문서로 재분류

기 안 용 지

1415

자체 통제		기안처	미주과 이근팔	전화번호	근거서류접수일자
	과장	국장	차관	장관	
관계관 서명					
기안 년월일	1964. 2. 20.	시행 년월일		보존 년한	정서 기장
분류 기호	외구미722.2	전체 통제		종결	
경유 수신 참조	법원행정처장		발신	장관	

제목 한미간 주둔군지위협정 체결을 위한 형사재판관할권 초안 송부

1. 1964. 2. 17. 일자 조사제 53호에 대한 회신입니다.

2. 주둔군지위협정 체결을 위하여 한.미 양국이 제시한 형사재판관할권에 관한 초안 각 1부를 송부하오니 참고하시기 바랍니다.

3.

유 첨: 한.미 양국의 형사재판관할권 초안 각 1부. 끝.

1966.12.31

승인양식 1-1-3 (1112-040-016-018) (190mm×260mm16절지)

1964.9.18

0014

We do not think it is necessary to emphasize the importance our people attach to the article dealing with criminal jurisdiction of the prospective Status of Forces Agreement now under negotiation between the two parties. However, I would like to reiterate that the successful and speedy conclusion of our present negotiations entirely depends upon how soon we can come to an agreement on this Article.

We have studied most carefully the draft tabled by the U.S. negotiators at the 42nd meeting. To our great disappointment, however, the Korean negotiators have found that fundamental differences are wide between the two sides' drafts on the subject matter.

Aside from various differences of major or minor nature, we believe that there is a fundamental difference in the approach of both sides. While the Korean side is trying to replace the Taejon Agreement, concluded "in view of prevailing conditions of warfare", with a new one based on the spirit of mutual respect and under totally different conditions, it seems that the basic position of your side is to modify the already existing agreement.

We noted with grave concern that the U.S. negotiators have incorporated in their draft article a totally irrelevant concept of geographical limitation in the application of our rights to exercise jurisdiction over the Korean territory. Under the provisions of the U.S. draft, the authorities of the Republic of Korea are precluded from exercising its jurisdiction in certain areas of Korean territory under the term of "combat zone". The concept of the combat zone may be useful for military operational purposes during war time but we believe this concept should have no room for consideration in negotiating this "criminal jurisdiction". Moreover, the extent of the so called "combat zone" you have suggested covers most of the area and zone where most of United States armed forces are currently stationed. According to our statistics and records, major offenses

0015

and accidents were committed or happened in that zone in the past. Without jurisdiction over that part of Korea, the agreement would have very little meaning to us.

Furthermore, your draft requests the Korean authorities to waive in cases where there are concurrent rights, except under special circumstances in the specific case, in recognition of the primary responsibility of the U.S. military authorities for maintaining good order and discipline among the members of the United States armed forces, civilian component and their dependents.

Your draft also requests us to give sympathetic consideration even in the exercise of exclusive jurisdiction in recognition of the effectiveness of administrative and disciplinary sanctions to be excercised by the U.S. Authorities. However, we believe that the right of exclusive jurisdiction of a State should not be waived in favour of administrative or disciplinary sanctions of the military authorities of another State.

We also noted your side's intention to have primary right to exercise jurisdiction over the members of the U.S. armed forces with respect to offenses which, if committed by the members of the armed forces of Korea, would be tried by court-martial. We do not know whether or not the U.S. negotiators before proposing this have studied the existing Korean Military Law. According to the said law, as far as the members of the Korean armed forces and civilian components are concerned, the court-martial has exclusive right to exercise jurisdiction with respect to all offenses no matter whether they are committed on or off duty and however minor they are in nature. Without waiting further explanation, it becomes quite clear that the U.S. side is demanding exclusive jurisdiction over all members of the U.S. armed forces regardless of the nature and place of the offenses committed.

0016

As all of us know well, the problem of determining the scope of jurisdiction constitutes the backbone of the entire Article and consequently the agreement as a whole. The imposition of such conditions as indicated in your draft would be quite contrary to our bona fide intentions of negotiating this Status of Forces Agreement. Now, at this point, let us make assumption that we come to an agreement on the basis of your draft, what would be left for us then? We really wonder what sort of jurisdiction we are supposed to exercise, and over whom? It would have been simpler for your side only to provide for over what cases the Korean authorities could exercise their jurisdiction, instead of enumerating so many conditions under which our right to exercise jurisdiction is limited, in practice, to a degree of non-existence.

Your draft also requests that the U.S. military authorities should have primary right in the custody of an accused member of the United States armed forces or civilian component or of a dependent even if he is in the hands of the Republic of Korea. It further provides that the Korean authorities should give sympathetic consideration to the request of the U.S. authorities asking for turn-over of offenders who are serving a sentence of confinement imposed by a Korean court. The acceptance of this request would mean almost total waiver of our remaining token right.

What I mentioned above are but a few of the examples which make our two positions fundamentally and substantially different. As a whole, we are under a impression that the contents of your draft article are not much different from those of the Taejon Agreement, as far as the substance of the matter is concerned. We do hope that this is certainly not the desire of the U.S. negotiators. We want your side to understand that the people of Korea have been anxious for more than a decade to see the conclusion of the Status of Forces Agreement. Unfortunately, your draft does not meet the desire of the Korean people. The Korean negotiators, therefore, find it

0017

difficult to accept the draft tabled by the United States negotiators as a basis of our further discussions.

In view of the above explanation, we sincerely hope that your side would reconsider your position on the subject of criminal jurisdiction or accept our draft as a basis for conducting the negotiation. We will now table our draft Agreed Minutes.

0018

Criminal Jurisdiction Article

I. Waiver Clause, Agreed Minute Re Para. 3

The newly proposed U.S. drafts including so-called German NATO waiver formula are being subject to the most careful consideration by the Korean negotiators together with competent authorities. Therefore, the response to them will be presented at a later meeting.

In the meantime, the Korean negotiators wish to seek clarifications on a few questions with regard to the U.S. drafts:

1. With respect to the provisions of Paragraph 3 of Waiver clause which partly read that where the competent Korean authorities hold the view that, by reason of special circumstances in a specific case, major interests of Korean administration of justice make imperative the exercise of Korean jurisdiction, they may recall the waiver by a statement to the competent military authorities of the United States, and provisions of Paragraph 4 further states that if, pursuant to Paragraph 3 of this Minute, the competent Korean authorities have recalled the waiver in a specific case and in such case an understanding cannot be reached in discussions between the authorities concerned, the Government of the United States may make representation to the Government of the Republic of Korea through diplomatic channels. The Government of the Republic of Korea, giving due consideration to the interests of the Government of the United States, shall resolve the disagreement in the exercise of its authorities in the field of foreign affairs.

a. Would the U.S. negotiators clarify the meaning of the phrase "major interests of Korean administration of justice make imperative the exercise of Korean jurisdiction"? Does

0019

this phrase has the same meaning as the phrase in the Korean draft that "it is of particular importance that jurisdiction be exercised by the authorities of the Republic of Korea"?

b. What the Korean negotiators would also like to know is that whenever the Korean authorities consider that in a specific case, major interests of Korean administration of justice make imperative the exercise of Korean jurisdiction, can that particular case be recalled automatically regardless an understanding is reached or not In other words, does the initiative and discretion whether or not to recall waiver rest with the Korean authorities where they consider it to be necessary?

2. With respect to Paragraph 3(a), where the Korean negotiators hold the view that major interests of Korean administration of justice within the meaning of Paragraph 3 may make imperative, can the Korean authorities exercise their jurisdiction over offenses other than those cases enumerated under sub-paragraph (i), (ii), and (iii) of the Paragraph 3(a)?

II. Official Duty Certificate, Agreed Minute, Re Para 3(a) (ii)

1. With respect to duty certificate, the U.S. negotiators had stated at the previous meeting that if the Korean negotiators would accept the provision in the U.S. draft that the duty certificate will be issued by "competent authorities" of the U.S. armed forces, the U.S. negotiators will agree to the inclusion of the following understanding in the Agreed Joint Summary: "A duty certificate will be issued only upon the advice of a Staff Judge Advocate." Would the U.S. negotiators clarify the categories of authorities of the U.S. armed forces who may fall under the phrase "competent authorities of the U.S. armed forces"? In case the Staff Judge Advocate will be consulted with respect to duty certificate, could the Commanding officer of a company-size unit be included in the phrase "competent authorities of the U.S. armed forces

0020

관리번호 1420

美側合意議事錄(案)中

第9項에 關하여

(a)	~~異議없음~~ 削除함이 可함.
(b)	〃
(c)	〃
(d)	〃
(e)	(代案) 「行爲時의 法律보다 刑이 重한 法律에 依하여 裁判받지 아니하며 被告人이 上訴한 事件과 被告人을 爲하여 上訴한 事件에 關하여는 原審判決의 刑보다 重한 刑을 宣告받지 아니하는 權利」
	(理由) 檢事는 公益의 代表者로서 訴訟進行을 監視하고 誤判이 있는 境遇에는 上訴權을 行使하며 公正한 裁判을 爲하여 活動하는 訴訟當事者인 바 美側主張대로 한다면 우리 刑事訴訟法第368條와 다른 特別法을 制定하여야 한다 그러나 事實誤認等으로 因한 現한 量刑不當이 있는 境遇에 그것을 是正할 길을 訴

공통서식 1—2 (을) (16절지)

0021

訟節次에서 封鎖한다는 것은 刑事訴
訟制度에 反할뿐아니라 裁判을 通
하여 正當한 評価를 하기 爲하여 検
事가 上訴한 以上 人權擁護面에서
보드라도 何等不利益한 点이 없으니
実質的인 特別한 待遇를 할 必要는
없다.

(f) ~~異議없음~~ 記入要件削除

(g) "

(h) "

(i) "

(j) "

(k) (代案) 審判에 出頭하거나 自己의 弁護
에 있어서 肉体的으로나 精神的으
로 不適当한 때에는 審判에의 出頭
를 延期要請할수 있는 權利

(l)

(理由)
被告人의 恣意에 依한 不出頭를 막
기 爲하여는 要請에 依한 審判当局의
許可가 있으므로서 비로소 不出頭할
수 있도록 하기 爲함.

(m) 異議없음

無罪釈放되었을 경우나 法律適用의 削除함이 可

(理由)
上訴制度認定의 目的이 法令解釈의

錯誤以外의 理由로 上訴하지 못한다는 点	統 ~~의 事實誤認~~으로 因한 誤判을 是正코저 함에 있으므로 原審에서 法律解釋의 誤謬나 事實誤認으로 因하여 無罪나 顯著한 量刑不當이 있다면 上訴制度의 趣旨로 보아 宜當 是正되어야 할것이기 때문이다.

~~공증문서로 재분류(1966.12.31)~~

공통서식 1—2 (을) (16절지)

0023

※ 家族問題

接受國(大韓民國)은 領土主權의 當然한 歸結로서 그 領域內에서 裁判權을 行使할 權利를 갖이나 다만 駐屯軍(美合衆國軍隊構成員 및 軍屬)에 對하여는 用兵.作戰을 任務로 하는 軍의 特殊性을 考慮하여 一定한 範圍內에서 駐屯軍에게 裁判權을 行使할 權利를 賦與하는 것이다.

따라서 駐屯軍에게 接受國領域內에서 裁判權을 行使할 權利를 賦與함은 接受國의 領土主權의 制限을 意味하며 裁判權의 屬地主義原則에 對한 例外 라고

공통서식 1—2 (을) (16절지)

0024

하겠으므로 그範圍는 必要한 最少限度
에 그쳐야 할것인바 駐屯軍에 對하여
此를 賦與하는 目的이 上述한바와 같
이 軍의 特殊性을 考慮하여 軍紀및 軍秩
序維持를 爲하여 指揮官에게 裁判權을
行使할 權利를 賦與하는것이므로 그範圍
는 어데까지나 軍組織体의 構成分子인
駐屯軍 軍隊構成員 및 軍属에 限하여야
하고 또한 이로서 充分하다 할것이다
그러므로 合衆国 軍隊当局에 軍隊構成
員및 軍属에 依한 犯罪에 限해서만
裁判權을 行使할 權利를 賦與함이 妥
当 할것이다

軍隊構成員 및 軍屬以外의 그들 家族은
一般市民에 不過하므로 當然히 接受國의
裁判權에 服하여야 할 것은 勿論이려니와
또한 그들은 上記한바 軍隊와 같은 特殊
性도 없으므로 그들에 對하여 接受國
의 領土主權에 對한 例外로서의 駐屯
軍當局에 依한 裁判權을 行使할 權利를
賦與할 必要가 없다고 본다.

또한 家族中에는 駐屯軍當局의 裁判
權에 服하여야할 경우가 있다고 할지
라도 이는 어디까지나 駐屯國의 國
內法上의 問題인 것이며 그것을 理由
로 接受國의 領土主權을 制約할 理由로는

공통서식 1—2 (을) (16절지)

0026

될수 없는 것이다.

공통서식 1—2 (을) (16절지)

0027

※ 戰斗地域에서의 美軍当局에 依한 專屬的 管轄权 行使問題

駐屯軍当局의 接受國에서의 裁判權行使는 必要한 最少限의 範圍內에서 行하여야 함은 前述한바와 같거니와 大韓民國은 美軍隊의 特殊性을 考慮하여 領土主權에 対한 制約을 甘受하면서 美軍当局의 任務遂行에 支障이 없도록 安全에 関한 罪를 為始하여 其他 一定한 犯罪에 対하여는 美軍当局에 專屬的 裁判權 또는 第1次的 裁判權을 行使할 權利를 賦與하는 것이며 이로서 그使命에 立脚한 任務遂行에 充分하다 할것이므로 別途로 戰斗地域이라는 特殊한 地域的 概念을 設定하여 專屬的 裁判權을 行使할 必要性이 없다고 본다 또한 戰斗地域이란

공통서식 1—2 (을) (16절지)

0028

軍作戰上의 必要에서 導出되는 槪念인것으로 刑事裁判權 行使와는 別個의 問題인것이며 軍作戰上의 戰斗地域과 刑事裁判權을 関聯시킨다면 오히려 不合理한 結果를 招來한다고 하겠으니 例로 美軍兵士가 飮酒中 韓國人에게 暴行을 加하였을 境遇에 同犯罪가 戰斗地域에서 行하여졌다면 美軍法會議에서 裁判을 받게 되고 万若 非戰斗地域에서 行하여졌다면 大韓民國法院에서 裁判을 받게 될것이니 犯罪의 主体, 客体, 및 行為가 同一함에도 不拘하고 單只 場所的 差異로 因하여 全혀 訴訟制度및 節次가 相違한 裁判을 받게 된다는 不公平한 結果가 惹起된다 할것이다 또한 作戰命令权이 美軍当局에서 掌握하고 있는

공통서식 1—2 (을)

(16절지)

0029

現在 作战上 必要에서 設定되는
战斗地域은 美軍側의 便宜에
依하여 随時로 变動될수 있는 流動
性을 갖인것이므로 战斗地域이
变動될때 마다 刑事裁判权 行使에
関한 權利의 歸屬에 变動이 있을것
은 必至의 事实이며 이렇게 되면 大韓
民國 國民이나 美軍隊構成員 및
軍屬의 法的生活의 安全性이 阻害
될은 勿論이려니와 論理的으로
推論한다면 경우에 따라서는 大韓民國
全域을 战斗地域으로도 할수 있다고
하겠는바 그렇다면 이는 大韓民國의
領土主權을 全혀 無視하는 結果가
되어 1個 行政協定으로 規制할수 있는
性質의것이 아니라고 본다.

공통서식 1—2 (을) (16절지)

0030

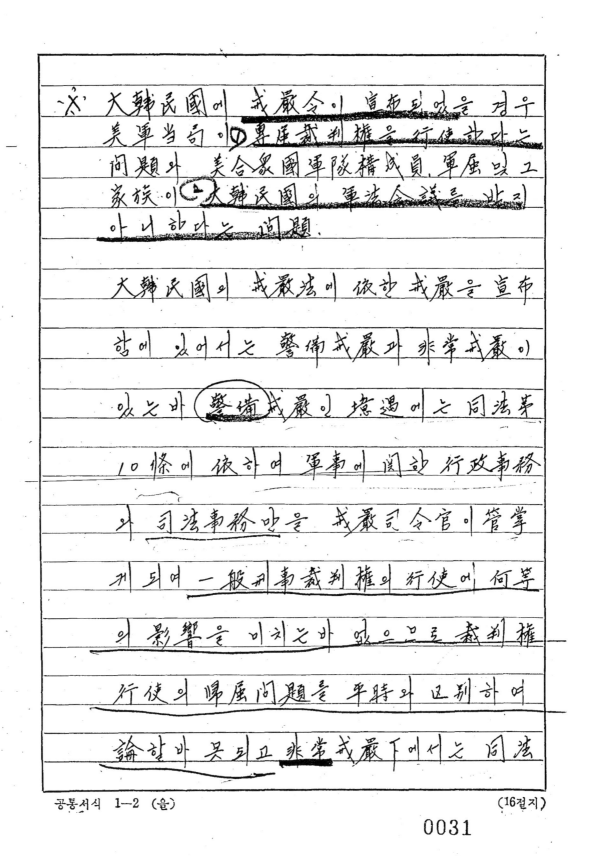

X. 大韓民國에 戒嚴令이 宣布되었을 경우 美軍当局이 ① 軍法裁判權을 行使한다는 問題와 美合衆國軍隊構成員, 軍屬 및 그 家族이 ② 大韓民國의 軍法會議를 받지 아니한다는 問題.

大韓民國의 戒嚴法에 依한 戒嚴을 宣布함에 있어서는 警備戒嚴과 非常戒嚴이 있는바 警備戒嚴의 境遇에는 同法第 10條에 依하여 軍事에 關한 行政事務와 司法事務만을 戒嚴司令官이 管掌케 되어 一般刑事裁判權의 行使에 何等의 影響을 미치는 바 없으므로 裁判權 行使의 歸屬問題를 平時와 區別하여 論할 바 못되고 非常戒嚴下에서는 同法

공통서식 1—2 (을) (16절지)

0031

第16條에 規定된 特히 大韓民國의 安危에 関係되는 重大한 犯罪나 其他特別한 事情이 있을경우에만 軍法会議에서 裁判케되어 있고 其他犯罪는 依然一般法院에서 裁判케 되어있는바 非常戒嚴은 戰時其他 이에 準하는 非常事態下에서 宣布되는 것으로 大韓民國으로서는 國家存亡과 安危에 関한 重大한 時期로서 自己防衛의 緊急한 狀態下에 놓여 있는것이므로 國土防衛의 任務를 担当한 大韓民國軍当局이 그任務遂行上의 必要에서 特定犯罪에 對하여 刑事裁判權을 갖임은 오히려 当然한 것이다

공통서식 1—2 (을) (16절지)

0032

(戒嚴下)

하겠으며 平時 및 非常時를 不問하고 大

韓民國軍法会議를 받지 않는다는 点은(에 있어서)

美軍隊構成員 및 軍属에 對하여 大韓民國

이 그 軍隊로서의 特殊性을 認定하나

이는 어디까지나 美合衆國軍隊로서의

特殊性을 考慮하는것이지 大韓民國軍隊

와 同一視한다는것이 아니므로 大韓民國

의 刑事裁判權에 服하는 個々美軍隊

構成員 및 軍属은 하나의 外國人으로서

看做되는 것이며 非常戒嚴下에서의 特

定犯罪나 또는 平時의 軍事에 関한 间諜

等 特殊한 罪를 犯한 者는 비록 美軍隊

라 할지라도 大韓民國一般國民과 同等

공통서식 1—2 (을) (16절지)

0033

하 大韓民國軍法会議의 裁判權에 服

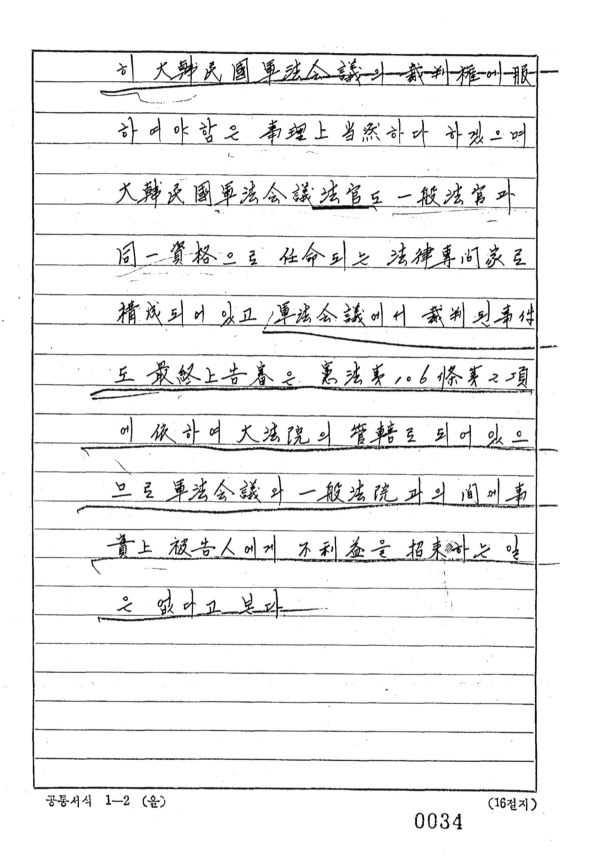

하여야함은 事理上 当然하다 하겠으며

大韓民國軍法会議法官도 一般法官과

同一資格으로 任命되는 法律專門家로

構成되어 있고 軍法会議에서 裁判된 事件

도 最終上告審은 憲法第106條第2項

에 依하여 大法院의 管轄로 되어 있으

므로 軍法会議와 一般法院과의 間에 事

實上 被告人에게 不利益을 招來하는 일

은 없다고 본다.

공통서식 1—2 (을) (16절지)

0034

六. 公務執行中 行하여진 犯罪인지의 與否에 對한 判斷基準 및 判斷權者 問題

管轄權이 兩國當局에 競合할 경우에 公務遂行中 行하여진 犯罪에 對하여는 美軍當局이 第1次的 管轄權을 行使토록함은 軍隊固有의 任務및 機能上의 特殊性을 考慮한것이라 할것이므로 그 趣旨로 보아 비록 公務執行中의 犯罪라 할지라도 그公務와 直接関聯하여 特定公務의 正常的機能으로서 要求되는 範囲를 逸脫한 行爲는 公務執行中의 行爲라고 볼수 없을것인바 어떤行爲가 公務執行中 그職務와 直接関聯하여 行하여 졌는가와 어느者가 公務執行中이 였는가는

別個의 問題라 할것이나 (例로 어느者가
9時부터 11時까지 步哨勤務를 命받고 步
哨勤務中인 10時頃 哨所에서 飮酒타가
他人을 毆打한 경우 그者가 10時부터 11
時까지 公務執行中이었는가의 問題와 그
者의 毆打行爲가 步哨勤務中 그職務와
直接 關聯하며 職務遂行上 正常的 機能
으로 要求되는 範圍內의 行爲였는가의 問
題는 다르다) 그者가 公務執行中이었는가는 그
者에게 任務를 賦与하고 또는 그任務遂
行을 確認 監督하는 指揮官이 判斷할
수 있으되 그行爲가 公務執行中 그職
務와 直接關聯하여 行하여 졌는가의

공통서식 1—2 (을) (16절지)

0036

問題는 公務執行中이었는가의 問題와

같이 劃一的으로 判斷될수 있는것이 아니고

個個犯法行爲의 動態를 具體的으로 檢討하여

客觀的으로 判斷할 問題이므로 大韓民國의

現行法制上 法律專門家이며 公益의 代表

者인 同時에 捜査主体로서 모든 犯罪捜査

및 變死体處理를 担當하는 各地方檢察廳

檢事가 어떤行爲에 對한 法律的判斷

을 함은 當然하다 하겠다

다만 檢事의 決定은 捜査段階에서의 準司

法的意義를 가짐에 不過함으로 公訴提

起後 裁判課程에서 法官이 見解를 달리

할때에는 檢事의 決定에 不拘하고 所信

공통서식 1—2 (을) (16절지)

0037

에 따라 裁判할수 있음은 勿論이다.

공통서식 1—2 (을) (16절지)

0038

※ 裁判確定時까지 被拘束者 및 受刑者의 身柄을 美軍当局이 갖인다는 問題.

大韓民國이 裁判權을 行使할 權利를 갖이는 事件에 関하여 同被疑者 또는 被告人을 捜査 또는 裁判함에 있어서는 不拘束을 原則으로 하고 다만 刑事訴訟法第70條 第201條에 依據 住居가 一定하지 않거나 逃走 또는 証據 湮滅의 憂慮가 濃厚한 경우에 限하여 例外로 捜査 또는 裁判上의 必要에 依하여 拘束하므로 如斯한 拘束事由의 有無에 関한 判断은 裁判權을 行使하는 大韓民國 法官이 하여야 할것임은 勿論이려니와 또한 拘束은 어디까지나 眞実에 部합한 公正한 裁判을 하기 為한 前提이므로 裁判权을 行使하는 大韓民國 当局의 拘禁下에

공통서식 1—2 (을) (16절지)

0039

두어야 함은 勿論이며 刑이 確定된
者에 對한 刑의 執行도 当然히

裁判權을 行使한 大韓民國에서 하여
야 함은 贅言을 要하지 않는다 할것이라

다만 大韓民國의 行刑施設等이
不充分한 点이 있음은 事実이나 既히

一部 矯導所에는 어느 程度 遜色없다
고 볼수 있는 施設을 具備~~한 矯導所~~

~~가~~ 하고 있으며 또한 大韓民國 当局의
継續的인 誠意있는 努力으로 受刑

者에 対한 人權의 保障은 万全을 期할
수 있다고 하겠으므로 어디까지나 受刑

者處遇의 向上 問題는 大韓民國과 美
軍当局이 共히 바라고 努力하는 바인것

이지 両政府間의 行刑施設의 程度
差異를 갖이고 裁判權行使의 一部

인 被疑者 또는 被告人의 拘禁과

공통서식 1—2 (을) (16절지)

0040

刑 執行權을 制限할 理由는
될수 없는것이다.

공통서식 1—2 (을) (16절지)

0041

※ 大韓民國이 專屬裁判權을 가지는 경우에 美軍當局이 犯人에 對하여 課한 行政的 또는 懲戒的 制裁의 有効性을 認定하여 專屬的 裁判權의 抛棄에 關하여 好意的인 考慮를 하는 問題.

~~全혀~~ 오로지 大韓民國의 安全에 關한 重大한 犯罪에 對하여는 大韓民國에 專屬的 裁判權을 認定하는것이며 이들 犯罪의 保護法益은 오로지 大韓民國의 存立 및 安全이라 할것이므로 이들 權利는 抛棄하거나 讓渡한다는것은 있을수 없~~으며~~다.

万若 그렇지 않다면 專屬的 裁判權을 認定하는 本協定案 第22條의 趣旨에 違背된다 할것이다

또한 行政的 制裁와 刑事的 制裁와는 그 目的 및 効果가 全혀 다른 別個의 것이므로 刑事的 制裁가 行政的 制裁에 依하여 影響될수 없는것이다.

다만 美軍當局의 行政的 또는 懲戒的 制裁에 對하여는 大韓民國이 同犯人

공통서식 1—2 (을) (16절지)

0042

刑法第51条,第53条에 依하여

에 対한 量刑에 있어 情状参酌
事由로서 充分히 考慮되는 것이다.

비록 專屬裁判權의 抛棄要請에 好意
的인 考慮를 한다 할지라도 이는 大韓民國
의 意思에 依하여 決定할 問題임에도
不拘하고 美側 合議議事錄(案)에
依하면 美側의 通告로서 当然히 大韓
民國의 抛棄한것이 되도록 規定한바
이는 처음부터 專屬裁判权을 認定
하지 아니한 結果가 되는것이므로 不当함
은 再言을 要치 않는다 할것이다.

공통서식 1—2 (을) (16절지)

20 0043

※ 非常事態下에서의 受刑者釋放問題

大韓民國의 裁判權에 依하여 刑을 받은 者에 對하여 大韓民國이 그 刑을 執行中 戰爭 其他 이에 準하는 非常事態가 惹起되었을 境遇에는 大韓民國은 受刑者等의 安全을 爲하여 諸般措置를 取하여야 함은 비단 受刑者뿐아니라 大韓民國領域內의 모든 者의 生命과 財産을 保護하여야 할 大韓民國政府의 當然한 義務라 할것인바 이에 對한 當然한 歸結로서 大韓民國 行刑法 第16條에 受刑者에 對하여 非常事態下에서의 釋放 또는 其他 安全地域

공통서식 1-2 (을) (16절지)

0044

으로서의 移送等을 明文으로 規定

하여 受刑者의 安全을 期하고 있으므

로 特別히 行政協定에 規定할 必要

가 없다고 본다.

예고문에 의거 재분류(1966.12.31)

공통서식 1—2 (을)

0045 (16절지)

2 (c)에 關하여

兩政府는 2 (c)에 規定된 安全에 關한 모든 罪의 詳細한 內容과 이러한 犯罪에 關한 各自國現行法上의 規定을 通報하여야 한다.

3 (a)(ii)

공통서식 1—2 (을) (16절지)

0046

2

3 (c)에 關하여

1. 裁判權을 行使하는 第1次的 權利의 抛棄에 関한 相互의 節次는 合同委員會가 決定한다

2. 大韓民國當局이 裁判權을 行使할 第1次的 權利를 抛棄한 事件의 裁判及 a (ii)에 該當하는 罪로서 大韓民國 또는 大韓民國國民에 對하여 犯한 事件의 裁判은 相互間 別段의 妥協이 없는限 大韓民國의 領域内에서 犯罪가 行하여젔다고 認定되는 場所로부터 適當한 距離内에서 迅速히 行하여져야 하며 大韓民國當局의 代表者는 그裁判에 立會할수 있다

4에 關하여

大韓民國 及 美合衆國의 二重國籍者로서 美合衆國 軍法被適用者이며 美合衆國이 大韓民國에 入國케 한者는 (4)의 適用上 大韓民國國民으로 보지 아니하고 美合衆國國民으로 본다

공통서식 1-2 (을) (16절지)

0047

5에 關하여

1. 大韓民國當局은 大韓民國이 裁判權을 行使할 第一次的 權利를 갖이는 事件에 關하여 美合衆國軍隊構成員 또는 軍屬을 逮捕할 때에는 그犯人을 拘束할 正當한 理由와 必要가 있다고 思料하는 경우를 除外하고는 當該犯人을 釋放하고 美合衆國軍當局에 依한 拘禁하에 引渡 하여야 한다 但 大韓民國當局이 그犯人을 取調할수 있는 것을 그釋放의 條件으로 하는 경우에는 大韓民國當局의 要請이 있으면 大韓民國當局으로 하여금 그犯人을 언제든지 取調할수 있도록 하여야 한다

美合衆國當局은 大韓民國當局의 要請이 있으면 大韓民國當局이 그犯人을 起訴하였을때 卽時 身柄을 大韓民國에 引渡 하여야 한다

공통서식 1-2 (을) (16절지)

A 0048

6 에 關하여

1. 大韓民國當局이 搜査및 裁判上 美合衆國軍隊構成員 또는 軍屬을 証人으로 召喚하였을 때에는 美合衆國軍當局은 召喚된者를 出頭 시켜야 한다

2. 証人으로 召喚된者가 正當한 理由없이 出頭하지 아니할 때에는 大韓民國當局은 大韓民國法에 規定된 節次에 依하여 必要한 措置를 取할수 있다

萬若 그러한 경우에 大韓民國法官이 發付한 令狀의 提示가 있으면 合衆國當局은 卽時 大韓民國當局에 依한 令狀의 執行을 保障할수있는 適切한 措置를 取하여야 한다

공통서식 1-2 (을) (16절지)

0049

9에 關하여

1. 이 項에 揭記된 權利는 大韓民國憲法의 規定에 依하여 大韓民國法院에서 裁判받는 모든 者에 依하여 保障된다.
이들 權利以外에 合衆國軍隊構成員, 軍屬 또는 그들 家族으로서 大韓民國裁判權下에 起訴된 者는 大韓民國法院에서 裁判받는 모든 者에 對하여 大韓民國의 憲法과 法律이 保障하는 其他의 權利를 갖는다.

2. 美合衆國軍隊構成員, 軍屬 또는 家族으로서 大韓民國의 裁判權에 基하여 起訴된 者의 裁判에 美合衆國政府代表者가 立會하는 것에 關한 9(g)의 어떤 規定도 裁判의 公開에 關한 大韓民國憲法의 規定을 害하는 것으로 解釋하여서는 아니된다.

공통서식 1-2 (을) (16절지)

0050

10 (a) 及 10 (b) 에 關하여

1. 美合衆國當局은 通常 合衆國軍隊가
使用하거나 또는 그權限에 基하여 警備
하고 있는 施設及 区域内에서 合衆國軍
隊構成員 또는 軍屬에 対하여 ~~[illegible]~~ 逮
捕를 行한다 이는 合衆國軍[illegible]
[illegible] 當局이 同意하는 경우 또는 重
大한 罪를 犯한 現行犯人을 追跡하
고 있는 경우에 있어 大韓民國當局
이 前記 施設 또는 区域内에서 ~~法令~~
~~及同의 裁判管轄에 屬하는 모든 者를~~
~~逮捕할수 있다.~~
大韓民國當局이 逮捕할것을 希望하는
者로서 美合衆國軍隊의 裁判權에
服하지 아니하는 者가 美合衆國軍隊
에 依하여 使用하고 있는 施設 또는
区域内에 있는 경우에는

공통서식 1-2 (을) (16절지)

0051

美合衆國 軍當局은 大韓民國 當局의
要請에 依하여 그 者를 即時 逮捕 하여야
한다

合衆國 軍當局에 依하여 逮捕된 者로서
合衆國 軍當局의 裁判權에 服하지 않는 모든
者는 即時 大韓民國 當局에 引渡 하여
야 한다

合衆國 軍當局은 施設 또는 區域內및
그 近處에서 當該施設 또는 當該區域
의 安全에 關한 罪의 ~~[illegible]~~ 現行犯에
該當하는 者를 正當한 法의 節次에 依하
여 逮捕할수 있다 이들中 合衆國軍隊
의 裁判權에 服하지 않는者는 모두 即時
大韓民國當局에 引渡하여야 한다

2. 大韓民國當局은 通常合衆國軍隊가 使
用하거나 또는 그權限에 基하여 警備
하고 있는 施設 或은 區域內에 있는
모든者나 財産에 關하여 또는 所在
地의 如何를 不問하고 合衆國軍隊의
財産에 關하여 押收 搜索 또는 檢證
을 行할 權利를 行使 하지 아니 한다
但 合衆國 軍隊의 權限 있는 當局이
大韓民國當局에 依한 이들의 押收, 搜索
檢證에 同意한 경우에는 此限에 不在

한다.
合衆國 軍隊가 使用中인 施設或은 区域內에 있는 者나 財産 또는 大韓民國에 있는 合衆國軍隊의 財産에 関하여 押收, 搜索및 検証을 行할것을 大韓民國當局이 要請할때에는 合衆國 軍当局은 그 押收, 搜索및 検証을 行하여야 한다.
이들 財産으로서 合衆國 政府 또는 그 附屬機関이 所有 또는 利用하는 財産以外의 것에 関하여 裁判이 行하여진때에는 合衆國은 그들 財産을 裁判에 따라 処理하기 爲하여 大韓民國当局에 引渡한다.

공통서식 1—2 (을) (16절지)

0053

미측합의의사록 제9항에 규정된
피의자의 권리

Re Paragraph 9 (a)

본문상단에 있어서

1."오로지 시보기간을 이수한 법관만으로서 구성된 신속한 재판을 받는다는 권리"에 관하여는 민간법원에 관한한 법원조직법 제35조에의 규정에 의하여 보장되어 있으므로 특히 규정할 필요는 없으나 미국측 안을 수락할수 있음.

2. 본문 후단에 있어서 "대한민국의 군법회의에 의한 재판을 받지 않는다"에 관하여는 이에 관한 기본문제의 해결에 따르는 부수적 사항입으로 별도 논의할것임.

Re Paragraph 9 (b)

1. 첫문장의 " A member 에서 he understands 까지)에 대하여는 수락함.

2. 둘째 문장에 있어서 "피구속자는 심판에 앞서 상당한 기간전에 증거의 성질에 관하여 통고 받을수 있다."는 점에 관하여 우리규정은 없다. (소극적 저촉. 여사한 것에 관하여는 우리나라 형사 소송법상 규정한바 없을 뿐 아니라 우리나라 형사 소송법에 의하면 증거조사에 관한 제291조 증거 조사의 방식에 관한 제292조, 증거조사에 대한 이의 신청권 및 증거재판주의에 관한 제307조 등의

0054

제규정으로 기소후 소송계속중에 충분히 피고인을 보호하는 법적 소재가 마련되어 있음으로 삭제함이 타당함.

3. 셋재문장 (Counsel 이하 전부)에 대하여는 수락함.

Re Paragraph 9 (c) and (d)

이에 대하여서는 전부 수락함.

Re Paragraph 9 (e)

이에 대하여 confidentially 를 삭제한다면 수락할수 있음. Confidentially 를 삭제하는 이유로서는

1. 우리나라 관계법령에 의하면 피의자나 피고인에 대하여서는 사법경찰관이나 고도관리가 타인과에 접견에 있어서 입해하여야 할뿐 아니라, 유치 및 호송에 있어서 수시 그와 접견하고 있어야 하는바 미국측이 제출한 변호인이 피의자 또는 피고인과 비밀이 상의한다는 것과는 양립할수 없음.

2. 변호인은 소송절차 전반에 참여할 권리, 증인의 진술서를 열람, 녹취할 권리등 그들을 위한 대리권을 행사하여 피의자나 피고인의 법적구제에 만전를 기하고 있으므로 또다시 상기 권리를 인정할 하등의 이유가 없으며 피의자나 피고인과의 비밀히 상의함으로서 증거인멸, 위증교사등 또다른 범죄를 야기할 우려성이 있음.

0055

Re Paragraph 9 (f)

이에 대하여서는 수락할수 있음.

Re Paragraph 9 (g)

1. 상단 (The right 에서 The accused 까지) 중에서 and 이하에 규정한 "정부대표의 결석중에 행한 피고인의 진술은 유죄의 증거로서 채증할수 없다." 는 규정에 대하여서는 삭제를 주장함. 그이유로서

첫째, 피고인, 변호인, 통역인, 및 정부대표자가 소송 절차에 참여하거나, 접견연락할수 있는 권리가 부여되어 있음에도 불구하고 정부대표자의 임의적인 결석으로 인하여 재판진행을 지연시킬 염려가 있음.

둘째, 정부대표자의 참여 여부의 문제와 피고인의 진술의 증거능력과는 전혀 별개의 문제인바, 정부대표자의 자의적인 결석으로 인하여 피고인의 진술의 증거능력을 부인함은 하등의 합리적인 이유가 없고 허위진술을 강요할 여지가 없는한 일국가의 재판권행사에 중대제약임.

2. 후단 (such 이하 전문)에 대하여서는 전부 수락함.

다만 한국측안 Re Paragraph 9. 2 를 부가하기를 주장함.

한국측안은 한국당국이 재판권을 행사하는 경우에 있어서 정부대표의 참여권에 관하여 한국의 헌법상의 규정을 침해하는 것으로 해석되지 않는다고

0056

규정하고 있는바, 우리나라 헌법 제 105조는 재판 공개주의를 원칙으로 삼고있으며 다만 예외적으로 "안녕질서를 방해하거나 선량한 풍속을 해할 염ㅁ 염려가 있을 때에는 법원의 판결로서 공개하지 아니할수 있다." 라고 규정하고 있으나 다시, 법원조직법 제 53조 3항에 의하면 공판의 공개를 정지할ㄷ때라도 재판장은 적당하다고 인정하는자에 재정을 허가할수 있다고 규정하였음으로 우리나라 헌법상의 범위내에서도 정부대표의 참여권은 극히 예외적인 경우를 제외하고는 충분히 보장되는 것으로 생각됨.

Re Paragraph 9

1. 서문 (A member 에서 of rights 까지)에 대하여 전부 수락함.

2. 부가적 권리 (a) 삭제를 주장함.

이유, 첫째, 우리나라 형사소송법상 피고인에게 통역인이 따를수 있고 변호인의 열람 등사의 권리 및 정부대표의 입회권등으로서 충분할 것임.

둘째, 현재 법원사무의 기술상 거의 불가능 할것임.

3. (b) 수락함.

4. (c) "

5. (d) "

0057

6. (e) "범죄 법행시의 형보다 중한 형을 받지 아니한다"는 상단에 대하여는 수락함.
그러나 "원심법원이 원판결로서 판결한 형보다 중한 형을 받지 않는다"는 것에 대하여는 다음 대안과 같이 제약을 가하는 것을 조건으로 수락함.

대안

행위시의 법률보다 형이 중한 법률에 의하여 재판받지 아니하며 피고인이 상소한 사건과 피고인을 위하여 상소한 사건에 관하여는 원심판결에 의하여 중한 형을 선고받지 아니하는 권리.

대안을 제시한 이유로서

대륙법 계통을 계승한 우리나라를 위시한 대다수 문명국가에서는 상소에 관하여 불이익변경 금지의 원칙을 규정하고 있는바, 우리나라 형사 소송법도 이러한 형사상의 법의 일반 원칙으로서 제368조는 "피고인이 항소한 사건과 피고인을 위하여 항소한 사건에 대하여는 원심판결의 형보다 중한 형을 선고받지 못한다." 라고 규정하고 있음으로 검사가 항소하거나 검사와 피고인이 각각 독립하여 항소한 경우에는 불이익변경의 금지를 인정치 않기 때문임.
다만 우리측안 Re Paragraph 9 에 보장될 것임으로 삭제가 타당하나 미국측이 원하면 대안대로 명시하겠음.

0058

7. (f) Requirements of proof 가 무엇을 의미하는지. 이에 대한 해답을 받은후 수락여부에 대하여 고려하겠음.

8. (g) 수락함.

9. (h) 수락함.

10. (i) Legislative act 또는 executive act 는 무슨 기준으로 구별할 것인지.
즉, 행사기관으로 구별할것인지 또는 행위의 실질적 내용으로 구별할것인가.
여컨데 전자의 의미로 해석한다면 행정부에서 발하는 행위(검찰기관의 형소치행위, 대통령의 긴급명령 행위, 세관장, 세무소장의 통고처분)은 모두 행정행위라고 할것이나 후자의 의미로 해석한다면 검찰기관의 형소치행위는 준 사법행위이며, 대통령의 긴급명령행위는 준입법행위에 속할 것이므로, 이에 대한 명백한 해답이 있은후, 수락여부에 대하여 고려하겠음.

11. (j) 수락함.

12. (k) 다음과 같이 대안을 제시함.
심판에 출도하거나 자기의 변호에 있어서 육체적으로 또 정신적으로 부적당한 때는 심판에의 출두를 연기요청 할수 있는 권리.
그 이유로서 피고인의 자의에 의한 불출두를 막기 위하여서는 요청에 의한 심만당국의 허가가 있으므로서 비로서 불출두할수 있도록 하기 위함.

0059

참고로 우리형사 소송법은 이에 관하여 제 306 조
에 의하여 피고인이 (1) 사물의 변별 또는 의사에
결정을 할 능력이 없는 상태에 있을때 (2) 질병이
있을 때에는 검사와 변호인의 의견을 듣고, 다시
의사에 의견을 들어서 법원이 결정하도록 되어
있는 것인데 이에 대하여서도 상기 대안은 우리
국내법에 의하면 특례 규정임.

13. (1)

(i) 첫문장 (shall 에서 unmanacled)
에 대하여서는 수락함.

(ii) 둘째문장 (No confession 에서
this Article)까지 중에서 improper 는
삭제주장함.

삭제이유

Improper 결정기준이 애매할 뿐만 아니라,
Illegal 로서 포섭되는 것으로 해석됨.

(iii)문장 (In any case 에서 errors
of law 까지)에 대하여 삭제를 주장함.

삭제이유

첫째, 상소제도란 (1) 법률적용의 착오를 시정
하여 법령해석에 통일을 기함과 아울러 사실의 오인으로
인한 오판을 시정하려는 것인바, 미국측안은 법률적용의
착오의 경우에만 상속할수 있다고 하는데 대하여
사실 오인으로 인하여 오판을 시정하는 길은 봉쇄
되고 있음.

0060

(예 . 원심법원에서 발견치 못한 증거가 상급심에서 심에서 발견되어 과형할수 있는 것이 봉쇄되는 것임 .)

둘째 , 대륙법 계통국가에서의 법의 일반원칙으로서 우리형사 소송법 제361조에서 항소이유로서 열거 하고 있고 , 또 383조에서 상고이유를 열거하고 있음으로 이에 상의한 상소의 길이 열려야 할것임 .

(iv) 네째문장 이하 (The authorities 이하 전부) 에 대하여는 수락함 .

0061

大韓民國提案理由	美國案에 對한 檢討
1. 本美合衆國軍當局으로 하여금 軍隊라는 特殊性을 考慮하여 그 軍隊構成員 및 軍屬에 對한 裁判權을 大韓民國內에서 行使할 수 있는 權利를 賦與하기 爲한 一般的 規定이다	1. 駐屯軍(美合衆國 [illegible] 成員 및 軍屬)에 對하여 駐屯國內에서 裁判權 行使를 認定함은 用兵作戰을 任務로 하는 軍의 特殊性을 考慮한 것으로 屬地主義原則에 對한 例外라 할 수 있는바 軍隊構成員 및 軍屬이 아니고 一般市民에 不過한 그들의 家族은 當然히 大韓民國裁判權에 服하여야 함에도 不拘하고 이를 軍隊構成員 및 軍屬과 同一하게 處遇하려 함은 不當하다 할 것이다. 또한 美軍法會議에서 軍隊構成員 및 軍屬이 아닌 그들 家族 全部를 裁判할 수 없는 것이라면 同 [illegible] 議에서 裁判할 수 없는 家族에 對하여는 大韓民國內에서 19世紀의 遺物

0062

의 韓國 裁判權을 行使한다
는 것인지 理解할 수 없음.
起訴에 軍人, 軍屬의 家族
에 對하여 發生한 犯罪
美軍法會議의 裁判權이
行使될 수 있는 경우를 規定
한다 하더라도 美軍法上
그 裁判管轄에 服하는 家
族에 限하여서 만 그 裁判
權을 行使하면 되지 모든
家族에 對하여 그 管轄權
을 갖는다는 條項을 둘 必
要가 없는 것이다. 그러므로
本項 規定中 "家族"을
削除하여야 할 것이다.
또한 [redacted] 에서의 美
側 民事 裁判權 行使 內
容에 關하여는 屬地主義
原則에 依하여 當然히
主權國家인 大韓民國의
裁判權 行使에 服하여야
하는 것인바
本 行政協定 締結에 있어서
는 友邦으로서 共同 防衛에
臨하고 있는 美合衆國軍

0063

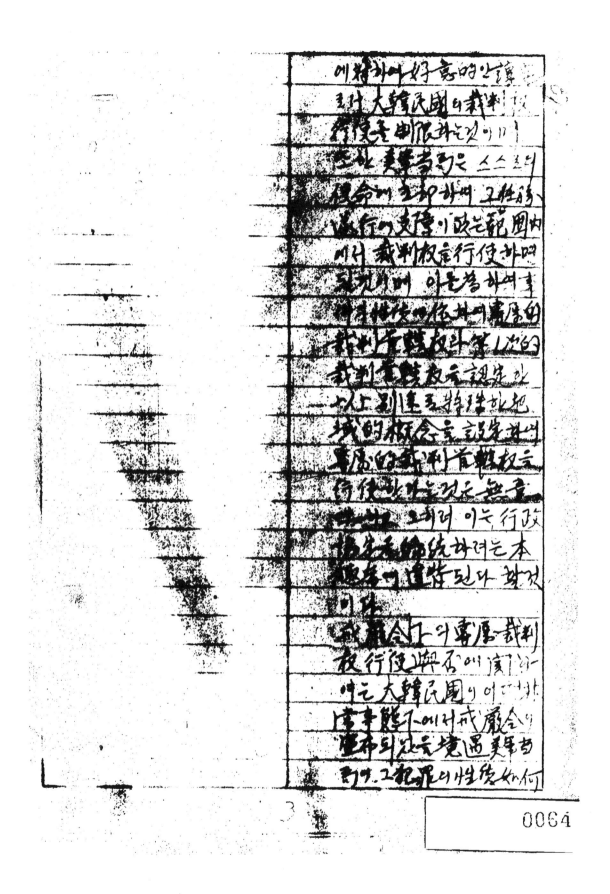

에 對하여 好意的인 考慮
로서 大韓民國의 裁判權
行使를 制限하는 것이기
때문에 美軍當局은 스스로의
使命에 忠實하며 그 任務
遂行에 支障이 없는 範圍內
에서 裁判權을 行使하려
할 것이며 이를 爲하여 事
件의 性質에 依하여 專屬的
裁判管轄權과 第1次的
裁判管轄權을 規定한
以上 別途로 特殊한 地
域的 概念을 設定하여
專屬的 裁判管轄權을
行使하려는 것은 無意
味하다. 오히려 이는 行政
協定을 締結하려는 本
意에 違背된다 할 것
이다.
戒嚴令下의 專屬裁判
權 行使與否에 關하
여는 大韓民國이 어떠한
事態下에서 戒嚴令이
宣布되었을 境遇 美軍當
局이 그 犯罪의 性質如何

0064

[illegible]

0065

는 國家안全에 關한 重大한
犯[illegible] 오히려 裁判權
行使를 强化하여야 할 立
場이므로 이 點에 對하여는
合衆國當局의 再考를
要望한다
大韓民國 領域 外에서 犯한 犯
罪에 對하는 大韓民國 裁判權
行使의 制限에 關하여는
各自國의 安全에 關한 犯
罪에 對하여 裁判權을 行
使할 수 있는 旨 規定한 大
韓民國 및 合衆國의 本行
政協定 第2項 및 第3
項와 正面으로 抵觸한
[illegible]으니 例로
[illegible]域 內에 있는 大韓
[illegible] 施設區域 內에서 內亂
罪를 犯한 美國軍屬이
스스로 大韓民國에 入國
하였다 할지라도 大韓民
國은 이에 裁判權을 行
使할 수 없는 不合理한 結
果가 되는 것이다

0066

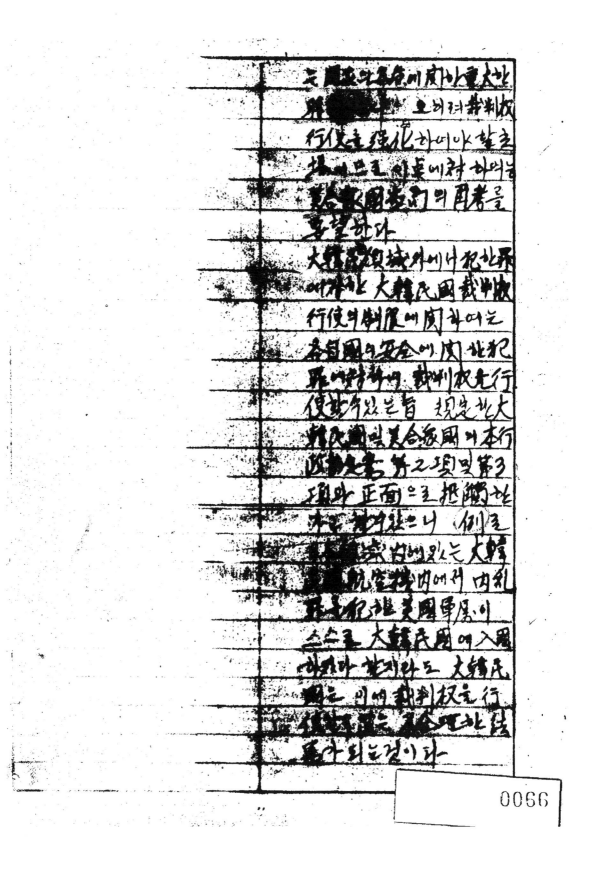

나. [illegible]
[illegible]
美國一般市民 [illegible]
[illegible]
[illegible]
[illegible]
[illegible]
[illegible]
[illegible]

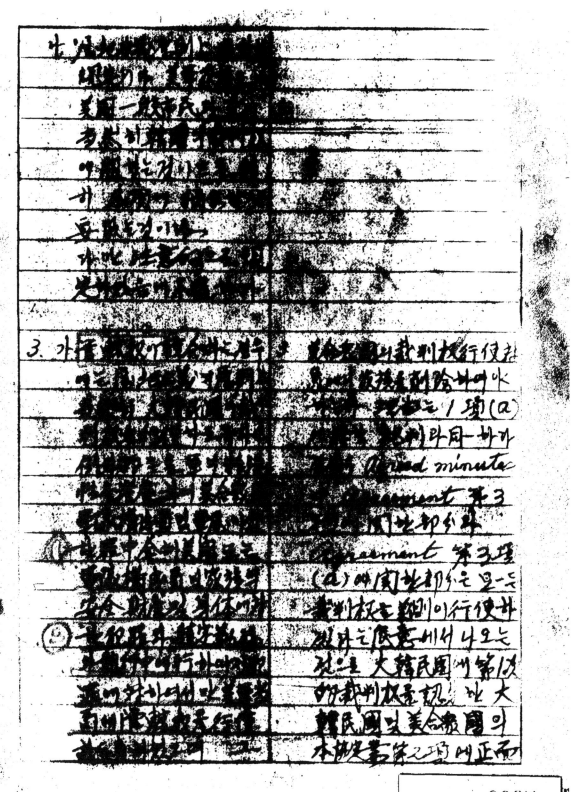

3. 가. [illegible] [illegible] 裁判權行使을 [illegible] 抛棄를 [illegible] 1項(a) [illegible] 라 同一하다 [illegible] Agreed minutes [illegible] Agreement 第3 [illegible] 關한 部分과 [illegible] Agreement 第3項 (a)에 關한 部分은 모든 裁判權을 [illegible] 이 行使하
① [illegible] 게 되는 [illegible] 에서 나오는
② [illegible] 것으로 大韓民國에 第1次的 裁判權을 認定한 大韓民國 및 美合衆國의 本協定書 第2項에 正面

[illegible]
의 判[illegible]
職務[illegible]
이[illegible]
[illegible]
[illegible]
이에 [illegible]
을 [illegible]
서 [illegible]
또 [illegible]
務와 直接 關聯 하[illegible]
지의 [illegible]
檢事 [illegible]
고, [illegible]
있을 때에는 [illegible]
長官이 決定토록 하[illegible]
이는 [illegible]
[illegible]
[illegible]
[illegible]
[illegible]
[illegible]
[illegible]
的 判斷[illegible]
하게 [illegible]

[illegible] 아니라
[illegible] 에 又한다
[illegible] 公務執行中이냐의
[illegible] 는 어떤
[illegible] 公務執行中에
[illegible] 였는가와 그者가
[illegible] 이었는가는
[illegible] 個의 問
[illegible] 公務執行
中이었는가의 問題는 指
揮官이 判斷할수 있으되
또 行為가 公務執行中
에 그 職務와 關聯하여
行하여졌는가의 問題는
指揮官의 主觀에 依하
여 判斷될 問題가 아니
라 当該 事實을 綜合
하여 客觀的으로 決定
될 問題이므로 이는
大韓民國을 提訴
[illegible] 된 現由에
[illegible] 하여금 判斷
케 함이 옳다

1

0068

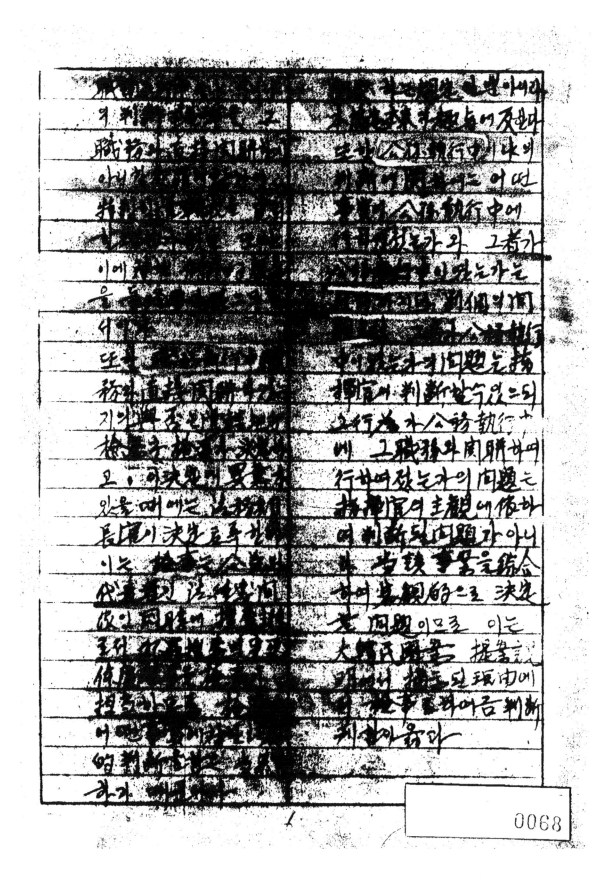

5. (가)(나)(다)	5. 大韓民國이 裁判權 [illegible]
兩政府가 犯人의 [illegible]	服從者가 拘禁된
의 引渡에 對한 相互協	에 그者에 對한 引[illegible]
助를 規定한 것이다.	韓國의 모든 法節次가
(라) 大韓民國이 裁判權을	完了한 後에야 비로소 要
行使할 美軍 및 그 家族	請하고 다만 捜査나
에 對한 身柄은 美國手	裁判에 必要한 경우 만 利
中에 있을 때에는 美軍	用할 수 있게 한 바 裁判權
拘禁下에 두되 韓國	을 行使하기 爲한 捜査 및
이 捜査上 必要에 依	裁判은 單純히 美當局
하여 引渡를 要請하	者의 協助만으로 이루
면 卽時 引渡하여야	어지는 것은 아닌 것이며
할 것이다	이는 事實上 韓國의 裁
다만 人權擁護上 韓	判權行使를 阻害하는
國法官이 發付한 令	結果를 가져올 것이다
狀의 提示를 要件으	
로 하였다	
9. 非公開裁判을 할 수 있다	9. 合衆國 軍隊構成員 및
는 點에 關하여는 非公開	軍屬과 그들 家族은 大韓
란 訴訟當事者 以外의	民國 軍法會議 [illegible]
者의 參席이 全혀 排除	하는 바는 [illegible] 하는
되는 것이 아니고 關係	大韓民國의 軍人 [illegible] 國
를 [illegible] 우리가 [illegible]	民이 軍法 [illegible]
事件 등에 있어서는 被告	服하는 경우는 [illegible]

0069

人問題로 名譽를 看取하여
나마 또는 社會風紀
를 爲하여 裁判을 許
可 받은者 만을 參觀케
하는것이므로 美政府代
表者의 立會權을 害하
는 것은 아니다.

條에 依하여 非常戒嚴
令下에서나 또는 軍事에
關한 間諜등 特殊한
境遇에 限定되어있는바
非常戒嚴令下의 軍事
裁判에 關한 論議之前
人보 戒嚴令下 軍屬
裁判權에 對한 檢討에
서 論評한 理由와 같고
다음 軍事에 關한 間諜
등 特殊한 경우에 關하
여서도 現軍法會議 法
官이 一般法院法官과
同一資格을 가진 法
[illegible]으로 構成되
[illegible] 軍法會議
[illegible] 裁判된 事件도 最
終 [illegible] 憲法 第106
條 第2項에 依하여 大
法院의 管轄로 되어있
으므로 軍法會議와
一般法院과의 間에 事實上
被告人에게 不利益을
招來한다고는 볼수없
다.

0070

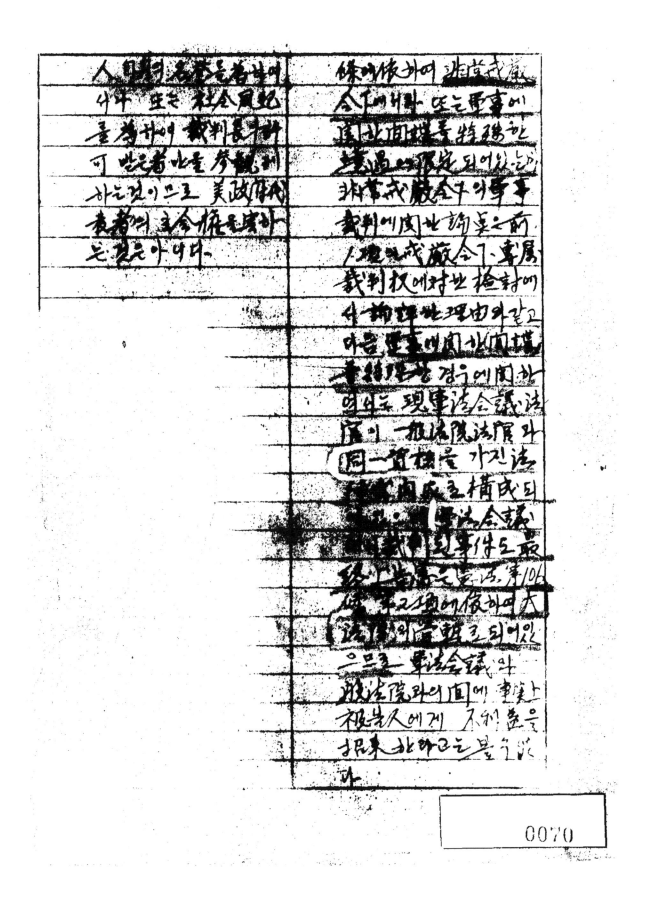

[illegible] 代表者의 立会下에서
[illegible] 만이 [illegible]
[illegible]
[illegible] 本協定에서는
[illegible] 外国人에 対하여
[illegible] 規定을 [illegible] 하
고 있어 人権擁護에 萬全
을 期하고 있으며 그나라
代表者가 立会할수 있는
権利를 規定하고 있는 以
上 代表者의 立会 [illegible]
[illegible] 能力 [illegible] 法律
上의 理由가 없으며
그 代表者가 別段의 理
由없이 立会치 않는것은
그 스스로의 権利의 抛棄
이므로 代表者의 立会
不在로 因한 裁判의
[illegible]을 甘受할 理由
가 있다.
上訴審에서 原審法院의
刑보다 重한 刑을 科할수
없다는 点과 無罪釈放
된者를 境遇 起訴者가
上訴하지 못한다는 点에

0071

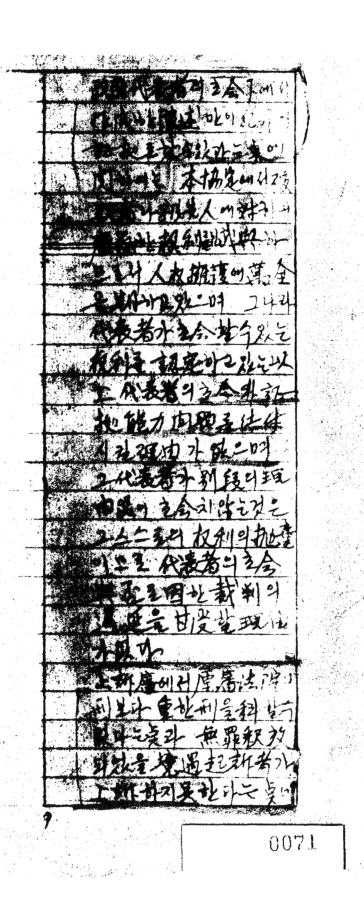

關하여는 上訴制
의 目的이 法令의
統一과 事實誤認
로因한 誤判을 是正
[illegible]함에있으므로 [illegible]
에서 法律解釋의 誤
나 事實誤認으로 因하
여 無罪나 顯著한 量刑
不當이 있다면 上訴制度
의 趣旨로 보아 當然是正
되어야 할것이다.

0072

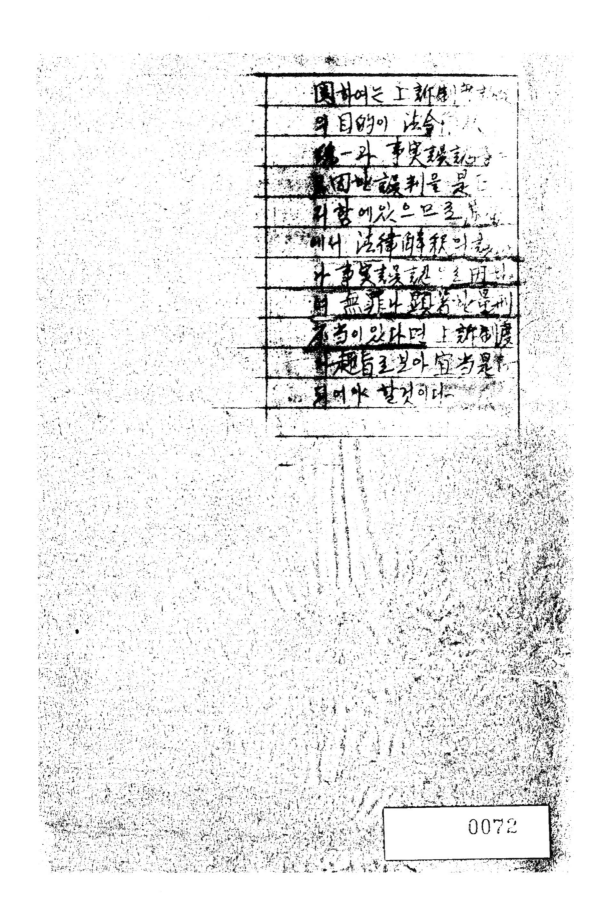

재 무 부

재세지 722.2-89 1964. 4. 24

수신 외무부 장관 귀하

제목 주둔군 지위협정 체결 교섭.

64.2.5 외구미 722.2-1919 호에 대하여 다음과 같은 의견을 제출합니다.

1. 군표 조항

가. 미측 제시 협정안중 군표사용이 인가되지 아니한 자에게 군표를 불법지불한 미 군인등에 대한 체포 및 처벌은 미국법에서 허여된 범위내에서 (to the extend authorized by United States law)라는 귀절은 군표사용이 인가된 자들이 인가되지 아니한자를 위하여 군표를 밀수 자금이나 국내 재산 해외 도피에 사용하였을 경우에도 한국의 관세법이나, 외환관리법에 의한 처벌을 받지 않고 미군 당국에 의하여 그들에게 부여된 특권의 박탈과 특정직에서의 해고 등 행정 조치만이 가능하게 되여 처벌의 실효성을 보장할수 없음므로 동 귀절은 삭제토록 하여야 할것입니다.

나. 군표 조항 합의 의사록

(1) 미국측은 본 협정 체결이후에 한국 정부가 보유하게 될 군표를 미군 당국에 보상없이 반환할것을 규정하려고 하는 바, 군표 불법 사용자에 대한 체포 및 처벌에 관한 실효성이 확보되지 않고서는 우리측은 미국측 제의를 수락할 수 없다고 봅니다.

(2) 본 협정 발효시에 있어서 한국 정부가 보유하는 군표는 양국 정부간의 합의에 따라 처분한다는 우리측 합의 의사록안은 단지 그 처분에

관하여 양국 정부가 별도로 협의 한다는 것임을 통보하고 또한 협정 발효 이후에 보유하게될 군표도 같은 방법으로 규정되어야 할것입니다.

2. 외 환 관 리.

가. 미측 제시 고환 각서안중 "미불화대 한화의 교환은 최고 환율을 적용한다." 라고 되어 있으나 이는 단일 환율 체제를 유지하려는 우리나라의 정책 목적상으로나, 국가이익상 도저히 수락 불가능 한것으로 한국 측안인 환금 당시에 통용되는 "기준환율"의적용은 기필 고수되어야 할것입니다. 미측은 기준 협정인 한미 경제 기술 원조 협정 (61.2.8) 6 항 ( ) 의 최고율 적용은 동 협정 6 항내에서도 명시된 바와 같이 수원국 ( )인 대한민국 국민의 이익을 최대한으로 보장하기 위한것으로서 본건 협정과는 그 근본 목적이 상이한것으로 동 협정상의 규정이 본 협정 체결에 있어서 선례가 될수 없을 것이며, 상기 협정 체결 진행시에는 공인된 복수 환율이 존재하고 있었음에 반하여 복수환율을 인정하지 아니하는 현재에 있어 "최고환율" 운운은 있을수 없는 사항 입니다.

3. 현 지 조 달 조 항

본 조항에 대하여는 당부 의견을 기히 실무자 회의에 지시 하였읍니다. 끝.

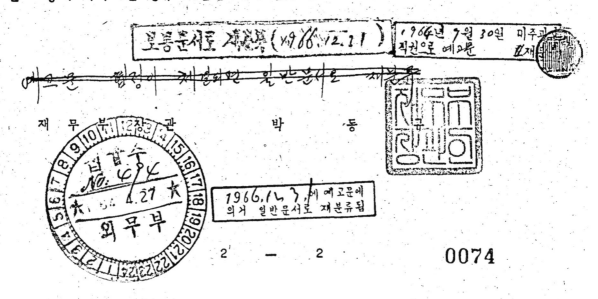

보통문서로 재분류(1966.12.31) 1964년 7월 30일 미주과 직권으로 예고문 재

~~예고문 협정이 체결되면 일반문서로 재분류~~

재 무 부 장 관 박 동 규

접수 No. 694 '64. 4.27 외무부

1966.12.31 에 예고문에 의거 일반문서로 재분류됨

2 - 2

0074

Customs Article

With respect to the proposed additional sentence to the U.S. agreed minute of the customs article, the Korean negotiators clarified their position at the 53rd Session that they wished to establish the principle in the SOFA that the pertient information, including invoices, packing lists and other documents which the Korean authorities deem necessary would be provided to the Korean authorities on an automatic basis by the U.S. armed forces. If the U.S. negotiators would agree to the principle, the Korean negotiators are prepared to discuss further the provision of agreed minute #3 of the U.S. draft.

Accordingly, the Korean negotiators, taking into account the previous discussions, wish to propose the following language to replace the proposed additional sentence to agreed minute #3 of the U.S. draft:

"Pertinent information on all cargo consigned to non-appropriated fund organizations shall routinely be furnished to the Korean authorities and on specific cases, additional information shall be provided to the Korean authorities upon request through the Joint Committee."

"The extent of pertinent information shall be determined by the Joint Committee."

The Korean negotiators request the U.S. negotiators to examine the proposal carefully and accept the same.

Chaong H. Cho

보통문서로 재분류(1966.12.31)

1966.12.31,에 예고문에 의거 일반문서로 재분류됨

0075

Foreign Currency Control Article (A)

As I stated at the last meeting, it has been our position that the U.S. military authorities will not be given any discriminatory treatment in converting their funds into Korean Won and it was also with this spirit that we tabled at the last meeting our alternative phrase "the buying rate of foreign exchange bank "which, we deemed, would suffice the requirements of the U.S. negotiators.

As the U.S. negotiators are also aware, under the current Foreign Exchange System, there exists besides foreign exchange bank rate, market rate which is neither unlawful nor identical with the bank rate and upon which the bank rate is based. It should be noted that in case the market rate is higher than the bank rate, literal interpretation of the U.S. proposed phrase "the highest rate which is not unlawful" would naturally lead to application of market rate rather than "foreign exchange bank rate", even though we believe the intention of the U.S. side is otherwise.

This is the reason why we can not accept the U.S. draft as it is. Since the U.S. side does not envisage the application of market rate in such conversion and not deny that such conversion has to be made only through the authorized foreign exchange banks in the Republic of Korea, we don't think there could be any difficulties on the part of the U.S. side to accept our well-defined phrase "buying rate of foreign exchange banks" which actually refers to the highest customer's rate in transactions at foreign exchange banks. We wonder if you would make any comments on this matter.

0076

Foreign Currency Control Article (B)

If the U.S. side insists on the particular word "the highest rate" we are prepared to accept the U.S. draft as it is only with the additional phrase" and is applicable in transactions at foreign exchange banks," between "_____ is not unlawful" and "in the Republic of Korea." in the last sentence of the U.S. draft, and with the inclusion into the Summary Record the following clause as mutual understanding: "It is understood that 'the highest rate' refers not to the selling rate, but the buying rate of foreign exchange bank in the Republic of Korea." This addition was made with a view to avoid any possible misunderstanding that "the highest rate" may refer to that of market rates which is also not unlawful.

Since the U.S. side does not envisage the application of ~~free~~ market rates in the U.S. military authorities converting their funds into Korean Won and it is inconceivable that such conversion would be made at any other place than foreign exchange banks in the Republic of Korea, we believe that our new proposal will fully meet the requirements of the U.S. side under all circumstances.

0077

기 안 용 지

자체 통제		기안처	미주과 이근팔
전화번호		근거서류접수일자	
과장	국장	차관	장관
관계관 서명	통상국장 (서명)		
기안 년월일	1964. 6. 24.	시행 년월일	
분류 기호	외구미 722.2—	전체 통제	
보존 년한		정서기장	
경유 수신 참조	재무부장관 (참조 사본) 경제기획원장관	발신	장관
제목	주둔군지위협정 체결 교섭		

1. 주둔군지위협정 체결 교섭 실무자회의에서 논의되고 있는 외환관리조항 중 주한미당국의 원화 매입에 적용될 환율에 관하여 1963 년 2 월 4 일 쌍방이 조안을 교환한 이래 미측은 우리측 제안을 수락할 것을 거부하고 계속 미측 주장의 수락을 요구하고 있읍니다.

2. 당부로서는 지금 7개지의 고섭 경위로 미루어 보아 교섭의 현국면을 타개하기 위하여서는 우리측 입장을 재검토하여야 할 단계에 도달하였다고 사려하오니 별첨 교섭 경위를 검토하시어 ~~미측안 수락 여부에 대한 귀견을 조속~~ 새로운 대안을 회보하여 주시기 바랍니다.

주기: 본 공한사본 부를 참고로 경제기획원장관에게 송부하였읍니다.

유첨: 외환관리에 관한 교섭 경위 1 부. 끝.

보통문서로 재분류 (1966.12.31.)

1966, 12, 31 에 예고문에 의거 일반문서로 재분류됨

00900—03

외무부 No. 292 1964. 6. 24

(195mm×265mm16절지)

0078

외환관리에 관한 교섭 경위

가. 교섭 경위

1. 우리측은 1963 년 2 월 4 일 개최된 제 14 차 주둔군지위협정 체결 교섭 실무자회의에서 미군당국의 원화 매입에 적용될 외환율을 " the basic rate of exchange "로 할 것을 미측에 제안 하였으며 미측은 제 16 차 회의에서 "교환 시 대한민국 내에서 불법적이 않인 미화 대 원화에 관한 최고환율(이하 불법적이 않인 최고환율이라고 함: the highest rate in terms of the number of Korean Won per United States dollar which, at the time the converse is made, is not unlawful in the Republic of Korea 로 할 것을 제안한 이래 1964 년 6 월 19 일 개최된 제 55차 회의에 이르기 까지 양측은 토의를 계속하였으나 합의에 도달 하지 못 하고 있다.

2. 그간 우리측은 우리의 원안 대로 주장하여 왔으나 미측이 도저히 수락할 수 없다고 하여 왔으므로 현실환율을 채택하게 됨을 계기로 "외환은행에서 적용되는 매입율"로 수정 제의하였으나 미측이 받아 드리지 않음으로 제 54 차 회의에서 미측원안 대로 "불법적이 않인 최고환율"로 하되 "외환은행에서 적용되는 환율"로 할 것을 제안하였다.

3. 그러나 미측은 다음과 같은 이유를 들어 우리 제안을 수락할 수 없음을 지적하고 계속 미측 원안대로 "불법적이 않인 최고환율"로 할 것을 주장하였다.

(1) 미측이 주장하는 "불법적이 않인 최고환율"은 한미 간에 1961. 2. 8. 서명되고 동 2.28. 발효된 the Comprehensive Aid Agreement between the United States and the Republic of Korea 에 의하여 채택된 선례가 있다.

(2) 외환증서의 자유시장율이 외환은행에서 적용되는 환율 보다 현저하게 높아 질 경우에 한국정부가 과거에 있었던 것과 같이 만약 외환은행에서 적용되는 환율을 고정시킨 다면 이를 미군에게 적용하는 것은 차별적 대우가 된다.

~~0078~~

0079

(3) 현 환율제도는 한국정부가 조절할 수 있기 때문에 만약 한국정부가 특정한 목적을 위하여 환율을 조절한다면 미측에 불리한 환율이 적용될 염려가 있다.

~~(4) 미측이 원치 않는 불리한 환율을 미측에게 적용하게 되면 미측으로 부터의 외환 획득액이 감소될지도 모른다.~~

(5) 미측~~은~~이 *한국측이 "불법적이 않인 최고환율"의 적용을 ~~주장하지만~~ 반대할 이유는 없다. 한국의 외환관리 관계 법을 ~~의를~~ 준수할 것을 확약하는 이상 *

나. 당부의 입장

귀부로 부터 조속한 시일 내에 미측이 수락할 만한 대안이 제시되지 않는다면 당부로서는 다음과 같은 이유로 미측 주장을 수락할 수 밖에 없다고 사려하는바 장기간 우리측 입장을 주장하여 오던 우리 교섭단이 지금에 와서 미측 주장을 그대로 수락한 다는 것은 교섭 기술상곤난한 점도 있으니 만큼 미측이 수락할 수 있는 대안의 모색이 요청된다.

1. 우리측은 미측에게 어떠한 경우에도 차별적 대우를 하지 않을 것을 되풀이 한바 있으며 따라서 불법적이 않인 외환증서의 자유매매율의 적용을 끝까지 거부할 이론적 근거가 희박하다.
2. 미측이 우리 나라의 과거의 환율제도 빈번한 변경을 이유로 하여 장래에도 환율이 변경될 지도 모른다고 예상하여 주장을 고집하고 있는바 장차 외환제도를 변경 않할 것이라고 확언할 수 없다.
3. 미측이 "불법적이 않인 최고환율"로 할 것을 주장하고 있지만 우리 나라의 외환관리에 관한 법률의 준수를 다짐하고 있는 이상 예상할 수 있는 곤난점은 법률 제정을 통하여 제거할 수 있는 권한이 우리측에게 있다.

다. 전 망

미측이 제 14 차 회의 이래 제 55 차 회의에 이르기 까지 우리측 각종 제안을 수락할 것을 거부하고 미측 원안 대로 "불법적이 않인

0080

"최고한을"로 할 것을 주장하고 있는 것으로 보아 미측이 그 주장을 수정할 가능성은 극히 희박하며 따라서 교섭의 현상태를 타개하기 위하여서는 우리측 입장을 재검토하여 미측이 수락할 수 있는 대안을 제시하여야 할 단계에 도달하였다고 본다. 끝

보통문서로 재분류(1966. 12. 31)

1966. 12. 31에 예고문에 의거 일반문서로 재분류됨

0081

국 방 부 병 무 국

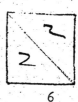

국병무 931.2 1964, 5, 6

수신 기획국장

제목 행정협정안에 대한 의견

한미행정협정안중 병무관계에 대한 의견을 별첨과 같이 제출합니다.

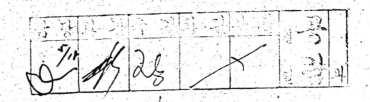

유첨. 의견서 1부 끝.

국장 육군소장 이 창 우

0082

(원안) 국가비상사태에 있어서 미군의 임무수행에 긴요한 기술직에
종사하는 고용인은 한국군의 군복무 (병역의무) 혹은 기타
징용으로 부터 면제될것임.
미군은 긴요하다고 사료되는 이러한 고용인의 명단은
한국관계당국에 제출할것임.

(당부개정안)

전시, 사변 또는 이에 준하는 사태에 있어서는 미군의 임무
수행에 긴요한 기술직에 종사하는 고용인은 그 기관에 종사
하는 기간중 한국군복무를 위한 징집 또는 소집은 연기되
며 기타 강제노역을 면제할수있으며 긴요한 기술직의 범위
와 그 고용인의의 인원수는 양국을 대표하는 관계기관으로 하
여금 그 직명과 인원수를 미리 협의하여 정하고 미군은 그
범위내에서 고용하여야한다. 이 경우에 있어서 미군은 제고용인
의 명단을 한국 관계당국에 제출하여야한다.

(단. 기타 강제노역은 보건사회부장관과 협의한 내용임을 첨기
합니다.)

의견: (1) 사태와 대상여하를 불문하고 병역의무의 면제는 부당하다.
(2) 불가결한 필요가 있다면 징집 또는 입영연기는 고려할수
있다.
(3) 징집 또는 입영연기의 경우에도 "국가비상사태" 와 "긴요한
기술직에 종사하는 고용인" 의 범위는 엄격하고 명확하게
규정하여야 할것이다.
(4) 국가비상사태라 함은 병역법에서 규정하는 "전시, 사변 또는
이에 준하는 사태" 와 동일하게 해결하여야하며, 그 해결은
대한민국이 해결하는바에 따라야 할것임.

0083

(5) 긴요한 기술직에 종사하는 고용인이라함은 미군의 임무 수행에 필요한 최소한도내에서 양국간에 미리 그 직명과 인원수등을 상호 협의하여 정하고 미군은 그 범위내에서 고용하여야 한다.

(6) 미군측은 이러한 고용인의 명단을 한국측에 제출하여야 한다.

이유:

(1) 법규에 위배된다

가) 헌법 제 34조에 의하면 모든 국민은 법율이 정하는바에 의하여 국방의 의무를 진다고 규정하고 있다.
여기서 국방의 의무라 함은 병역법이 정하는바에 의하여 대한민국의 국가권력으로 과하는 국토방위의 의무를 말하며 따라서 비록 대한민국의 국토방위를 실질적으로 담당하고 있는 미군이라하드라도 그 고용인의 고용관계는 대등한 자간의 "자유계약" 에 불과하며 또한 그 "근무"는 대한민국이 과한 "의무" 가 아니기 때문에 이를 국방의 의무로 간주할수도, 대치할수도 없다.

나) 또한 그 "근무" 는 "병역의무" 에 비하여는 월등하게 안이한것이며 상당액의 보수를 받고 있는것이므로, 생명의 위험과 기타 각종의 육체적 정신적 고통이 따르는 병역의무와 ,이를 상쇄함은 평등의 원칙(헌법제9조) 및 국방의무 부과의 공평(헌법 제 34조)에 위배된다.

다) 병역의무는 다른 의무와는 달리 국가의 운명에 직접적으로 관계하는 신성하고 또 영예로운 의무이며 이는

0084

단순한 의무일뿐 아니라 권리인 성질이 다뿐한것이다.
따라서 미군에의 고용관계와 병역의무를 상쇄하는것은
그 영예와 신성을 모욕하는것이다.

2. 행정면에서 곤난이 막심하다

가) 이 고용관계의 근무는 이를 강제할수없으므로 그 근무기간이 구구 감감 일 것이며, 그 어떠한 한계에서 이를 병역의무면제의 대상으로 할수있는지 문제이다.

나) 군복무의 면제에 따르는 문제 즉 이들은 군무필자로 간주 할것인지? 또는 단순한 면제에 불과하고 군무필자에게 부여되는 제반혜택 (군사원호관계, 채용시험에 있어서의 특전 복직의 보장, 사상자등의 대우와 처리 등)에서는 일체 제외 할것인지?

다) 또한 그들의 병역에 관한 역종의 선정도 지극히 곤난하다

라) 따라서 여사한 조치를 하기 위해서는 헌법과 병역법령의 개정이 선행되어야 할것이다.

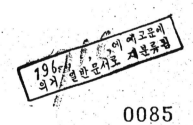

0085

기 안 용 지

자체 통제		기안처	조약과 박원철	전화번호	근거서류접수일자
과장		국장		차관	장관
(서명)		전결			(서명)
관계관 서명					
기안 년월일	1964. 6. 8	시행 년월일	1964. 6. 9	보존 년한	정서기장
분류 기호	외구미 722-2	전체 통제	1964. 6. 1 종결		
경유 수신 참조	법무부장관 검찰국장			발신	장관
제목	한미행정협정 조항 검토의뢰				

한미간에 교섭중인 행정협정 중, 형사재판관할권 조문 제9조 (형사피고인의 한국법정에 있어서의 방어 및 권리에관한 조항)에관하여, 수차 귀부와의 실무자회의를 거친후, 귀부의 의견을 토대로하여, 제 50차 본회의(1964년 4월 23일)에서, 우리측은 별첨 설명서의 내용과같이 제의하였는바, 그간 동조항에관하여 한미간에 교환된 의견을 대략 통보하오니 참고하시기바라며, 아울러 동 조항에관하여는 6월중에 비공식회의를 가지고 양측의 안을 조정하고저 하오니, 귀부에서 특히 세밀한 검토를 하여주시기바랍니다.

유첨: 양국 의견 내용 설명서, 1통, 끝.

(도장: 1964. 6. 10 외무부)

승인서식 1-1-3 (11-00900-03) (195mm×265mm16절지)

0086

설 명 서

1: 양측 태도의 원측상의 차이

(1) 우리측은 제 9 조에관한 우리측 합의의사록 1 에서, 형사재판관할권 조문의 본문 제 9 조에 열거된 권리뿐만아니라 헌법 및 관계법률에서 규정한 기타 권리를 보장한다고 포괄적으로 규정함으로서, 불필요하고 중복된 열거를 피하고, 아울러 특례규정으로인한 특례법의 입법조치의 번잡을 가급적 피하기위하여 한국헌법이나 관계법률에서 보장되는 권리는 합의의사록에서 규정하지애니하고 회의록에만 남기자는 원측을 취하고있음.

(2)미국측은 (가) 한국헌법에 포함되고있는 항목을 협정에 포함시킬 수 있으며, 또한 (나) 한국헌법에 포함되고 있지아니한 항목도 협정에 포함시킬 수 있다는 2 개의 원측을 주장하고, 이에 입각하여 .특히 법률의 변동성과 사후법(事後法)을 제정한 전례를 상기시키면서, 미국측안 제 9 조에 규정된 권리가 한국헌법이나 관계법률에서 규정되었거나 규정되지아니하였거나를 불문하고 협정에 규정할 필요가 있다고 주장하고 있음.

2: 우리측의 제안 내용 (제 50 차 본회의)

(1) 우리측은 전술한바와같은 원측에 입각하여, 우리측안의 제 9조에 관한 합의의사록을 토대로하고, 미국측안 합의의사록 중에서, 다음 동은 우리헌법 및 관계법률에 규정하고있으므로 불필요하고 중복 열거를 피하기위하여 삭제를 주장하였음.

0087

즉 미국측 합의의사록 중에서.

1: Re Para.9(a) 의 상단규정...(The right to 부터 probationary period 까지)

2: Re Para.9(b) 의 둘째 Paragraph 의 후단규정...(Counsel for the accused 부터 scheduled to try the case 까지)

3: Re Para. 9(c) 및(d)

4: Re Para. 9(f)

5: Re Para.9 의 첫째문장...(A member of 부터 or cure such denial of rights 까지)

6: 부가적권리에관한 세부규정의 (b)(c)(d)(g)(h)(j) 및 (1) 이하의 문장 중. No confession, adimission 부터 under this Article. 까지의 문장 및 In any case prosecuted by 부터 except upon grounds of errors of law 까지의 문장을 제외한 잔여규정 전부.

(2) 다음규정은 현행 법규상 이의가있거나, 의문되바있으므로, 이에대하여 우리측의 견해 및 반대제안을 제의하였음.

(가) Re Para.9(a) 의 후단문장에 규정된 군사재판에 관하여는 본문 제 조와 관련되어있으므로 차후 토의하기로 보류하였음.

(나) Re Para.9(b) 중, 피의자에게 불리하게 사용될 증거의 성질을 심판에 앞서, 상당한 기일전에 통고받을 권리에관한 구절(He shall also부터 to be used against him 까지)은 우리나라 형사소송법 과 기규정에의하여, 실질적으로 보장되므로 이의 삭제를 제의하였음.

(다) Re Para.9(e) 중, "비밀히" (confidentially)란 용어의 삭제를 제의하였음.

0088

(라) Re Para.(g) [redacted] 결석중에 한 피고인의 진술은

피고인의 유리를 지지하기위한 증거로서, 채용될 수 없다"라는 조항 (and no statement of the accused 부터 in support of the guilt of the accused 까지)의 삭제를 제의하였음.

2) "... 헌법(제 10조 및 법원조직법 제 53 조의) 규정을 침해하는것으로 해석되지아니한다"라는 규정(우리측 합의의사록 2. Nothing in the provisions 부터 to public trials. 까지)을 미국측안 제 9조 (g)에 추가 규정하기를 제의하였음.

(마) 부가적권리 (a)에관하여, 미국측이 형사소송법 제 56 조의2의 규정에 따라 비용을 부담한다는 양해가 있으면, 미국측안을 수락할 용의가 있음을 표명하였음.

(바) 부가적권리(e)에관하여, 전단에 규정한 "형법불소급원칙"에대하여는 이의없으나, 후단에 규정한 "불이익변경금지의 원칙"에대하여는 법무부의 의견을 토대로하여, "피고인이 하거나, 피고인을 위하여 상소한때에는 원심법원의 원판결보다 중한 형을 받지아니하는...권리"라는 반대제안을 제의하였음.

제안내용 영문 :

"shall not be subject to a heavier penalty than the one that was applicable at the time the alleged criminal offense was comitted or was adjudged by the court of the first instance as the original sentense when an appeal of a case is made by or on behalf of the accused."

0089

(사) 부가적권리($_f$)에관하여, 그 조항 중 " requirements of proof "란 용어의 명백한 의미의 설명을 희망하였음.

(아) 부가적권리($_i$)에관하여, 미국측안의 해석이 "범죄인이 법원의 결정 이외의 처벌에는 복하지아니한다"는 것이라면, 좀더 연구해보겠다고 표명하였음.

(자) 부가적권리($_k$)에관하여, 법무부의 의견을 토대로하여, "피고인이 심판에 출두하거나 자기의 방어에 참여하기에 신체상 또는 정신상으로 부적당한때에는, 출두의 연기를 신청할 수 있는 권리"라는 반대제안을 제의하였음.

제안내용 영문 : " shall be entitled to request the postponement of his presence at a trial if he is physically or mentally unfit to stand trial and participate in his defense;"

(차) ($_l$)이하의 문장 중, 1) "위법 또는 부당한 방법에의하여 수집된 ..."중에서 "부당한"(improper)란 용어의 삭제를 제의하였음.

2) 상소제도에관하여, 우리나라 형사소송법 제361조 및 제383조에 각각 고등법원 및 대법원에 제기할 수 있는 상소이유를 규정하고있으므로 이의 삭제를 제의하였음.

0090

3. 미국측의 반응 (제 50차 및 제 52차 회의)

(1) 제 50차 회의에서, 우리측으로 부터 상술한바와 같은 제안이 있던 직후, 미국측은 한국법률에 포함되여 있지 아니하거나 헌법에 규정되여 있지 아니하는 권리를 SOFA 에 포함시키는 문제는 별개의 문제라고 지적하고, 미국정부는 미국 국민을 미국법에 반대되는 재판 절차에 복하도록 허용 할수는 없다고 말하고 다음과 같이 계속 주장 하였음. 즉 (가) 한국 헌법에 포함된 권리는 SOFA 에특별히 포함될수 있고, (나) 한국헌법에 규정되여 있지 않거나 또는 한국 법률에 포함되지 않은 권리도 SOFA 에 포함될수 있다.

(2) 제 52차 회의에서, 미국측은 다시, 다음과 같은 3가지 예시를 들었음.

(가) Re Para. 9 (b) 에 언급하여, "...심판정 상당한 기일전에 증거의 성질을 통고받을 권리"에 관하여, 이는 한국법률과 양립할수 없는 것이 아닌 상식적인 권리라고 하면서, 비록 한국 형사 소송법 제 273조와는 동일한 표현은 아니지만은 그 정신에 있어서는 본 조항에 비교 할수 있다고 하였음.

(나) Re Para. 9 (e) 에 언급하여, 우리측이 주장한 "비밀히"란 용어의 삭제에 관하여, 변호사의 능률적인 활동을 위하여서는, 변호사와 피고인간의 면회가 보초가 외부에 있는채, 일정한 폐쇄된 방에서 이루워 질수 있도록 하여야 한다고 주장 하고 있음.

(다) Re Para. 9 (g)의 둘째 조항에 언급하여, 미국측안 9 (g)의

0091

규정은 어느 경우에 있어서나 일반공중에게 적용 하려는 것이
아니라 미국 정부 대표가 비밀 소송절차를 포함하여 심판에 관계있는
모든 소송절차에 참여 할수 있도록 보장 함에 있다고 설명하였음.

(3) 요컨데, 미국측은 미국의 법제도와 한국의 법제도간의 법률과 소송 절차상의 차이를 지적하면서, 어느 경우에는, 여사한 차이는 한국 법률의 해석에 의하여 대처되어야 하고, 또한 어느 경우에는, SOFA 조건에 합치 하도록 한국법이 개정 되어야 한다고 주장 하고 있음.

0092

형사 재판 관할권 중 심판 방어 조항

문제점 발췌분

1964. 8. 19

0093

* 상소제도 문제

Paragraph 9 ... In any case prosecuted by the authorities of the Republic of Korea under this Article no appeal will be taken by the prosecution from a judgement of not guilty or an aquittal nor will an appeal be taken by the prosecution from any judgement which the accused does not appeal, except upon grounds of errors of law.

본조에 의하여 대한민국 당국이 기소하는 어떠한 사건에 있어서나, 기소측에서 유죄가 아니거나 무죄 석방되였음을 이유로 상소하지못 하며, 또한 법률적용의 착오를 이유로 하는 것을 제외하고는 피고인이 상소하지아니함을 이유로 상소하지 못한다.

문제점 : 본 조항은 상소제도를 규정하고있으며, 우리 형사소송법과 비교하여 대체로 다음 3 가지 점이 차이가 있어 문제되는 것으로 사료되는바,

(1) 상소심의 구조에 관하여... 우리 형사소송법에 의하면 제 1심 및 항소심(제 2심)은 사실심이며 상고심(제 3심)만이 법률심임.
제 1심 미확정판결에 대하여는 넓게 상소를 인정하려는 취지임.
이에 대하여 미국 법령에 의하면 제 1심만이 사실심이며 제 2심 및 제 3심은 법률심임. 제1심 집중주의를 취하여 제 1심 미확정판결에 대하여는 가급적 상소를 인정하지아니하려는 취지임.

(2) 상소 사유에 관하여... 우리 형사소송법상 제 361조의 5 (제 14호 및 제 15호) 및 제 381조 등에 의하면 상소(항소 및 상고)사유로서 법률적용의 착오 이외에도 사실의 오인 등을 인정하고 있음에 반하여, 0094
미국 법령에 의하면 제 2심이 법률심이므로 자연히 법률적용의 착오에만

(3) 검사의 상소권에 관하여... 우리 형사소송법 제338조 제1항은 검사도 피고인과 동일한 상소권자로서 인정하고 있음에 반하여, 미국 법령에 의하면 대부분의 주법이 검사는 예외적으로만 상소권을 인정하고 있다고 함.

• 해결 시안

(1) 우리나라 형사소송법상 의 상소제도를 취택.

(2) 미국 법령상의 상소제도를 취택.

(3) 상기 양제도를 조정한 새로운 제도의 모색.

• 참고 사항

우리측에서 이미 대안을 제출한바 있는 "불이익 변경 금지의 원칙"도 본 조항의 근본적인 해결에 따른 부수적인 사항이라고 사료됨.

0095

* 정부대표가 궐석 중에 한 피고인의 진술의 증거능력 문제.

Re Paragraph 9 (g) ... and no statement of the accused taken in the absence of such a representative shall be admissible as evidence in support of the guilt of the accused.

동 (정부) 대표자의 궐석 중에 한 진술을 피고인에 대한 유죄의 증거로서 허용되지아니한다.

* 문제 점 ... 증거의 증거능력 및 증명력의 문제는 피고인 또는 피의자의 임의성 없는 허위 배제 또는 인권 옹호를 위하여 인정되는바, 특히 허위배제설의 입장을 취하고 있는 영 미법에서는 본 조항을 긍정할만한 합리적인 근거가 없다고 사료됨.

(1) 증거의 증거능력 및 증명력의 문제와 정부대표의 심판 등에의 참석의 문제와는 전혀 별도의 문제인 것임.

(2) 정부대표가 출석하지아니 하였다고하여서 반드시 피고인이 허위진술 하리라고는 사료되지 아니함.

(3) 우리 형사소송법상 비록 정부대표가 궐석하였다하드라도 법원이 "특히 신빙할 수 있는 상태하에서" 피고인이 진술하였다고 확증하는 데도 불구하고 그 진술의 증거능력을 부인함은 심히 부당하다고 사료됨.

(4) 정부대표의 일방적이거나 자의적인 불출석으로 인한 재판 진행의 방해에 대하여서는 해결할 방안이 없다고 사료됨.

0096

* 위법, 부당한 방법에 의하여 수집한 증거의 증거능력 문제.

Re Paragraph 9 ... No confession, admission, or other statement, or real evidence, obtained by illegal or improper means will be considered by the courts of the Republic of Korea in prosecutions under this Article.

위법하거나 부당한 방법에 의하여 수집된 자백, 자인(승인), 기타 진술이거나 물적증거는 대한민국 법원이 본 조에 의하여 형의 소추를 하는데에 있어서 채증하지아니한다.

*문제점 • 문제되는 증거가 그 수집에 있어서 위법한 방법(예컨데, 함정수사에 의한 증거의 수집, 전화 도청 수사에 의한 증거의 수집) 또는 부당한 방법에 의한 경우 그 증거능력이 부인된다는 것을 규정하고 있는바, 이에 관하여는 각국 법제도상 명문의 규정이 없고 해석이론으로서 판례의 태도여하에 달려있음. 그런데 이에 관하여 위리나라 및 일본의 판례는 위법한 방법에 의하여 수집한 증거의 증거능력을 인정하고 있을뿐만 아니라 미국의 종래의 판례도 이와 동일한 태도였으나 최근에 있어서 문제되고 있는바 임.

* 참고 사항 제 61 차 회의에서 우미 형사소송법에 규정한 "신용성의 정황적 보장"의 이론을 인용하여 반박하고 있는바, 이는 착오에 기인하고 있는 것으로 사료됨.

0097

이 문제는 전술한바와 같이, 명문에 규정하고 있는 "신용성의 정황적 보장"의 문제가 아니고 판례에서 문제되는 것인뿐아니라 본 조항과는 전혀 별도의 문제임. 즉 본 조항은 위법 부당한 방법에 의하여 수집한 증거의 증거능력의 부인 여부의 문제이며, "신용성의 정황적 보장"의 이론은

주로 서증(증거 서류)의 증거능력에 있어서 "특히 신빙할 수 있는 상태 하에서" 작성됨을 요구하는 것으로 사료됨.

0098

* 피고인이 변호인과 비밀히 상의할 권리.
* ~~변호인이 피고인과 비밀히 상의할 권리~~

Re Paragraph 9(e) ... The right to legal representation shall exist from the moment of arrest or detention and shall include the right to have counsel present, and to consult confidentially with such counsel, at all preliminary investigations, examinations, pretrial hearings, the trial itself, and subsequent procedings, at which the accused is present.

변호인의 구조를 받을 권리는 체포 또는 구금되는 때부터 발생 존재하며, 피고인이 출석하는 모든 사건조사, 심리, 공판전의 변론, 심판 자체 및 공판후의 소송절차에 변호인을 선임할 권리와 그 변호인과 비밀히 상의할 권리를 포함한다.

*문제점 1. 우리 행형법 시행령 제58조 제1항 (행형법제62조에 의거 미결수에 준용)에 의하여 면담의 요지를 기재하게 되었으므로 현행 법제도~~상 운영법상 부 없어~~ 상 피고인이 변호인과 비밀히 상의할 권리가 허용될 수 없다는 이유로서 "비밀히"란 용어의 삭제를 제의한바 있음.

0099

* 불이익 변경 금지의 원칙 문제.

Re Paragraph9 ... (e) shall not be subject to a heavier penalty than the one that was applicable at the time the alleged offecse was committed or was adjudged by the court of first instance as the original sentence.

혐의 받는 범죄가 범하여졌을때 또는 원 판결로서 원심법원이 유죄판결을 하였을때에 적용되는 형보다 도 중한 형을 받지아니하는 권리.

* 문제 점 : 우리 형사소송법 제 368조 (제 396조 제 Ⅰ항에 의하여 상고심의 파기자판의 경우에 준용)에 규정한 "불이익 변경 금지의 원칙"의 내용에 따라 피고인이 상소하거나 피고인을 위하여 상소한 사건에 대하여서만 원심법원의 원심판결의 형보다 중한 형을 받지아니한다는 대안을 제출한바 있음. 따라서 미측안과의 차이점은 우리나라 검사가 상소하거나 피고인이 상소한 것에 대하여 검사가 독립하여 상소한 경우에는 원심판결의 형보다 더 중한 형을 받을 수 있게 됨.

* 참고 사항 : 본 조항은 상소제도 조항과 관련되여 어느 한도내에서 검사의 상소권을 인정할 것인가의 문제와 아울러 해결하여야할 것으로 사료됨.

0100

* 피고인에게 불미하게 사용될 증거의 성질을 통고받을 권리 문제

Re Paragraph 9(b) ... He shall also be informed a reasonable time prior to trial of the nature of the evidence that is used against him.

그는 그에게 불미하게 이용될 증거의 성질을 상당한 기간에 앞서 통고받는다.

* 문제점 : 제 60 차 회의에서 미측에서 인용한 우리 형사소송법 제 273 조에 의하면 미측안과는 달미 법원이 검사 또는 피고인 등의 신청에 의거하여 비로소 법원이 증거 조사를 행할 수 있는 것이며. 또한 신청이 있는 경우 언제나 증거 조사를 행하여야 할 의무가 있는 것이 아니고 공판준비에 필요하다고 인정하는 경우에만 한한것이며 필요없다고 인정하는 경우에는 증거조사를 행할 필요가 없다. ~~[illegible]~~
또한 미측안과 같이 증거의 성질을 통고한다고 규정한바 없으며 단지 공판기일 전에 증거 조사 신청권을 규정함이 제 273 조의 취지인 것으로 사료됨.

0101

• 대한민국 군법회의에 의한 관할 여부 문제.

Re Paragraph9(a) ... A member of the United States armed forces or civilian component, or a dependent, shall not be tried by a military tribunal of the Republic of Korea.

합중국 군대의 구성원, 군속 및 가족은 대한민국의 군법회의에 의한 재판을 받지아니한다.

문제점 : 본 조항은 이미 토의한바 있는 제1항(b)에서 "civil" 이란 용어의 삽입 여부와 관련하여 대한민국의 재판 관할 행사기관을 일반법원으로 할 것인가 또는 군법회의에 의할 것인가의 근본 문제의 해결에 따라 부수적으로 해결될 수 있는 문제라고 사료됨.

0102

* 육체적 및 정신적으로 부적당한 경우의 심판 불출두 문제.

Re Paragraph 9 ... (k) shall not be required to stand trial if he is physically or mentally unfit to stand trial and participate in his defense;

심판에 출두하거나 자기의 변호의 참여에 있어서 육체적으로나 정신적으로 부적당한때에는 심판에 출두하도록 요청되지아니하는 권미.

문제점 : 우미 형사소송법 제 306조의 취지에 따마 육체적으로나 정신적으로 심판 출두에 부적당한때에는 법원의 의사를 존중하는 대안을 제출한바 있음.

0103

기 안 용 지

자체 통제		기안처	미주과 황영재	전화번호	근거서류접수일자
	과장	국장	차관	장관	
관계관 서명					
기안 년월일	64.7.6.	시행 년월일	검열 1964. 7. 2 통제관	보존 년한	정서 기장
분류 기호	외구미 722	전체 통제			
경유 수신 참조	내무부장관 (참고. 지방국장) ~~서울특별시 시장 (참고 [illegible])~~	발신	장관		
제목	주한미군계약자의 자동차세 면제와 등록 및 운전면허에 대한 수수료 면제문제.				

1. 이는 주한미주둔군지위협정 체결 교섭에 있어 우리측의 입장을 최종적으로 정하려는 것이오니 아래 내용을 예의 검토하시고 조속히 회시하여 주시기 바랍니다.

가. 미군계약자의 성격 및 자동차 사용자의 구분.

(1) 미군계약자의 성격:

미군계약자라 함은 주한미군이 한국내에서 그들의 임무수행에 필요한 제반사업에 기술, 물자 및 용역을 제공하기 위하여 미국법에 의하여 설립된 법인체, 동법인체의 피고용자 혹은 미국에 거주하는 개인이 미군과의 계약에 의하여 한국에 일정한기간

승인서식 1-1-3 (11 -00900-03) (195mm×265mm16절지)

0104

제재하게 되는 단체와 개인들로서 이들 계약자들은 군사목적상 기밀유지를 요하는 경우나 한국에서 얻기 힘든 특수한 기술, 물자 및 용역을 제공하는 경우에 한하여 한국정부와의 상의하에 미군이 계약하게 되며 한국내에 있는 일반외국인의 영리단체와는 별도로 취급하여 미군당국의 적절한 증명하에 이들에 대하여 출입국상의 편의제공, 관세 및 국세의 면제, 군사우편 및 "피.엑스" 시설의 이용등 그들의 임무수행 성격에 비추어 많은 특권과 면제를 제공하게 되는 것입니다.

(ㄴ) 자동차 사용자의 구분:

이들이 사용하는 자동차는 순전히 계약 이행에 사용하는 사업용 차량과 계약자, 피고용자 및 그들의 가족이 계약과는 관계없이 소유하는 개인용 차량의 두가지로 구분할수 있읍니다.

나. 미군계약자에 대한 자동차세와 차량의 등록 및 운전면허 수수료에 관한 한.미 양측 교섭대표들이 현재까지 고수하여온입장.

(ㄱ) 한국측:

(가) 사업용 차량에 한하여 자동차세를 면제시키며 등록과 운전면허에 필요한 수수료는 미군 구성원 군속 및 그들의 가족의 개인소유 차량과 같이 취급하여 원칙적으로 면제하여 주나 번호판 부착에 필요한 실비만은 부담하여야 한다.

(나) 개인용 차량에 대하여는 세금이나

수수료를 일체 면제하여 주지 않는다.

(2) 미국측:

(가) 사업용 및 개인용차량의 구별없이 세금이 면제되어야 하며 특히 개인용 차량은 1) 군계약자의 가족 혹은 피고용자는 성격상 미군 구성원이나 군속의 가족과 동등하게 취급하여야 하며, 2) 그들의 체한기간은 임시적이며 상당히 짧을수도 있으며, 3) 그들에게 한국과 같이 과중한 자동차세를 부과하는 국가는 없으며, 4) 그들에게 불리한 취급을 하게되면 계약체결에 있어 미군에게 애로가 많을 것이다.

(나) 개인용 차량에 대하여는 자동차의 등록 및 운전면허에 필요한 수수료를 지불하므로서 충분할 것이다.

다. 참고사항

(1) 현재 미군계약자의 개인용 차량의 수량은 약 20대로 알려지고 있읍니다.

(2) 미군계약자들은 한국내에서 기타 미국정부 관계사업(예, "유·솜" 관계 계약사업)을 계약하여 용역을 제공할수 있게 되었읍니다.

(3) 현재 "유·솜" 관계 계약자에 대하여는 한미 경제기술원조협정 제6항에 (별첨참조) 의거 사업용이나 개인용 차량의 구별없이 일률적으로 자동차세가 면제되고 있으며 등록 및 운전면허에 필요한 수수료를 지불하고 있읍니다.

라. 이문제에 대한 외무부의 의견:

공통서식 1—1 (을) (16절지)

0106

현행자동차세는 우리나라의 특수한 사정때문에 선진제국보다 훨씬 과중한것이 사실로서 이러한 세금을 주한미군의 임무수행과 직접적으로 밀접한 관계가 있는 계약자나 피고용자 및 그들의 가속이 일시적으로 한국에 가져오는 차량에 까지 부과할수는 없는 것으로 생각하며, 등록 및 운전면허에 필요한 수수료에 있어서는 미·독협정에는 기술자는 군인과 동일한 대우를 하여 일체 지불하지 않게 되어 있는 선례를 고려하여 아래와 같은 2개안을 수립하고 미국측에 순차적으로 제의하여 가급적 우리측에 유리한 선에서 합의토록 함이 좋을 것으로 사료합니다.

(가) 제1안: 미군계약자의 자동차세는 사업용이니 개인용의 구별없이 면제하여 주며, 자동차의 등록과 운전면허에 필요한 수수료는 현행 한국법규에 따르도록 한다. (현행 "유·솜"계약자에 대한 대우와 동일).

(나) 제2안: (최종안) 세금은 사업용차량이나 개인용 차량의 구별없이 모두 면제하여 주나, 등록과 운전면허 수수료는 사업용과 개인용을 구별하여 사업용 차량에 대하여 등록 및 운전면허 수수료를 원칙적으로 면제해주고 단지 번호판 부착에 필요한 실비만을 부담케 하고, 개인용 차량에 대하여는 등록 및 운전면허에 필요한 수수료 현행규정에 의거 부담토록 한다.

2. 상기 미군계약자 관계 자동차세와 차량등록

공통서식 1—1 (을) (16절지)

0107

및 운전면허에 필요한 수수료문제에 관한 당부의 의견에 동의하시는지의 여부에 대하여 회시하여 주시기 바랍니다. 끝

유첨: 한미 경제기술원조협정 제 6 항.

보통문서로 재분류(1966.12.31)

발송 No386 1964.7.7 외무부

1966.12.31에 예고문에 의거 일반문서로 재분류됨

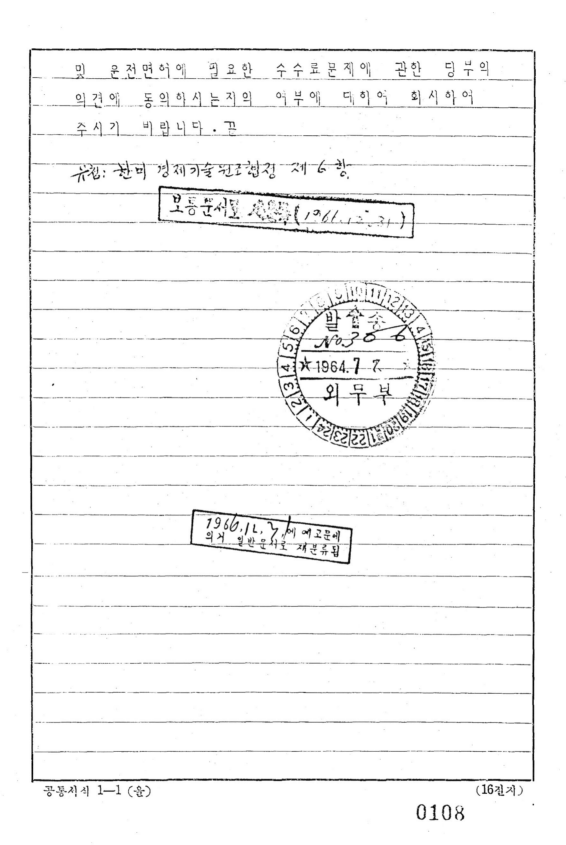

공통서식 1—1 (을) (16절지)

0108

외 무 부

외구미 722 1964. 7. 7.

수신 내무부장관, ~~서울특별시 시장~~

제목 주한미군계약자의 자동차세 면제와 등록 및 운전면허에 대한 수수료 면제문제.

1. 이는 주한미주둔군지위협정 체결 교섭에 있어 우리측의 입장을 최종적으로 정하려는 것이오니 아래내용을 예의 검토하시고 조속히 회시하여 주시기 바랍니다.

가. 미군계약자의 성격 및 자동차 사용자의 구분.

(1) 미군계약자의 성격:

미군계약자라 함은 주한미군이 한국내에서 그들의 임무수행에 필요한 제반사업에 기술, 물자 및 용역을 제공하기 위하여 미국법에 의하여 설립된 법인체, 동법인체의 미고용자 혹은 미국에 거주하는 개인이 미군과의 계약에 의하여 한국에 일정한 기간 체재하게 되는 단체와 개인들로서 이들 계약자들은 군사목적상 기밀유지를 요하는 경우나 한국에서 얻기 힘든 특수한 기술, 물자 및 용역을 제공하는 경우에 한하여 한국정부와의 상의하에 미군이 계약하게

0109

되며 한국내에 있는 일반외국인의 영리단체와는 별도로 취급하여 미군당국의 적절한 증명하에 이들에 대하여 출입국상의 편의제공, 관세 및 국세의 면제, 군사우편 및 "피. 엑스" 시설의 이용등 그들의 임무 수행 성격에 비추어 많은 특권과 면제를 제공하게 되는 것입니다.

(2) 자동차 사용자의 구분:

이들이 사용하는 자동차는 순전히 계약 이행에 사용하는 사업용 차량과 계약자, 피고용자 및 그들의 가족이 계약과는 관계없이 소유하는 개인용 차량의 두가지로 구분할수 있읍니다.

나. 미군계약자에 대한 자동차세와 차량의 등록 및 운전면허 수수료에 관한 한.미 양측 교섭 대표들이 현재까지 취하여온 입장.

(1) 한국측:

(가) 사업용 차량에 한하여 자동차세를 면제시키며 등록과 운전면허에 필요한 수수료는 미군 구성원 군속 및 그들의 가족의 개인소유 차량과 같이 취급하여 원칙적으로 면제하여 주나 번호판 부착에 필요한 실비만은 부담하여야 한다.

(나) 개인용 차량에 대하여는 세금이나 수수료를 일체 면제하여 주지 않는다.

0110

(2) 미국측 :

(가) 사업용 및 개인용차량의 구별없이 세금이 면제되어야 하며 특히 개인용 차량은 1) 군계약자의 가족 혹은 피고용자는 성격상 미군 구성원이나 군속의 가족과 동등하게 취급하여야 하며, 2) 그들의 체한기간은 임시적이며 상당히 짧은수도 있으며, 3) 그들에게 한국과 같이 과중한 자동차세를 부과하는 국가는 없으며, 4) 그들에게 불리한 취급을 하게되면 계약체결에 있어 미군에게 애로가 많을 것이다.

(나) 개인용 차량에 대하여는 자동차의 등록 및 운전면허에 필요한 수수료를 지불하므로서 충분할 것이다.

다. 참고사항

(1) 현재 미군계약자의 개인용 차량의 수량은 약 20대로 알려지고 있읍니다.

(2) 미군계약자들은 한국내에서 기타 미국정부 관계사업 (예. "유. 솜" 관계 계약사업) 을 계약하여 용역을 제공할수 있게 되었읍니다.

(3) 현재 "유. 솜" 관계 계약자에 대하여는 한미경제기술원조협정 제6항 (별첨참조) 에 의거 사업용이나 개인용 차량의 구별없이 일률적으로 자동차세가 면제되고 있으며 등록 및 운전면허에 필요한 수수료를 지불하고 있읍니다.

0111

라. 이문제에 대한 외무부의 의견 :

현행자동차세는 우리나라의 특수한 사정 때문에 선진제국보다 훨씬 과중한 것이 사실로서 이러한 세금을 주한미군의 임무수행과 직접적으로 밀접한 관계가 있는 계약자나 피고용자 및 그들의 가족이 인사적으로 안국에 가져오는 차량에 까지 부과할수는 없는 것으로 생각되며, 등록 및 운전면허에 필요한 수수료에 있어서는 미·독협정에는 기술자는 군인과 동일한 대우를 하여 일체 지불하지 않게 되어 있는 선례를 고려하여 아래와 같은 2개안을 수립하고 미국측에 순차적으로 제의하여 가급적 우리측에 유리한 선에서 합의도록 함이 좋을 것으로 사료합니다.

(가) 제1안 : 미군계약자의 자동차세는 사업용이나 개인용의 구별없이 면제하여 주며, 자동차의 등록과 운전면허에 필요한 수수료는 현행 한국법규에 따르도록 한다. (현행 "유·손" 계약자에 대한 대우와 동일)

(나) 제2안 : (최종안) 세금은 사업용차량이나 개인용 차량의 구별없이 모두 면제하여 주나, 등록과 운전면허 수수료는 사업용과 개인용을 구별하여 사업용 차량에 대하여 등록 및 운전면허 수수료를 원칙적으로 면제해주고 단지 번호판 부착에 필요한

0112

신비만을 부담케 하고, 개인용 차량에 대하여는 등록 및 운전면허에 필요한 수수료 현행규정에 의거 부담토록 한다.

2. 상기 미군계약자 관계 자동차세와 차량등록 및 운전면허에 필요한 수수료 문제에 관한 당부의 의견에 동의하시는지의 여부에 대하여 회시하여 주시기 바랍니다.

유첨-한.미 경제기술원조협정 제6항. 끝

외 무 부 장 관 정 일 권

보통문서로 재분류 (1966.12.31.)

1966.12.31.에 예고문에 의거 일반문서로 재분류됨

0113

"폐안"
地方稅는 內務部가 전담하는 事務이므로 發送치 않음

외 무 부

외구미 722 - 306

1964. 7. 7.

수신 서울특별시 시장

제목 주한미군계약자의 자동차세 면제와 등록 및 운전면허에 대한 수수료 면제문제.

1. 이는 주한미주둔군지위협정 체결 교섭에 있어 우리측의 입장을 최종적으로 정하려는 것이오니 아래내용을 예의 검토하시고 조속히 회시하여 주시기 바랍니다.

가. 미군계약자의 성격 및 자동차 사용자의 구분.

(1) 미군계약자의 성격:

미군계약자라 함은 주한미군이 한국내에서 그들의 임무수행에 필요한 제반사업에 기술, 물자 및 용역을 제공하기 위하여 미국법에 의하여 설립된 법인체, 동법인체의 피고용자 혹은 미국에 거주하는 개인이 미군과의 계약에 의하여 한국에 일정한 기간 체재하게 되는 단체와 개인들로서 이들 계약자들은 군사목적상 기밀유지를 요하는 경우나 한국에서 얻기 힘든 특수한 기술, 물자 및 용역을 제공하는 경우에 한하여 한국정부와의 상의하에 미군이 계약하게

0114

되며 한국내에 있는 일반외국인의 영리단체와는 별도로 취급하여 미군당국의 적절한 증명하에 이들에 대하여 출입국상의 편의제공, 관세 및 국세의 면제, 군사우편 및 "피.엑스" 시설의 이용등 그들의 임무 수행 성격에 비추어 많은 특권과 면제를 제공하게 되는 것입니다.

(2) 자동차 사용자의 구분:

이들이 사용하는 자동차는 순전히 계약 이행에 사용하는 사업용 차량과 계약자, 피고용자 및 그들의 가족이 계약과는 관계없이 소유하는 개인용 차량의 두가지로 구분할수 있읍니다.

나. 미군계약자에 대한 자동차세와 차량의 등록 및 운전면허 수수료에 관한 한.미 양측 교섭 대표들이 현재까지 취하여온 입장.

(1) 한국측:

(가) 사업용 차량에 한하여 자동차세를 면제시키며 등록과 운전면허에 필요한 수수료는 미군 구성원 군속 및 그들의 가족의 개인소유 차량과 같이 취급하여 원칙적으로 면제하여 주나 번호판 부착에 필요한 실비만은 부담하여야 한다.

(나) 개인용 차량에 대하여는 세금이나 수수료를 일체 면제하여 주지 않는다.

0115

(2) 미국측:

(가) 사업용 및 개인용차량의 구별없이 세금이 면제되어야 하며 특히 개인용 차량은 1) 군계약자의 가족 혹은 피고용자는 성격상 미군 구성원이나 군속의 가족과 동등하게 취급하여야 하며, 2) 그들의 체한기간은 임시적이며 상당히 짧을수도 있으며, 3) 그들에게 한국과 같이 과중한 자동차세를 부과하는 국가는 없으며, 4) 그들에게 불리한 취급을 하게되면 계약체결에 있어 미군에게 애로가 많을 것이다.

(나) 개인용 차량에 대하여는 자동차의 등록 및 운전면허에 필요한 수수료를 지불하므로서 충분할 것이다.

다. 참고사항

(1) 현재 미군계약자의 개인용 차량의 수량은 약 20대로 알려지고 있읍니다.

(2) 미군계약자들은 한국내에서 기타 미국정부 관계사업 (예. "유.솜" 관계 계약사업)을 계약하여 용역을 제공할수 있게 되었읍니다.

(3) 현재 "유.솜" 관계 계약자에 대하여는 한미경제기술원조협정 제6항 (별첨참조) 에 의거 사업용이나 개인용 차량의 구별없이 일률적으로 자동차세가 면제되고 있으며 등록 및 운전면허에 필요한 수수료를 지불하고 있읍니다.

0116

라. 이문제에 대한 외무부의 의견:

현행자동차세는 우리나라의 특수한 사정 때문에 선진제국보다 훨씬 과중한 것이 사실로서 이러한 세금을 주한미군의 임무수행과 직접적으로 밀접한 관계가 있는 계약자나 피고용자 및 그들의 가족이 일시적으로 한국에 가져오는 차량에 까지 부과할수는 없는 것으로 생각하며, 등록 및 운전면허에 필요한 수수료에 있어서는 미.독협정에는 기술자는 군인과 동일한 대우를 하여 일체 지불하지 않게 되어 있는 선례를 고려하여 아래와 같은 2개안을 수립하고 미국측에 순차적으로 제의하여 가급적 우리측에 유리한 선에서 합의토록 함이 좋을 것으로 사료합니다.

(가) 제 1 안: 미군계약자의 자동차세는 사업용이나 개인용의 구별없이 면제하여 주며, 자동차의 등록과 운전면허에 필요한 수수료는 현행 한국법규에 따르도록 한다. (현행 "유.솜" 계약자에 대한 대우와 동일)

(나) 제 2 안: (최종안) 세금은 사업용차량이나 개인용 차량의 구별없이 모두 면제하여 주나, 등록과 운전면허 수수료는 사업용과 개인용을 구별하여 사업용 차량에 대하여 등록 및 운전면허 수수료를 원칙적으로 면제해주고 단지 번호판 부착에 필요한

0117

실비만을 부담케 하고, 개인용 차량에 대하여는 등록 및 운전면허에 필요한 수수료 현행규정에 의거 부담토록 한다.

2. 상기 미군계약자 관계 자동차세와 차량등록 및 운전면허에 필요한 수수료 문제에 관한 당부의 의견에 동의하시는지의 여부에 대하여 회시하여 주시기 바랍니다.

유첨-한.미 경제기술원조협정 제6항. 끝

외 무 부 장 관 정 일 권

발송 1964.7. 외무부

보통문서로 재분류(1966.12.31.)

1966.12.31.에 예고문에 의거 일반문서로 재분류됨

0118

별첨

대한민국 정부와 미합중국 정부간의
경제기술 원조협정

(1961 년 2 월 8 일, 서울에서 서명
1961 년 2 월 28 일 효력발생)

제 6 항 : 하기에 의하여 제공될 원조가 대한민국 국민에게 최대의 이익을 도모할수 있도록 보장하기 위하여

7. 미국정부 또는 그정부에 의하여 재정지원을 받고 있는 계약자가 본협정에 의하여 사업이나 계획을 수행하는 목적으로 대한민국에 도입할 또는 대한민국내에서 취득할 자동차를 포함한 공급물자 원료기구 물품 또는 기금은 여사한 계획과 사업에 연관하여 사용될 경우에는 재산의 소유사용에 대한 세금 기타 대한민국에 있어서의 투자 또는 예치금에 대한 조건 및 통화통제로 부터 면제를 받고 자동차를 포함한 여사한 공급물자 원료기구 물자 혹은 여사한 계획과 사업에 연관된 기금의 수입 수출 (미합중국 정부에 의하여 재정적 지원을 받는 계약자의 경우를 제외하고 수출러레는 제 2 항에 언급된 대표간의 별도 약정에 의거하여야 한다) 구매사용 또는 처분 (미합중국 정부에 의하여 재정지원을 받는 계약자에 의한 판매의 경우를 제외)은 대한민국 정부의 관세, 통관세, 수출입세 재산의 취득처분에

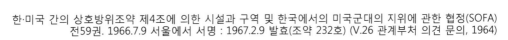

15

0113

대한 세금 및 여하한 기타 세나 유사한 부과금으로 부터 면제된다.

ㄴ. 여사한 계획을 수행함에 있어 대한민국내에서 거주하는 미국정부 혹은 그 대행기관의 고용인은 대한민국과 영주자를 제외하고 미국정부에 대하여 납부할 의무가 있는 개인소득 또는 사회안전 보장세에 대하여 대한민국의 법률에 의거하여 부과되는 소득세 및 사회안전보장세로 부터 면제되고 사용의 자동차를 포함한 개개인소유의 동산의 구매소유사용 또는 처분(미합중국 정부 또는 대한민국 정부의 기관과 계약하고 있는 개인 또는 기관이 고용인에 의한 판매를 제외)에 관한 세금으로 부터 면제된다. 여사한 구성원과 그들의 가족은 사용으로 한국에 도입한 자동차를 포함한 개인소지품 기구 공금물자 혹은 물자등에 대한 수출입세 및 관세의 지불에 관하여 대한민국정부가 서울에 주재하는 미국대사관의 외교관에게 공여한바와 동일한 대우를 받으나 여하한 경우에도 이것보다 더 유리한 대우를 받지 않는다.

ㄷ. 생 략

0120

문 서 영 수 증

1964. 9. 7.

· 이래 문서를 정히 수령하였음을 이에 영수함.

문서번호	제 목	비밀등급	건수
외구미 722-306	주한미군계약자의 자동차 세 면제와 등록 및 운전면허에 대한 수수료 면제문제.	III급 비밀	1

끝

수령인 : 內務部 地方局 地方行政課長 (印)

0121

내 무 부

내지방 1234.94-9039 (2)1827 1964. 7. 8.

수신 외무부장관

제목 주한미군계약자의 자동차세 면제와 등록 및 운전면허에 대한 수수료 면제

1. 외구미 제 722-306 에 대한 회시 입니다.

2. 제1안에 동의 합니다.

3. 자동차 등록수수료는 교통부장관 소관사항 입니다. -끝-

접수 1964. 7. 9 외무부

담당	과장	국장	차관	장관	7월 10일	공람	비주과

내무부장관 양 찬 우

보통문서로 재분류(1964. 10. 6.

외무부 126호(1964. 10. 12.)에 의거 재설정

받송 10. 1964. 7. 8 내무부

0122

1964. 10. 14.에 예고문에 의거 일반문서로 재분류됨

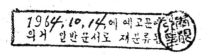

황영재

기 안 용 지

자체통제		기안처	미주과 이근팔	전화번호	근거서류접수일자	
	과장	국장	차관	장관		
관계관 서명						
기안년월일	1964. 7. 14.	시행년월일		보존년한	정서	기장
분류기호	외구미 722.2—	전체통제		종결		
경유 수신 참조	재무부장관			발신	장관	
제목	주둔군지위협정 체결 교섭					

1966. 12. 31 예고문에 의거 일반문서로 재분류됨

1. 1964. 6. 26. 일자 외구미 722.2— 292 호 공한에 대한 독촉입니다.

2. 주둔군지위협정 체결 교섭에서 토의되고 있는 외환 관리조항 중 주한미군에 적용될 외환율에 관하여 대호 공한으로 귀부에 요청한 바와 같이 쌍방이 수락할 수 있는 새로운 대안을 오는 7월 20일 까지 당부에 회보하여 주시기 바랍니다.

3. 당부로서는 현안인 주둔군지위협정의 조속한 체결을 위하여 동 조항의 토의를 이 이상 지연시킬 수 없는 입장임으로 기일내에 귀부로 부터의 새로운 대안에 접하지 못할 경우에는 부득이 미측의 주장을 수락할 수 밖에 없아오니 이 점 양찰하시기 바랍니다. 끝.

보통문서로 재분류 (1966. 12. 31)

326

1964. 7. 15

승인서식 1—1—3 (11 00900—03) (195mm×265mm16절지)

0123

1312

재 무 부

재세지 722.2-80　　　　　　　　　　1964. 8.6

수신 외무부장관 귀하

참조 구미국장

제목 주둔군 지위협정 체결교섭

주둔군 지위협정 체결교섭에 있어 미측 주장인 "불법적이 아닌 최고환율" 을 우리나라 측이 수락하는것이 상기 협정체결 교섭을 성취함에 있어 불가피하다면 만부득이 미측주장을 수락할수 밖에 없겠으나 가능한한 기통보한 당부제안이 채택되도록 계속 추진하여 주시기 바랍니다. 끝

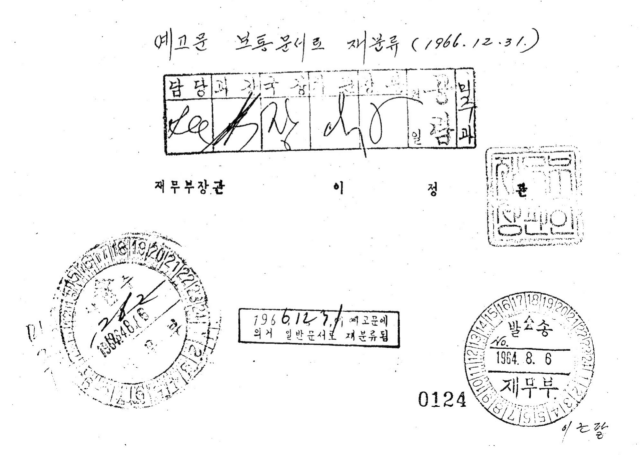

예고문 보통문서로 재분류 (1966. 12. 31.)

담당	과장	국장	차관	장관	결재 일	미주과

재무부장관　　　이 정 환

재무부장관인

접수 1964.8.6 외무부

1966.12.31 예고문에 의거 일반문서로 재분류됨

발송 No. 1964. 8. 6 재무부

0124

STATEMENT OF BENJAMIN FOREMAN, ASSISTANT GENERAL COUNSEL, DEPARTMENT OF DEFENSE BEFORE A SUBCOMMITTEE OF THE SENATE ARMED SERVICES COMMITTEE, AUGUST 7, 1964(EXCERPTS)

As you know, civilian employees and dependents overseas are not amenable to trial by U.S. courts for most offenses. Some commanders have reported that this situation has produced adverse effects upon morals and discipline. We do, of course, retain the right to impose administrative and disciplinary sanctions upon civilians. These include dismissal or suspension from employment, withholding or denial of privileges, and return to the United States. The fact that foreign authorities continue to grant waivers in many cases invloving civilians indicates that these sanctions are frequently adequate. However, there is often a reluctance by foreign authorities to concern themselves with offenses in which inly Americans are involved.

0125

Subject: Information on US Armed Forces Non-appropriated Fund Organizations

1. The non-appropriated fund activities of the United States armed forces are an integral and essential part of the United States armed forces worldwide and of their civilian component abroad. Although in many countries, such activities and organizations are covered by appropriated funds, in the U.S. armed forces they are carried out through the use of non-appropriated funds. The difference in structure does not in any way make the non-appropriated fund (NAF) activities any less an integral part of the U.S. armed forces. Such forces are designed to promote and provide a well-rounded morale, welfare, and recreational program for the armed forces and their civilian component. The NAF organizations covered in Article XIII of the US-ROK SOFA include only those officially authorized and regulated by U.S. military authorities. Such activities are under the close, and continuing, supervision of US armed forces, just as are the appropriated fund activities.

2. Post Exchanges. The Far East Exchange Service of the US armed forces operates a total of 152 Post Exchanges, popularly known as PX's, in Korea. These include eight major PX's located in Seoul, Ascom, Osan, Taegu, Pusan, Hqs 1st Corps, Hqs 2nd Division and Hqs 7th Division. The size of the PX's in Korea ranges widely, from the large and modern store which serves as the PX at USFK Headquarters at Yongsan to very small PX's, some located in a truck trailer or in a corner of a tent, carrying

0126

toilet articles and other daily essentials, serving units located in remote or isolated US military bases within the ROK. US military regulations require that wherever US military units are located, a PX facility be established to serve the personnel stationed there.

3. Motion Pictures. There are total of 41 theaters, operated by the US Army and Air Forces Motion Picture Service and showing 35-mm films, located on major US bases in Korea. The largest such theaters, which accomodate up to several hundred people, are located at Yongsan (2), Ascom, Uijongbu, Osan and Taegu. There are also 165 points, usually located on smaller US bases, at which 16-mm films are shown periodically. Many of these points are at isolated bases, where only a few US troops are stationed; at 56 of these points, the movies are shown free of charge because the number of troops stationed there are too few to make collection of an admission charge feasible.

4. US Military Messes. There are 33 open-mess systems operating on US military bases in Korea, with 101 officers open-mess branches and 198 noncommissioned officer branch messes. These facilities, open to authorized USFK personnel serve as official eating places for the personnel of the US armed forces and civilian component in Korea.

5. The foregoing NAF facilities operate under the direct supervision of the US military authorities and serve vital function in the maintenance of the US Forces in Korea. The foregoing

0127

statistics on NAF facilities include those used by all US military personnel in Korea, including MAAG personnel who are not under the SOFA. Every SOFA which United States has negotiated includes provision for these NAF organizations, which are located whereever US military personnel are stationed throughout the world. Since the exact geographical locations of many of these units are at missle installations and other sensitive points whose specific geographic location is classified, it is suggested that a detailed listing of the locations of such US bases be obtained from the ROK MND, if such information is required by the National Assembly.

0128

3

기 안 용 지

자체 통제		기안처	~~조약과~~ 박원철	전화번호	근거서류접수일자

과장		국장		차관	장관
(서명)		(서명) 8/26		전결	(서명)

관계관 서명	

기안년월일	1964. 8. 26	시행년월일	1964.8.26	보존년한	정서 기장
분류기호	외구미 722.2-	전체통제	8.26	종결	
경유 수신 참조	법무부장관 / 검찰국장	발신	장관		
제목	한미 행정협정 조항 검토 의뢰 (연 : 외구미722.2-265(64.6.8))				

한미간에 교섭중인 행정협정 중, 형사재판관할권 조문 제9조(형사피고인의 우리나라 법정에서의 방어 및 권리에 관한 조항)에 관하여, 지난 제61차회의에 이르기까지 문제된 사항을 별첨 송부하오니 문제별로 귀부의 의견을 회시하여 주시기 바라며, 차기 제63차회의(1964.9.4)에 제시할 최종적인 태도의 결정에 필요하오니 특히 다음사항에 관하여 來 9월 2일까지 회신하여 주시기 바랍니다.

1. 외구미 722.2-265(1964.6.8)의 제2항 (요)에서 언급한바와 같이, 우리측은 미측 초안 제9조에 규정된 권리로서 우리나라 헌법이나 관계법령에서 규정되어있는 부분은 불필요한 중복을 피하기 위하여 이의 삭제를 주장한데에 대하여, 미측은 한국의 법령이 개정될 가능성이 많다는 이유로 협정에 규정할 필요가 있다고 수차에 걸쳐 주장하고 있는바, 이러한 미측 주장의 수락 여부.

승인서식 1-1-3 (11-00900-03) (195mm×265mm16절지)

0129

2 : 별첨 문제된 미측안(연호 공문, 제 2항(2) 참조)이 영미법상 인정되고 있는지의 여부.

3 : 영미법상에서 인정되고있는 조항과 인정되고 있지아니한 조항을 분류하여 다음사항에 대한 의견회시 바람.

가 : 미측안대로 수락 할 것인지.

나 : 수정되어야 할 것이지의 여부 및 수정하여야 할 경우 이에 대한 대안.

유 첨 : 형사재판관할권 중 피고인의 권리 조항 문제점, 3 통, 끝.

발신 No. 434 1964. 8 26 외무부

공통서식 1-2 (을) (16절지)

0130

형사재판관할권 중 피고인의 권리 조항에 관한 문제점

1964. 8. 26.

외 무 부

0131

1. 상소제도 문제

(가) 미측안 :

Re Paragraph 9 ... In any case prosecuted by the authorities of the Republic of Korea under this Article no appeal will be taken by the prosecution from a judgement of not guilty or an aquittal nor will an appeal be taken by the prosecution from any judgement which the accused does not appeal, except upon grounds of errors of law.

(번역본)

본조에 의하여 대한민국 당국이 기소하는 어떠한 사건에 있어서나, 검사가 유죄가 아니거나 무죄 석방되었음을 이유로 상소하지 못하며, 또한 법률 적용의 착오를 이유로 하는 것을 제외하고는 피고인이 상소하지 아니함을 이유로 상소하지 못한다.

(나) 문제점 : 본조항은 상소제도를 규정하고 있으며, 우리 형사소송법과 비교하여 대체로 다음 3가지 점이 차이가 있어 문제되는 것으로 사료되는바,

(1) 상소심의 구조에 관하여... 우리형사소송법에 의하면 제 1심 및 항소심 (제 2심) 은 사실심이며 상고심 (제 3심) 만이 법률심임. 이는 제 1심 미확정판결에 대하여는 넓게 상소를 인정하려는 취지임. 이에 대하여 미국에서는 제 1심만이 사실심이며 제 2심 및 제 3심은 법률심으로서 제 1심 집중주의를 취하여 제 1심 미확정판결에 대하여는 가급적 상소를 인정하지 아니하려는 취지로 보임.

(2) 상소 사유에 관하여... 우리형사소송법상 제 361조의 5 (제 14호 및 제 15호) 및 제 383조 등에 의하면 상소 (항소 및 상고) 사유로서 법률적용의 착오 이외에도 사실의 오인등을

0132

인정하고 있음에 반하여, 미국에서는 제2심이 법률심이므로 자연히 법률적용의 착오에만 한하고 제1심집중주의에 의하여 사실의 오인 등은 애당초 인정되지 아니한 것으로 보임.

(3) 검사의 상소권에 관하여...우리형사소송법 제338조 제1항은 검사도 피고인과 동일한 상소권자로서 인정하고 있음에 반하여, 미국에서는 대부분의 주법이 검사는 예외적으로만 상소권을 인정하고 있다는 것으로 보임.

(다) 참고사항:

(1) 해결시안으로서 다음 3가지가 고려될수 있을 것임:

(ㄱ) 우리나라 형사소송법상의 상소제도를 취택

(ㄴ) 한미 양제도를 조정한 새로운 제도의 모색

(ㄷ) 미국의 상소제도를 취택. (즉, 미측원안 수락)

(2) 우리측에서 이미 대안을 제출한바 있는 "불이익 변경 금지의 원칙"(본문제점 (5) 참조)도 본조항의 근본적인 해결에 따른 부수적인 사항이라고 사료됨.

2. 정부대표가 결석중에 한 피고인의 진술의 증거능력문제

(가) 미측안:

Re Paragraph 9(g) ... and no statement of the accused taken in the absence of such a representative shall be admissible as evidence in support of the guilt of the accused.

(번역문)

동(정부)대표자의 결석 중에 한 진술은 피고인에 대한 유죄의 증거로서 허용되지 아니한다.

0133

(나) 문제점 : 증거의 증거능력 및 증명력의 문제는 피고인 또는 피의자의 임의성없는 허위 배제 또는 인권옹호를 위하여 인정되는바 다음과 같은 사유로서 본조항을 긍정할만한 합리적인 근거가 없다고 사료됨.

(1) 증거의 증거능력 및 증명력의 문제와 정부대표의 심판등에의 참석의 문제와는 전혀 별도의 문제인 것임.

(2) 정부대표가 출석하지 아니하였다고 하여서 반드시 피고인이 허위진술하리라고는 사료되지 아니함.

(3) 우리 형사소송법상 비록 정부대표가 결석하였다 하드라도 법원이 "특히 신빙할수 있는 상태 하에서" 피고인이 진술하였다고 확증하는 데도 불구하고 그 진술의 증거능력을 부인함은 심히 부당하다고 사료됨.

(4) 정부대표의 일방적이거나 자의적인 불출석으로 인한 재판진행의 방해에 대하여서는 해결할 방안이 없다고 사료됨.

(다) 참고사항 : 해결시안으로서 미국정부대표 측의 귀책사유로 인한 결석의 경우에는 본항을 적용하지 아니한다는 단서를 설정함이 고려될수 있음.

5. 위법, 부당한 방법에 의하여 수집한 증거의 증거능력 문제.

(가) 미측안 :

Re Paragraph 9 ... No confession, admission, or other statement, or real evidence, obtained by illegal or improper means will be considered by the courts of the Republic of Korea in prosecutions under this Article.

0134

(번역문)

위법하거나 부당한 방법에 의하여 수집된 자백, 자인(승인), 기타 진술이거나 물적증거는 대한민국 법원이 본조에 의하여 형의 소추를 하는데 있어서 채증하지 아니한다.

(나) 문제점: 문제되는 증거가 그수집에 있어서 위법한 방법(예컨대, 함해수사에 의한 증거의 수집, 전화 도청 수사에 의한 증거의 수집) 또는 부당한 방법에 의한 경우 그증거능력이 부인된다는 것을 규정하고 있는바, 제50차 회의에서 우리측은 본 조항에서 "부당한"이란 용어의 삭제를 제의한바 있고 (라)미고 제61차 회의에서 미측은 우리형사소송법에 규정한 "신용성의 정황적 보장"의 이론을 인용하여 반박하고 있음.

(다) 해결시안: "부당한"이란 용어의 삭제의 주장을 철회하는 대신 물적증거 " real evidence "만 용어의 삭제를 제의하는 것을 고려할수 있음.

ㅏ. 피고인이 변호인과 비밀히 상의할 권리.

(가) 미측안:

Re Paragraph 9(c) ... The right to legal representation shall exist from the moment of arrest or detention and shall include the right to have counsel present, and to consult confidentially with such counsel, at all preliminary investigations, examinations, pretrial hearings, the trial itself, and subsequent proceedings, at which the accused is present.

(번역문)

변호인의 구조를 받을 권리는 체포 또는 구금되는 때부터 발생 존재하며, 피고인이 출석하는 모든

0135

사건조사, 심리, 공판전의 변론, 심판 자체 및 공판후의 소송절차에 변호인을 선임할 권리와 그변호인과 비밀히 상의할 권리를 포함한다.

(나)문제점: 우리측은 제 50차 회의에서 우리행형법 시행령 제 58조 제 1항 (행형법제 62조에 의거 미결수에 준용)에 의하여 면담의 요지를 기재하게 되었으므로 현행법제도상 피고인이 변호인과 비밀히 상의할 권리가 허용될수 없다는 이유로서 "비밀히"란 용어의 삭제를 제의한바 있음. 이에 대하여 미측은 61차 회담에서 변호사의 효율적인 활동을 위하여서는 변호사와 담당피의자가 타인의 간여없이 협의할수 있어야 한다고 말하고 한국의 행형법이 변경되어야 한다고 주장하였음.

5. 불이익 변경금지의 원칙문제.

(가) 미측안:

Re Paragraph 9...(e) shall not be subject to a heavier penalty than the one that was applicable at the time the alleged offense was committed or was adjudged by the court of first instance as the original sentence.

(번역문)

부가적 권리 (e)...협의 받는 범죄가 범하여 졌을때 또는 원판결로서 원심법원이 유죄판결을 하였을때에 적용되는 형보다도 중한 형을 받지아니하는 권리.

(나)문제점: 우리측은 우리형사소송법 제 368조 (제 396조 제 2항에 의하여 상고심의 파기자판의 경우에 준용)에 규정한 "불이익 변경금지의 원칙"의 내용에 따라 피고인이 상소하거나 피고인을 위하여 상소한 사건에 대하여서만 원심법원의 원심판결의

0136

형보다 중한 형을 받지아니한다는 대안을 제출한바 있음. 따라서 미측안과의 차이점은 우리나라 검사가 상소하거나, 피고인이 상소한 것에 대하여 검사가 독립하여 상소한 경우에는 원심판결의 형보다 더중한 형을 받을수 있게 됨. 본 조항은 상소제도 조항과 관련하여 어느한도에서 검사의 상소권을 인정할 것인가의 문제와 아울러 해결하여야 할 것으로 사료됨.

6. 피고인에게 불리하게 사용될 증거의 성질을 통고받을 권리문제.

(가) 미측안:

Re Paragraph 9(b) .. He shall also be informed a reasonable time prior to trial of the nature of the evidence that is used against him.

(번역문)

그는 그에게 불리하게 이용될 증거의 성질을 상당한 기간에 앞서 통고받는다.

(나) 문제점: 제 60 차 회의에서 미측이 인용한 우리 형사소송법 제 273 조에 의하면 미측안과는 달리 법원이 검사 또는 피고인등의 신청에 의거하여 비로서 법원이 증거조사를 행할수 있는 것이며, 또한 신청이 있는 경우 언제나 증거조사를 행하여야 할의무가 있는 것이 아니고 공판준비에 필요하다고 인정하는 경우에만 한한것이며 필요없다고 인정하는 경우에는 증거조사를 행할필요가 없다. 또한 미측안과 같이 증거의 성질을 통고한다고 규정한바 없으며 단지공판기일 전에 증거조사 신청권을 규정한이 제 273 조의 취지인 것으로 사료됨.

0137

7. 대한민국 군법회의에 의한 관할여부 문제.

(가) 미측안:

Re Paragraph 9(a) ... A member of the United States armed forces or civilian component, or a dependent, shall not be tried by a military tribunal of the Republic of Korea.

(번역문)

합중국 군대의 구성원, 군속 및 가족은 대한민국의 군법회의에 의한 재판을 받지 아니한다.

(나)문제점: 본 조항은 이미 토의한바 있는 제 1항 (b)에서 " civil "이란 용어의 삽입 여부와 관련하여 해결될 문제라고 사료됨.

8. 육체적 및 정신적으로 부적당한 경우의 신판 불출두 문제.

(가) 미측안:

Re Paragraph 9 ... (k) shall not be required to stand trial if he is physically or mentally unfit to stand trial and participate in his defense;

(번역문)

심판에 출두하거나 자기의 변호의 참여에 있어서 육체적으로나 정신적으로 부적당한 때에는 신판에 출두하도록 요청되지 아니하는 권리.

(나)문제점: 우리측은 우리형사소송법 제 306 조의 취지에 따라 육체적으로나 정신적으로 심판 출두에 부적당한 때에는 출두의 연기를 신청할수 있는 권리를 규정한 대안을 제출한바 있음.

0138

9. 사후법 금지의 원칙 문제.

(가) 미측안 :

Re Paragraph ... shall not be held guilty of an offense on the basis of rules of evidence or <u>requirements of proof</u> which have been altered to his prejudice since the date of commission of the offense;

(번역문)

범죄의 범행후 피고인에게 불리하게 변경된 증거 법칙이나 증명요건에 기하여 범죄의 유죄로 소추 받지 아니하는 권리.

(나) 문제점 : 증명요건 (requirements of proof) 이란 용어는 우리나라 형사소송법상 사용되지 아니하는 용어로서 증거법상 무엇을 의미하는지를 질의한바 있으나 미측은 상금 회답을 보류하고 있음.

0139

기 안 용 지

자체 통제		기안처	미주과 이근팔	전화번호	근거서류접수일자

	과장	국장	차관	장관		
		8/27	전결			

관계관 서명	

기안 년월일	1964. 8. 27.	시행 년월일		보존 년한		정서기장
분류 기호	외구미 722.2—	전체 통제	8.29 종결			
경유 수신 참조	법무부장관 검찰국장			발신	장관	
제목	주둔군지위협정 체결 교섭					

한.미 간 주둔군지위협정 체결 교섭실무자회의에서 토의되고 있는 형사재판관할권에 관한 양측 조안 본문 1(a)항에 규정된 관할권 행사기관 및 인적적용범위를 중심으로 양측 주장에는 현저한 견해차의가 있음에 감하여 쌍방이 새로운 타협점을 모색하지 않을 수 없는 입장에 놓여있읍니다. 따라서 미측안의 조건부 수락 또는 우리측의 새로운 대안의 제시를 강구함이 필요함으로 별첨과 같은 양측의 입장을 감토하시어 다음 사항에 대한 귀부 의견을 오는 9월 8일 까지 회보하여 주시기 바랍니다.

1. 현대사법제도 및 우리 나라 법체계에 비추어 미측 주장의 타당성 여부.
2. 앞으로 교섭에서 미측 주장을 수락할 가능성의 여부.
3. 만약 미측 주장을 수락할 수 없다면 그 이유 및 우리측이 제시할 대안. 끝.

승인서식 1-1-3 (11 00900--03) (195mm×265mm16절지)

0140

유 첨: 관할권 행사기관 및 인적 적용범위에 관한 한.미
양측의 주장 1부. 끝.

[redacted] (1966.12.31)

관할권 행사기관 및 인적 적용범위에 관한 한.미 양측의 주장

1. 한.미 양측 형사재판관할권 조안 1(a) 항:

가. 한국: 미합중국 군당국은 미합중국 군법에 복하는 모든 자에 대하여 미합중국 법령이 부여한 형사상 및 징계상의 재판권을 대한민국내에서 행사할 권리를 갖는다.

나. 미국: 미합중국당국은 미합중국 군대구성원, 군속 및 그 가족에 대하여 미합중국 법령이 부여한 모든 형사상 및 징계상의 재판권을 대한민국내에서 행사할 권리를 갖는다.

2. 한국측 주장

(1) 미측의 관할권 행사기관을 "미국당국"으로 규정하게되면 한국내에서 미군당국 이외에 기타 미국당국에 의한 관할권 행사의 가능성을 내포하게 되는바 우리측은 주한 미군의 지위를 규정하기 위하여 교섭을 진행하고 있는 것임으로 미군당국외에 기타 기관의 관할권 행사를 인정할 수 없다.

(2) 미측이 미군법에 복하지 않는 민간인을 본국으로 이송하여 재판할 수 있도록 미국회가 장차 입법조치를 취할 것을 예상하여 미 초안을 주장하고 있지만 불확실한 장래의 입법이 협정 체결 교섭에 영향을 미칠 수는 없으며 미군관계 민간인이 군법회의에 복하는 것이 위헌이라고 판시한 미대심원의 1960 년도 판결은 1956 년도 이래 수차 변경된 결과임에 비추어 미 대심원이 다시 동 판결을 번복할 가능성도 예상할 수 있다.

(3) 미군관계 민간인 범법자를 재판하기 위하여 미본국으로 이송하려는 미측 의도는 현대 사법제도의 원칙에 반할 뿐 만 아니라 외국 군대를 주둔케 하고 있는 접수국이 수락할 수 없는 요구이다. 우리는 현대의 재판제도의 원칙이나 관행은 적어도 범죄지 또는 범죄지에서 멀지 않은 장소에서 재판이 개최되어야 한다고 믿는다.

(4) 어떤 주권국가의 영토 내에서 범죄를 행한 피의자를 타 주권국가로 이송하여 재판한다는 것은 주권의 침해를 초래할 가능성이 있다.

0142

(5) 미측이 인용한 한국형법은 내국인과 외국인의 국외범의 처벌을 규정하고 있지만 그 의도하는 바는 피의자가 한국의 주권행사권내에 들어 오거나 또는 범죄인도조약에 의한 대관할권을 행사하려는데 있는 것이다. 한국측은 일방적이고 원치않는 영토주권의 포기를 요청하는 것이 않인데 대하여 미측은 한국측으로 부터 영토주권의 무조건적인 포기를 요구하고 있다. 즉 범죄의 영토적 관할권의 포기는 영토주권국가의 동의에 의하여서만 가능한 것이다.

(6) 미측이 주장한 바와 같은 문언은 기타 각국과의 행정협정에서 거이 그 선례를 찾아 볼 수 없다.

(7) 우리측은 미군당국의 관할권에 복하는 자의 인적 범위를 "미군법에 복하는 모든 자"라고 제안하여 미측이 평화시에도 민간인 범법자를 미군법에 복하게 할 수 있는 여지를 마련한 것임으로 민간인의 미군법재판 복종 여부는 미국내 문제이다.

3. 미국측 주장

(1) 미측은 미국의 관할권 행사기관을 "미국당국"으로 규정할 것을 주장하지만 한국측의 우려를 해소하기 위하여 한국 내에서 관할권을 행사할 수 있는 미국의 일반법원을 설치할 의도가 없음을 확언한다.

(2) 미측은 또한 미군관계 민간인 범법자를 미국으로 이송하여 재판할 수 있게 하기 위하여 미국회가 입법조치를 취할 가능성에 대비하여 미측은 미측초안 1(a)항의 구정의 문언을 주장한다.

(3) 일 국가는 그 나라 국민이 영토주권이 미치는 한계 내에 있거나 그 권외에 있거나를 막론하고 그 국민에 대하여 관할권을 보유한다는 것은 국제법상의 일반원칙이며 이러한 국민에 대한 관할권은 영토주권에 기인한다기 보다 국민에 대한 대인고권에 입각한 것이며 국민의 권리와 의무는 오로지 그가 속하고 있는 주권국가에 의하여 결정되는 것이며 국법이 정하는 바에 따라 국외범죄에 대한 관할권에도 복하는 것이다.

0143

(4) 대인고권에 의한 관할권의 행사는 결코 범죄가 행하여진 국가의 주권에 대한 침해가 되는 것이 아니며 조약상 별도로 합의가 없는 한 국적에 의한 관할권을 행사하려는 국가는 외국에서 주권을 행사함으로서 영토주권을 침해하여서는 않된다는 의무가 있을 뿐이며 그 국민이 귀국한 후 해외에서 행한 범죄에 대하여 그 국민을 처벌하는 것은 국제법상의 권리를 침해하는 것은 않이다.

(5) 한국형법 제 3 조는 그러한 원칙을 채택하고 있으며 동 제 5 조는 그 원칙을 확장하여 외국인의 특정한 국외범죄까지도 처벌할 것을 규정하고 있다.

(6) 미국에는 한국형법 제 3 조에 해당하는 조항이 없으며 대인고권에 의한 주권행사 여부는 전적으로 미국정부의 권한내에 있으므로 장차 그러한 입법을 제정하게 되어도 한국의 주권을 침해하는 것은 않이다. 한국측이 국제법상 인정되고 한국형법에 규정된 원칙에 대하여 반대하는 이유를 이해할 수 없다.

(7) 한국측은 미측이 주장하는 규정문언을 타 협정에서 찾아 볼 수 없다고 하지만 우리는 많은 과거의 경험에 입각하여 한국과의 협정 체결을 교섭하는 것이지 타국과의 협정을 토대로 교섭하는 것은 않이다.

4. 문제점

(1) 한국측 주장대로 미측의 관할권 행사기관을 "미군당국"으로 하고 인적 적용범위를 "미군법에 복하는 모든 자"로 규정한다면 주한 미군당국은 1960 년도 미대심원 판례에 의하여 평화 시에는 미군관계 민간인 범법자에 대하여 재판을 할 수 없는 결과가 될 것이다.

(2) 미국측 주장대로 미측의 관할권행사기관을 " 미국당국"으로 하고 인적 적용범위를 "미합중국 군대구성원 군속 및 그 가족"으로 규정하여도 미측이 한국내에 미국의 일반법원을 설치하지 않겠다고 언약한 바 있음으로 미국회가 군관계 민간인범법자를 본국으로 이송할 수 있는 법률을 제정할 때까지는 그들의 한국내 범죄를 미군당국이 재판할 수 없을 것이다.

0144

(3) 만약 미군당국이 한국내에서 미군관계 민간인 범법자를 재판 할 수 없게 되면 그러한 자에 대하여 범죄의 경중을 막론하고 행정적 제재 밖에 가할 수 없을 것이다.

(4) 한국측이 관할권을 행사한다면 한국의 법익과 관계없는 미측의 전속적관할권에 속할 미국의 안전에 관한 범죄 또는 미국인 및 미군재산에 대한 범죄 민간인 상호간의 범죄 또는 공무 집행중 범죄등에 관련된 미군관계 민간인 범죄자에 대하여 재판을 하게되거나 중죄에 해당하는 범죄에 대하여서도 우리 나라 법의 흠결로 인하여 재판할 수 없는 모순이 있을 수 있다.

0145

① US Military Establishment members 의 定義:

가족 포함 여부 ?

② 가족을 courts-martial of the United States
가 이번 事件에 關하여 裁判할수 있는가?
(即 大田協定은 美國軍法会议의 管轄만을 承認)

③ 事件과 管轄权

①発生地域 — 韓國領域內

②被害者 —— 韓國人(身体)

③加害者 —— 美軍家族

④ 協定上, 美國의 軍法会议에서 管轄하도록 許容, 또한 반드시 專屬的管轄을 하여야 하는 것이 아니라, 美國側은 관할할것을 지의(will) 하였고 韓國側은 관할 할수 있다(may)고 이를 수락하였음. 따라서 美國政府는 該使管轄权을 가진다고 主張하드라도, 協定上 明文規定도 없으나, 이를 拋棄할수 있는 立場에 있음.

0146

⑤ 万若 자기 家族에 對하여 (이번事件에 關한限),

美國軍法會議가 管轄權을 行使하는 있으로 權限이
美國法에 依하여 附與되어 있지 아니하는 경우
에는 同承務員의 裁判 管轄은 一般國際
法原則에 따라 決定될수 밖에 없는바,
이点에 關하여 韓國의 領土管轄權의 原則에
비추어 韓國이 적어도 一次管轄權을 가진다고
보는것이 本件 事件에 關하여 妥當함.

0147

기 안 용 지

자체 통제		기안처	미주과 이근팔	전화번호	근거서류접수일자
	과장	국장	차관	장관	
	9/14	9/14	전결		
관계관 서명					
기안 년월일	1964. 9. 14.	시행 년월일		보존 년한	정서 기장
분류 기호	외구미 722.2—	전체 통제		종결	
경유 수신 참조	법무부장관 총무처장관 국방부장관			발신	장관
제목	한.미간 주둔군지위협정 체결 교섭				

1. 한.미간 주둔군지위협정 체결 교섭에서 주한 미군의 노무자 조달문제가 검토되고 있는바 우리측은 미군에서 근무하는 모든 노무자는 그들의 노동문제에 관련하여 파업권이 보장될 것을 주장하고 있음에 반하여 미국측은 미군 노무자는 한국군의 유사 직위에 근무하는 고용자와 동등한 한도내에서 파업행위에 참여할수 있도록 할 것을 주장하고 있읍니다.

2. 우리측은 미군이 사실상 미군노무자의 파업권을 인정하지 않으려는 상기 주장의 부당성을 지적하는 우리측 입장을 수립하기 위하여 참고코저 하오니 다음 사항에 관하여 귀견을 회보하여 주시기 바랍니다.

다 음

국방부 및 그 예하 각군에 근무하는 노무에 종사하는 고용인(노무자)으로서 국가공무원법상 일반직공무원이 아닌

승인서식 1—1—3 (11 00900—03) (195mm×265mm16절지)

0148

고용인이 노동문제에 관련하여 파업행위를 포함한 집단적

행위에 참여할 수 있는지 그 여부와 그 법적 근거.

유 첨: 당부 법무관의 의견서 1부. 끝.

예고문서로 재분류(1966.12.31.

1966.12.31.에 예고문에 의거 일반문서로 재분류됨

공통서식 1-2 (을)

(16절지)

0149

당부 법무관의 의견서

1. 별정직공무원의 범주에 속하는 단순한 노무에 종사하는 공무원(국가공무원법 제2조 제8호)은 국가공무원법 제3조의 규정에 의하여 동법제7장, 복무에 관한 규정, 의적용은 받으므로 동법제66조와 공무원복무규정제27조에 의거하여 동규정 별표에 지정한 노무공무원(고동부, 체신부, 전매청, 및 국립의료원소속)이외의 노무공무원은 노동쟁의에 참이할수 없음. 따라서 국방부 및 예다 각군에 근무하는 노무공무원은 노동쟁의에 참이할수 없다고 봄.

2. 그러나 특별권력관계하에 있는 노무공무원은 물론 상기규정의 적용을 받는다 할지라도 사계약에 의하여 채용한 노무자에 대하여는 그적용 여부가 의심되나 이들에 대하여는 상기 규정의 적용에서 제외된다고 보는것이 타당한것임.

0150

국 방 부

국인법 810-2147 (4-6246) 64. 10. 2

수신 외무부 장관

제목 한, 미간 주둔군 지위협정 체결 교섭 회신

외구미 722,2 - 492 호 (64. 9. 16)에 대하여 별지와같이 회신합니다.

유첨 : 회답서 1부. 끝

비고	종 10	국	장	차관	장관		차 관	장 관

접수 21398 1964 10 5 외무부

국방부장관 김 성 은

인사국 법무과

발송 1964 10. 5 국방부

0151

회 답 서

질의요지. 국방부및 그예하 각군에 근무하는 노무에 종사하는 고용인(노무자)으로서 국가공무원법상 일반직 공무원이아닌 고용인이 노동문제에 관련하여 파업행위를 포함한 집단적 행위에 참여할수있는지 그 여부와 그 법적근거

회 답. 파업행위를 포함한 집단적 행위를 하여도 현재로서는 하등 제한할 근거가없다.

이 유. 현재 국방부및 그예하기관 근무자의 신분별 종류를 보면 군인군속및 일반직공무원과 01, 02 로 나눌수있는바 군인군속은 물론 일반직공무원도 특별히 인정된자를 제외하고는 노동운동이 금지되고(헌법 제2[illegible]조제2항 공무원법 제66조 공무원복무규정 제27조참조)있으며 국방부의 01은 고용원규정(대통령령 제277호 1950, 2, 11)의 적용을 받는자(각부처 직제상에 인정된 고용원) 즉 국가공무원법 제2조2항8호에 규정된 사실상 노무에 종사하는 별정직 공무원으로서 공무원복무규정 제27조에서 특별히 노동운동을 인정하지않고 있음으로 01 역시 타 공무원과같이 노동운동이 금지되고있으나 국방부에서 소위 02요원(노무자)이라함은 국가공무원법은 물론 고용원규정의적용도 받지않으며, 01인고용원은 복무및 보수에관한사항은 국가공무원법 제46조제2항의규정에의하여 법률이나 대통령령으로

0152

정하고있으나 이들 02요원인 고용원은 각단위부대의 예산범위내에서 임시 고용되고있으며 일당 형식으로 임금이 지급되고있는자로서 현재 한미간 검토되고있는 노무자가 바로 여기에 해당된다고 볼수있는것이다.

따라서 헌법 제29조제1항에는 "근로자는 근로조건의 향상을 위하여 자주적인 단결권 단체교섭권및 단체행동권을 가진다"라고 규정하고있으며 노동조합법 제8조 전단에서는 "근로자는 자유로이 노동조합을 조직하거나 가입할수있다" 라고 규정하고있어 이들 02요원인 근로자는 현 법제하에서는 근로조건의 향상을위하여 소위 노동자의 생존확보를 이념으로하는 생존권적 기본권의 일종인 노동3권을 행사하더라도 하등 제한할 근거가 없는것이다.

0153

국방부 노무자의 파업 문제

1. 파업을 할 수 없는 자

(1) 군속 (군속령)

(2) 일반직 노무공무원(기능직) 공무원법 66조.

단, 공무원복무규정 27조에 의하여 교통부, 체신부, 전매청, 및 국립의료원은 제외.

(3) 별정직 노무공무원 (01) 국가공무원법 2조—8항,

제 3 조에 의거 제 5장 보수 및 제 7 장 복무 규정 적용되는 결과 파업을 할 수 없다.

2. 파업을 할 수 있는 자

(1) 임시 노무원 (02 임금)

각 단위부대의 예산 범위내에서 임시 채용할 수 있으며 일당 형식으로 임금이 지급되고 있는 자.

** 파업행위를 포함한 집단적 행위를 하여도 현재로서는 하등 제한할 근거가 없다.

0154

국방부예하 노무자 수급 예산

(1964)

노무자의 종류	인원수	예산액
1. 기능직		
2. 노무자(01)	15	450,000원 45만원
3. 노무자(02)	3,054	236,708,600원 2억 3천6백7십만 8천 6백원

(국방부 인사국 노무과 김사무관)

0155

법　　무　　부

법무법 810 -06　　(8 - 3643)　　1964. 11. 14.

수신　외무부　장관

제목　한, 미간　주둔군지위협정의 체결교섭

외구미 722.2 - 492 (64. 9. 16.) 에　대하여　별지와　같이　응신합니다.

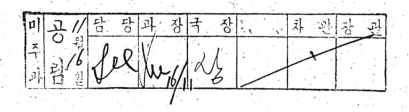

유첨　의견서 1부.　끝.

미주과	공람 11월 16일	담당	과장	국장		차관	장관
			16/11				

접수 No. 16810 1964 11.14 외무부

1966, 12.31 예고문에 의거 일반문서로 재분류됨

법무부　장관　　민　　복

발송 No. 1964.11.14 법무부

0156

의 견

본건 노무자를 공무원의 신분을 가진자와 그러하지 아니한 자로 구별하여 검토하면 공무원의 신분을 가진자는 사실상 노무에 종사하는 공무원으로서 국가공무원법제 2조제 8호의 별정직공무원에 해당하는것인바 이러한 공무원중 동법제66조단서(집단행위금지의예외)에 의하여 공무원복무규정제27조 별표에 적시된 교통부, 철도청, 체신부, 전매청, 및 국립의료원소속 공무원은 노동운동 기타 공무이외의 일을 위한 집단행위를 할수 있으나 그외의자는 동법제66조본문에 의하여 서상 집단행위를 금지당하고 있으므로 국방부나 예하부대에 소속된 노무공무원은 노동운동 기타 공무외의 집단행위를 할수 없을것이다.

그러나 이와같은 공무원의 신분을 가지지 아니한 노무자(예 임시노무자, 일일고용자등)는 공무원법이나 그외 공무원 신분으로서 지켜야할 복무규율에 따라야할 의무가 없으므로 노동문제에 관련하여 파업행위를 포함한 집단행위에 참여할 수 있음이 명백하다.

추기,

미군에 고용된 노무자는 공무원의 신분도 아니고 다만 미군측과의 일반적인 고용계약에 의하여 종사하는 단순한 노무자이므로 국방부 및 그예하부대에서 종사하는 노무직공무원과 같은 정도의 의무를 부담시킴은 부당할것으로 사료함.

0157

담 당	과 장	국 장		차 관	장 관

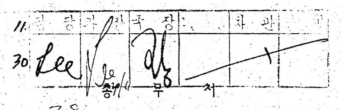

총기획722.2-3163 (72-9497)　　　　1964. 11. 27.

수 신 외무부장관

제 목 한,미간 주둔군 지위 협정 체결 교섭

1.외구미 722.2-492 (64.9.16.)에 대한 회신임.

2.회답

본건 귀부 법무관 의견과 같음.

(참고: (1) 질의 요지)

국방부 및 그예하 각군에 근무하는 노무에 종사하는 고용인으로서국가공무원법상 일반직 공무원이 아닌 고용인이 노동문제에 관련하여 파업행위를 포함한 집단적행위에 참여할수 있는 지의 여부와 그법적 근거

(2)외무부 법무관 의견

가,별정직 공무원의 범주에 속하는 단순한 노무에 종사하는 공무원은 국가공무원법 제3조의 규정에의거 동법 제7장 복무에 관한 규정의 적용을 받으므로 동법 제66조와 공무원 복무규정 제27조에 의거 동규정 별모에 규정된사실상 노무에 종사하는 공무원(교통부, 체신부,전매청,국립의료원의 해당공무원)이외의 노무직공무원은 노동쟁의에 참여할수없으므로 국방부 및 그예하 각군에 근무하는 노무공무원은 노동쟁의에 참여할수없다고봄

나,그러나 특별 권력관계에 있는 노무공무원은 [illegible] 적용을 받지만 일반 사계약에 의하여 채용된

접수 No.25478 1964.11.28 외무부

0158

노무자는 상기 규정의 적용에서 제외됨으로 노동쟁의에 참여할수 있다고 봄이 타당하다고 사료됨. 끝.

총 무 처 장 관 이 석

0159

기 안 용 지

자 체 통 제		기안처	미주과 이근팔	전화번호	근거서류접수일자
	과장	국장	차관	장관	
	17/12		대결		
관계관 서 명					
기안 년월일	1964. 12. 17.	시행 년월일		보존 년한	정서 기장
분류 기호	외구미 722.2	전체 통제	12.18 종결		
경유 수신 참조	법무부장관 검찰국장			발신	1964.12.18 장관
제 목	제 67 차 주둔군지위협정 체결 교섭실무자회의 결과 보고				

1. 1964 년 12 월 16 일 개최된 제 67 차 주둔군지위협정 체결 교섭실무자회의 에서 토의된 형사재판관할권에 관한 보고서 사본을 송부하오니 이를 검토하시와 그 수락 여부에 대한 귀견을 회보하여 주시기 바라며 만일 미측 제안을 수락할 수 없다고 사료하실 경우에는 우리측이 제시할 대안을 작성 송부하여 주시기 바랍니다.

2. 당부로서는 미측이 금번 제시한 포괄적 제안에 대하여 약간의 수정을 가하여 수락하는 방도가 강구될 수 있다고 사료하오나 우리측이 미측의 제안을 수락 않거나 또는 거리가 먼 대안을 제시할 경우에는 교섭의 조기 타결을 기하기 어려울 것으로 봅니다.

유 첨: 제 67 차 주둔군지위협정 체결 교섭실무자회의 결과 보고서 사본. 끝.

승인서식 1-1-3 (11-00900-03) (195mm×265mm16절지)

0160

제 67 차

한 · 미간 주둔군지위협정 체결 고섭 실무자회의

보고서

1. 일시 1964. 12. 16 일, 하오 4 시부터 동 5 시까지
2. 장소 외무부 제 1 회의실
3. 토의사항

형사재판관할권

가. 미측은 형사재판관할권에 관한 우리측의 종래의 입장을 면밀히 검토한바 있으며 또한 고섭의 조기 타결을 원한다고 전제한다음 형사재판관할권 중 (ㄱ) 제 1 차 관할권의 포기, (ㄴ) 공무집행중 범죄, (ㄷ) 재판전 피의자의 신병구금, (ㄹ) 피의자의 권리등 4 개중요문제에 관하여 미측의 종래의 주장을 수정하여 다음과 같이 포괄적 대안을 제출하고 우리측이 일괄 수락할것을 촉구하였다.

(1) 관할권의 포기

미측이 종래의 주장을 철회하고 제시한 대안은 다음과 간다:

"대한민국은 미국법에 복하는 자에 관하여 질서와 규율을 유지함이 미국당국의 주된 책인임을 인정하여 3(b)항의 규정에 의한 관한권을 행사하는 제 1 차적 권리를 포기한다. 상기한바에 따라 미국당국은 그러한 경우에 관할권을 행사할 의사를 합동위원회를 통하여 대한민국당국에 통고하여야 한다. 대한민국당국은 미국당국과 협의한 후 대한민국의 안전, 강간, 또는 고의적인 살인에 대한 범죄에 관련된 특별한 사건에서는 특수한 사정이라는 이유로 한국이 그사건에 있어서 대한민국을 위하여 특히 중대하다는 의견을 가질때 대한민국당국은 미국의 관할권은

행사할 의도가 있다는 통고의 접수 후 15일 이내에 그의견을 미국당국에 통고한다. 미국은 상기 15일 이내에는 관할권을 행사할 권리를 갖지 못한다. 만약에 어느편이 관할권을 행사할 것인가에 관하여 의문이 제기된다면 미국외교사절은 본건에 관한 최종적 결정이 이루워지기 전에 대한민국의 관계당국과 협의할 기회가 부여된다.

"대한민국이 관할권을 행사할 제1차적 권리를 포기하는 사건의 재판과 제3(T)(ii)항에 규정된 범죄(공무집행중 범죄)로서 대한민국 또는 대한민국 국민에 대하여 범하여 진 범죄에 관련된 사건의 재판은 별도의 조치가 상호 합의되지 않는한 범죄가 행하여 졌다는 장소로부터 적당한 거리내에서 행하여 진다. 대한민국의 대표는 그러한 재판에 입회할수 있다.

"___조 및 본합의의사록의 규정을 시행하며 또한 범죄의 신속한 처리를 촉진하기 위하여 미국 및 대한민국 당국간에 통고로서 처리하기 위한 조치를 한수 있다."

(2) 공무집행중 범죄

(가) 미측은 제 [illegible] 차 회의에서 미측이 제안한바 있는 공무집행중 범죄에 관한 2개의 양해사항을 한국측이 수락한것을 조건으로 다음과 같은 수정안을 제시하였다.

"미국군대 구성원 또는 군속이 범죄의 혐의를 받았을때 (is charged with an offense)그 자가 범하였다면 혐의된 범죄가 공무집행중에 행한 작위 또는 부작위에 기인한 것임을 진술한 미국군대의 권한있는

0162

당국이 발행한 증명서는 제1차 관할권을 결정하기 위한 사신의 충분한 증거가 된다.

"대한민국의 검찰청장은 공무집행증명서에 대한 반증이 있다고 사료하는 예외적인 경우에는 공무집행증명서는 대한민국 정부의 관계관과 주한미국외교사절간의 협의를 통한 재심의 대상이 될수있다."

(나) 그런데 미측이 제58차 회의에서 제시한 2개의 양해사항은 다음과 같다.

(ㄱ) 미군당국이 발행한 공무집행증명서는 미측이 수정하지 않는한 구속력을 갖는다.

(ㄴ) 공무집행증명서에 대한 재심의 지연으로 피의자의 신속한 재판을 받을 권리가 박탈되어서는 아니된다.

(3) <u>피의자의 재판전 구금</u>

미측은 우리측이 제52차회의에서 제의한바 "한국의 안전에 관한 피의자의 신병은 한국 당국이 구금한다"는 제안을 미측이 수락하는 대신 우리측이 다음과 같은 사항을 수락할것을 요구하였다.

(가) 신병 구금에 관한 다음과 같은 미측조안

(요지)

(ㄱ) 피의자의 신병이 미측 수중에 있을 때에는 모든 재판절차가 끝나고 한국 당국이 신병의 인도를 요청할때까지 미측이 구금한다.

(ㄴ) 피의자의 신병이 한국당국 수중에 있을 때에는 한국당국은 피의자의 신병을 즉시 미국당국에 인도해야 하며 모든 재판절차가 끝나고 한국당국이 신병의

0163

인도를 요청할때까지 미국당국이 신병을
구금한다.

(ㄷ) 미국당국은 한국당국의 요청이 있으면
한국당국이 피의자에 대한 수사 또는
재판을 할수 있게 한다.

(ㄹ) 한국당국은 미국당국이 군인 군속 또는
가족의 신병을 구금함에 있어 조력을
요청하는 경우 호의적 고려를 한다.

(나) 대한민국의 안전에 대한 피의자의 신병
구금에 관한 미측의 다음과 같은 2개의
양해사항.

(ㄱ) 한국측의 신병구금 사정의 적당여부에
대하여 한.미양국간의 상호 합의가
있어야 한다.

(ㄴ) 한국의 구금시설은 미국수준으로 보아
적당하여야 한다.

(4) 피의자의 권리

한국의 재판권에 복하게 되는 미군관계 피의자
의 기본적 인권보장은 미국회와 미국민의 비상한
관심사임으로 미측이 합의의사록에서 제안한
피의자의 모든 권리를 한국측이 수락하여야 한다.

나. 우리측은 미측이 교섭의 조속한 타결을 위하여
형사재판관할권의 중요문제에 관하여 광범위한 또 관적
인 제안을 한 성의에 대하여 감사하는 한편 미측
제안이 상금 한국측의 주장과는 상당한 거리가
있음을 지적하고, 관계 부처와 더불어 검토한후 다음
기회에 우리태도를 밝히기로 하고 폐회하였다.

다. 차기회의일자 : 1964.12.23일 하오 3시. 끝

0164

지급 법 무 부

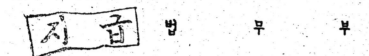

법검찰 722.2-51 1964.12.22

수신 외무부장관

제목 제67차 주둔군지위협정 체결교섭 실무자회의 결과 "회보"

1. 외구미 722.2-718(64.12.18) 에 대한 회신임.

2. 한국의 제1차적 재판관할권 행사 포기, 공무집행중 범죄 및 피의자의 재판전구금에 관한 각규정에 대한 미국측 수정제안은 미국원안과 별반 차이를 발견할수 없음으로 이를 수락할수 없다고 사료되오니 1964.5.20. 제52차 주둔군지위협정 체결교섭 실무자회의서 대한민국에서 미국측에 제시한 대한민국측 수정제안을 계속 주장하여야 할것으로 보며

3. 미국이 제안한 피고인의 권리에 관한 규정에 관하여는 기이 귀부에 통보한 한.미 행정협정 조항 검토의뢰 "회보" (법검찰 722.2-30(64.9.9.) 기재 의견과 같음. 끝.

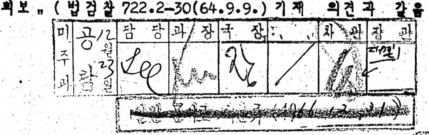

미주과	공람 12월 23일	담당	과장	국장		차관	장관

일반문서로 재분류(1966.12.31)

법무부 장관 민 복

접수 No.1964 1964 12 외무부

1964.12.23 법무부

0165

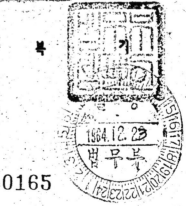

구미국

법 무 부

법검찰 722.2-~~11451~~ ~30 1964.9.9.

수신 외무부장관

참조 구미국장

제목 한미 행정협정조항 검토의뢰 "회보"

1. 외구미 722.2-434(64.8.26.)에 대한 회신입니다.

2. 한미간에 고섭중인 행정협정중 형사재판 관할권 제9항(형사 피고인의 우리나라 법정에서의 방어 및 권리에 관한 조항)에 대한 의견을 별첨과 같이 제출합니다.

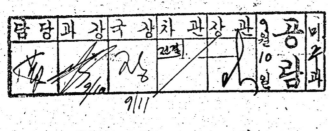

유첨 의견서 1부. 끝.

담당	과장	국장	차관	장관	9월 10일	공람	미2과
	9/10	9/11	전결				

법무부장관 민 복

법무부장관인

발송 No. 1964. 9. 9. 법무부

0166

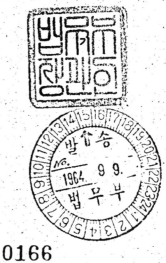

의 견 서

1. 미측초안제9항에 규정된 권리로서 우리나라 헌법이나 관계법령에 규정되어 있는 사항을 다시 협정에 규정할 것인지의 여부

가. 의 견

우리나라 헌법 기타 관계법령에 규정되어 있는 사항을 다시 협정에 규정할 필요는 없다고 사료되나 회의의 진행경과에 따라 부득이한 경우에는 미측주장을 수락하여 협정에 규정하여도 무방할것임.

2. 상소제도 문제

가. 미측안의 요지

검사는 유죄가 아니거나 무죄석방 되었음을 이유로 상소하지 못하며 또한 법률적용의 착오를 이유로 하는것을 제외하고는 피고인이 상소하지 아니함을 이유로 상소하지못한다.

나. 의 견

삭제요청

다. 이 유

(1) 상소제도는 재판의 과오를 시정하여 피고인을 구제하려는데 그 목적 내지는 기능이 있을뿐만 아니라 구체적타당성 또는 추상적 법적 안전성을 유지하려는 제도이므로 피고인에게는

0167

물론이 거니와 공익의 대표자인 검사에게도 상소권을 부여 함으로서 재판의 과오를 시정할수 있는길을 마련하여야 할것이며

(2) 미국의 재판제도는 제1심만이 사실심으로 되어 있으나 우리나라 현행소송 심급구조는 제1심과 제2심이 모두 사실심이고 제3심만이 법률심으로서 심급구조가 미국의 그것과는 상이하므로 상소이유를 법률적용의 착오에 한정함은 부당하다고 사료됨.

3. 미정부대표가 결석중에한 피고인의 진술의 증거능력 문제.

가. 의 견

삭제요청

나. 이 유

외무부의견과 같음.

다. 대안제출.

삭제요청이 관철되지 아니하는 경우에는 다음과 같은 단서를 미측안에 추가할것을 제안함이 가함.

"다만 미정부대표가 정당한 사유없이 출석하지 아니한 경우에는 그러하지 아니하다".

0168

4. 위법부당한 방법으로 수집한 증거의 증거능력 문제

가. 의 견

다음과 같은 대안을 제출함이 가함.

"고문, 폭행, 협박, 신체구속의 부당한장기화 또는 기망 기타의 방법으로 임의로 진술한것이 아니라고 의심할만한 이유가 있는 자백, 자인, 기타 진술은 유죄의 증거로 하지못한다"

나. 이 유

미측안대로 "위법 또는 부당한 방법으로 수집한 자백, 자인, 기타진술"이라고 규정한다면 위법또는 부당의 개념이 명백하지 않아서 실무상 의문의 여지가 많을 것이므로 위의 대안처럼 이를 명백하게 규정함이 옳을 것이며 또 물적증거에 있어서는 설령 그것이 위법부당한 방법으로 수집되었다 하더라도 물건의 성상(性狀)에는 하등의 변화가 없고 증거의 증명력에도 아무런 영향이 없을 것이므로 실체적 진실발견주의의 이념에서 생각할때 이를 유죄의 증거로 채증할수 있도록 함이 온당하다고 사료됨.

5. 피고인이 변호인과 비밀히 상의할 권리

가. 의 견

미측안을 수락하여도 무방하다고 사료됨.

0169

6. 원심선고형보다 중한 형을 받지 아니하는 권리.

가. 의 견

이미 미측에 제안한바 있는 다음 대안을 수락하도록 계속주장함이 가함.

나. 대 안

피고인이 상소한 사건과 피고인을 위하여 상소한 사건에 있어서는 원심판결의형보다 중한 형을 선고받지 아니하는 권리

다. 이 유

전기 2항 상소제도문제에 대한 이유 참조.

7. 피고인에게 불리하게 사용될 증거의 성질을 통고받을 권리.

가. 의 견

미측안 합의의사록중 "제9항(b)에 관하여"의 문장말미에 다음 문구를 추가하도록 제안함이 가함.

나. 추가안의 요지.

피고인은 자신의 권리를 옹호하기 위하여 이용할 증거를 재판에 앞서 상당한 기간전에 상대방(檢事)에게 통보하여야 한다.

다. 이 유

미측안대로 증거의 성질을 재판전에 통고받을 권리를 피고인에게만 부여한다면 당사자대등주의의 이념에 배치되어 공명한 재판을 기대하기 어려울것임.

0170

8. 대한민국 군법회의에 의한 재판을 받지아니하는 권리

가. 의 견

외무부 의견과 같음.

9. 육체적 및 정신적으로 부적당한 경우의 심판불출두 문제.

가. 의 견

이미 미측에 제안한바 있는 다음 대안을 계속 주장함이 가하다고 사료됨.

나. 대안의 요지

피고인이 심판에 출두하거나 자기의 방어에 참여하기에 신체상 또는 정신상으로 부적당한 때에는 출두연기를 신청할수 있는 권리

다. 추가안의 제출.

위의 대안이 수락되지 않는 경우에는 다음과 같은 추가안을 제출함이 가하다고 사료됨.

(추가안의 요지)

(위의 출두연기신청을 기각하고자 할때에는 미리 합동위원회에 이에 대한 의견을 물어야 한다.

10. 사후법금지의 원칙문제

가. 미측안의 요지

범죄의 범행후 피고인에게 불리하게 변경된 증거법측이나 증명요건에 의하여 소추받지 아니하는 권리.

0171

나. 의 견

미측안을 수락하여도 무방하다고 사료됨.

다. 이 유

미측안은 형벌법규불소급의 원측의 정신에 합치되는 것으로 사료되기 때문임.

0172

정/리/보/존/문/서/목/록					
기록물종류	문서-일반공문서철	등록번호	925 9598	등록일자	2006-07-27
분류번호	741.12	국가코드	US	주제	
문서철명	한.미국 간의 상호방위조약 제4조에 의한 시설과 구역 및 한국에서의 미국군대의 지위에 관한 협정 (SOFA) 전59권. 1966.7.9 서울에서 서명 : 1967.2.9 발효 (조약 232호) *원본				
생산과	미주과/조약과	생산년도	1952 - 1967	보존기간	영구
담당과(그룹)	조약	조약	서가번호	--	
참조분류					
권차명	V.27 협정체결교섭 촉진위원회 구성 및 회의, 1964-65				
내용목차	* 일지 : 1953.8.7 이승만 대통령-Dulles 미국 국무장관 공동성명 - 상호방위조약 발효 후 군대지위협정 교섭 약속 1954.12.2 정부, 주한 UN군의 관세업무협정 체결 제의 1955.1월, 5월 미국, 제의 거절 1955.4.28 정부, 군대지위협정 제의 (한국측 초안 제시) 1957.9.10 Hurter 미국 국무차관 방한 시 각서 수교 (한국측 제의 수락 요구) 1957.11.13, 26 정부, 개별 협정의 단계적 체결 제의 1958.9.18. Dawling 주한미국대사, 형사재판관할권 협정 제외 조건으로 행정협정 체결 의사 전달 1960.3.10 정부, 토지, 시설협정의 우선적 체결 강력 요구 1961.4.10 장면 국무총리-McConaughy 주한미국대사 공동성명으로 교섭 개시 합의 1961.4.15, 4.25 제1, 2차 한.미국 교섭회의 (서울) 1962.3.12 정부, 교섭 재개 촉구 공한 송부 1962.5.14 Burger 주한미국대사, 최규하 장관 면담 시 형사재판관할권 문제 제기 않는 조건으로 교섭 재개 통고 1962.9.6 한.미국 간 공동성명 발표 (9월 중 교섭 재개 합의) 1962.9.20~ 1965.6.7 제1-81차 실무 교섭회의 (서울) 1966.7.8 제82차 실무 교섭회의 (서울) 1966.7.9 서명 1967.2.9 발효 (조약 232호)				

마/이/크/로/필/름/사/항				
촬영연도	*롤 번호	화일 번호	후레임 번호	보관함 번호
2006-11-23	I-06-0069	04	1-178	

0001

기 안 용 지

자체 통제		기안처	미주과 황영재	전화번호	근거서류접수일자
		과장	국장	차관	장관
관계관 서명					
기안 년월일	1964. 2. 19.	시행 년월일		보존 년한	정서기장
분류 기호	외구미 722.2-	전체 통제		종결	
경유 수신 참조	건의			발신	
제목	미주둔군 지위협정 체결교섭 촉진 위원회 구성				

미주둔군 지위협정 체결을 위한 실무자급 교섭을 진행함에 있어 관계부처의 긴밀한 협조와 고위정책을 결정하기 위하여 주요 관계부의 차관급으로 구성되는 미주둔군 지위 협정 체결교섭 촉진위원회를 국무회의 의결을 거쳐 별첨과 같이 구성토록 건의합니다.

승인서식 1-1-3 (11-00900-03) 0002 (195mm×265mm16절지)

의안번호	제 호
의 결 년월일	1964. 2. (제 회)

의결사항

미주둔군지위협정 체결 교섭 촉진위원회구성

제출자	국무위원 정일권
제출년월일	1964. 2.

0003

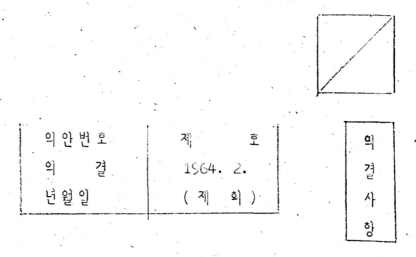

1. 의결주문

가. 미주둔군지위에 관한 한미간의 협정을 조속히 체결할수 있도록 아래와 같은 관계부 차관급으로 구성되는 미주둔군지위협정 체결 촉진위원회를 구성한다.

외무부차관	(위원장)
재무부차관	(위 원)
법무부차관	(")
국방부차관	(")
상공부차관	(")
교통부차관	(")

나. 동위원회는 별첨 미주둔군지위협정 체결. 촉진 위원회 규정에 의거 운영한다.

2. 제안이유

가. 1963년 9월 20일 미주둔군지위에 관한 협정 체결을 위하여 실무자급 고섭을 재개한 이래 상당한 진전을 보아 왔으나, 동실무자급 고섭은 현재 결정적인 단계에 이르러 형사재판관할권, 청구권, 토지시설보상, 및 관세 ~~및 피. 엑스~~ 조항등 중요한 문제가 미합의사항으로 남아 있어 앞으로 우리측의 확고한 입장을 세우기 위하여는 고위층의 정책결정을 필요로 하고 있음.

나. 이러한 점으로 비추어 보아 앞으로의 원만한 고섭진행과 조속한 협정체결을 위하여 정부관계부처의

0004

더욱 긴밀한 협조와 실무자급에서 해결할수 없는 고위정책을 결정하여 실무자급 교섭을 뒷받침하여 주는 미주둔군지위 협정 체결을 위한 주요관계 부처의 차관급으로 촉진위원회를 구성코저 하는 것임.

3. 주요골자

미주둔군지위 협정 체결 교섭에 있어 관계부처의 긴밀한 협조와 고위정책 결정을 위하여 주요관계부 차관급으로 구성되는 동협정체결교섭 촉진위원회를 구성코저 하는 것임.

4. 참고사항

가. 관계법령

해당조문 없음.

나. 예산조치

별도 예산조치 필요없음.

다. 합의

합의기관 없음.

라. 기타

(1) 미주둔군지위협정 체결 촉진위원회 규정 (별첨 1).

(2) 주둔군지위협정 체결 교섭 경위 (별첨 2)

0005

별첨 1

미주둔군지위협정 체결 촉진위원회 규정

1. (목적) 미주둔군지위에 관한 협정을 체결하기 위하여 현재 진행중인 실무자회의의 중요성과 그 긴급성에 비추어 관계 각부처간의 협조를 긴밀히하여 우리측의 입장을 보다 확고히 하고 실무자급에서 해결하기 곤란한 정부의 고위정책 결정을 신속하고 원활히 하기 위하여 주요관계 부처의 차관급으로 구성되는 "미주둔군지위협정 체결 촉진위원회"를 (이하 "위원회"라 한다) 구성한다.
2. (구성) 위원회는 외무부차관을 위원장으로 하고 재무부차관, 법무부차관, 국방부차관, 상공부차관 및 교통부차관을 위원으로 구성한다.
3. (기능) 위원회는 미주둔군지위협정 체결을 위한 우리측 교섭 실무자들을 뒷받침하기 위하여 관계 부처간의 협조를 더욱 긴밀히하고 중요정책을 신속 원활히 결정토록 한다.
4. (회의) (1) 위원장은 회의를 소집하고 사회한다. 위원장 유고시에는 정부조직법 제23조에 정한 순위에 준하여 위원인 차관이 그 직무를 대행한다.
   (2) 위원회는 원칙적으로 매주 1회 소집하며 필요에 따라 임시 회의를 소집한다.

0006

(3) 전항의 회의는 신의 안건이 국부적 문제인 경우에 한하여 이에 직접 관련되는 차관만을 소집하는 축소회의로 대신할수 있다.

(4) 임시회의 및 축소회의의 소집은 위원장이 결정한다.

5. (의사) 위원회는 위원장을 포함한 위원 4인 이상의 출석으로 개의한다. 축소회의는 관계위원 전원의 출석으로 개의한다.

6. (서무) 위원회 운영에 필요한 제반서무는 미주둔 지위협정체결을 위한 한국측 실무자 수석대표인 외무부 구미국장이 담당한다.

7. (해체) 위원회는 미주둔군지위협정이 체결된후 위원회의 결의에 의하여 해체될때까지 존속한다.

0007

問題点

私有財產에 對한 補償 (土地, 施設)

我國側主張: 駐韓美軍이 使用했거나 또는 現在 使用中이거나 使用中斷된 私有 土地施設에 對한 適切한 補償.

美國側主張: 補償을 強力히 拒否.

參考事項 ([illegible])

1. 徵發된 土地施設. ([illegible])

2億2千77万6千坪
- 韓軍 1億2千69万坪
  - 土地 8千7百万坪
    - 民有 3千2百万坪
    - 公有 5千5百万坪
  - 建物 3千3百69万坪
    - 民 3千2百万坪
    - 公 1百69万坪
- 美軍 1億8万6千坪
  - 土地 1億1万坪
    - 民 8千4百万坪
    - 公 1千6百1万坪
  - 建物 7万6千坪
    - 民 2万6千坪
    - 公 5万坪

0008

2. 補償額 (推算)

美軍

民有土地 — 30億원		
〃 建物 — 2億원	)	總 35億원
戰時毁損 — 3億원		

國軍

民有地 — 1億 5千万원	)	總 22億원
〃 建物 — 20億 5千万원		

(註)

가). 私有土地施設의 徵發은 다음 法令에 根據를 둠.

1950. 8. 21 徵發補償令
(大統領令 第 381 號)

1951. 2. 17 徵發補償令 施行規則.
(國防部令 第 7 號)

1963. 5. 1. 徵發法
(法律 第 1336 號)

1964 — 徵發法施行令.

나). 上記數字는 實測에 依한 推算임.
現在 韓美合同으로 測量 實施中임.

다). 上記數字는 1950年부터 現在까지 繼續使用中인 土地. 施設에 對한 補償額推算이며 同期間中返還한것에 對하여는 現在 申告를 接受中임.

0009

기 안 용 지

자체통제	外務部次官 손일동	기안처	미주과 황영재	전화번호	근거서류접수일자
		과장	국장	차관	장관
			전결		
관계관 서명					
기안년월일	1964. 2. 27.	시행년월일	1964.2.28	보존년한	정서기장
분류기호	외구미 133	전체통제	통제관		
경유 수신 참조	수신: 국무회의 의장 참조: 총무처 장관			발신	외무부 장관
제목	국무회의 의결안건 제출				

미주둔군지위협정 체결을 위한 실무자급 교섭을 진행함에 있어 관계부처간의 긴밀한 협조와 고위정책을 결정하기 위하여 주요 관계부의 차관급으로 구성되는 미주둔군지위협정 체결 교섭 촉진위원회를 국무회의의 의결을 거쳐 구성코저 별첨과 같이 국무회의 의결안건을 제출하오니 조속히 부의토록 조치하여 주시기 바랍니다.

유첨: 미주둔군 지위협정 체결 교섭 촉진위원회 구성에 관한 국무회의 의결안건 45부. 끝

발송 3219 1964. 2. 28 외무부

승인서식 1-1-3 (11-00900-03) (195mm×265mm16절지)

0010

46/46

의안번호	제 호
의 결 년월일	1964. 2. (제 회)

의결사항

미주둔군지위협정 체결 교섭
촉진위원회구성

제 출 자	국무위원 정일권 (외무부장관)
제출년월일	1964. 2.

0011

1. 의결주문

가. 미주둔군지위에 관한 한미간의 협정을 조속히 체결할수 있도록 아래와 같은 관계부 차관급으로 구성되는 미주둔군지위협정 체결 촉진위원회를 구성한다.

외무부차관	(위원장)
재무부차관	(위 원)
법무부차관	(")
국방부차관	(")
상공부차관	(")
교통부차관	(")

나. 동위원회는 별첨 미주둔군지위협정 체결 촉진 위원회 규정에 의거 운영한다.

2. 제안이유

가. 1963년 9월 20일 미주둔군지위에 관한 협정 체결을 위하여 실무자급 교섭을 재개한 이래 상당한 진전을 보아 왔으나, 동실무자급 교섭은 현재 결정적인 단계에 이르러 형사재판관할권, 청구권, 토지시설보상 및 관세 조항등 중요한 문제가 미합의 사항으로 남아있어 앞으로 우리측의 확고한 입장을 세우기 위하여는 고위층의 정책 결정을 필료로 하고 있음.

0012

나. 이러한 점으로 비추어 보아 앞으로의 원만한 교섭진행과 조속한 협정체결을 위하여 정부관계 부처의 더욱 긴밀한 협조와 실무자급에서 해결 할수 없는 고위정책을 결정하여 실무자급 교섭을 뒷받침하여 주는 미주둔군지위 협정 체결을 위한 수요관계 부서의 차관급으로 촉진위원회를 구성코저 하는 것임.

3. 주요 골자

미주군둔지위 협정 체결 교섭에 있어 관계 부처의 긴밀한 협조와 고위정책 결정을 위하여 주요관계부 차관급으로 구성되는 동협정체결교섭 촉진위원회를 구성코저 하는 것임.

4. 참고사항

가. 관계법령

해당조문 없음.

나. 예산조치

별도 예산조치 필요없음.

다. 합의

합의기관 없음.

라. 기타

(1) 미주둔군지위협정 체결 촉진위원회 규정 (별첨 1)

별첨 1

미주둔지위협정체결 촉진위원회 규정

1. (목적) 미주둔군지위에 관한 협정을 체결하기 위하여 현재 진행중인 실무자회의의 중요성과 그 긴급성에 비추어 관계 각부처간의 협조를 긴밀히 하여 우리측의 입장을 보다 확고히 하고 실무자급에서 해결하기 곤란한 정부의 고위정책 결정을 신속하고 원활히 하기 위하여 주요관계 부처의 차관급으로 구성되는 "미주둔군지위협정 체결 촉진위원회"를 (이하 "위원회"라 한다) 구성한다.
2. (구성) 위원회는 외무부차관을 위원장으로 하고 재무부차관, 법무부차관, 국방부차관, 상공부차관 및 교통부차관을 위원으로 구성한다.
3. (기능) 위원회는 미주둔군지위협정 체결을 위한 우리측 교섭 실무자들을 뒷받침하기 위하여 관계 부처간의 협조를 더욱 긴밀히하고 중요정책을 신속 원활히 결정토록 한다.
4. (회의) (1) 위원장은 회의를 소집하고 사회한다. 위원장 유고시에는 정부조직법 제2>조에 정한 순위에 준하여 위원인 차관이 그직무를 대행한다.
(2) 위원회는 원칙적으로 매주 1회 소집하며 필요에 따라 임시 회의를 소집한다.

0014

(3) 전항의 회의는 심의 안건이 국부적 문제인
경우에 한하여 이에 직접 관련되는 차관만을
소집하는 축소회의로 대신할수 있다.

(4) 임시회의 및 축소회의의 소집은 위원장이
결정한다.

5. (의사) 위원회는 위원장을 포함한 위원 4인 이상의
출석으로 개의한다. 축소회의는 관계위원 전원의
출석으로 개의한다.

6. (서무) 위원회 운영에 필요한 제반서무는 미주둔군
지위협정 체결을 위한 한국측 실무자 수석대표인
외무부 구미국장이 담당한다.

7. (해체) 위원회는 미주둔군지위협정이 체결된후
위원회의 결의에 의하여 해체될때까지 존속한다.

0015

駐屯軍地位協定 締結交涉

協定締結促進委員会 構成을 為한 國務会議案件

補充說明 資料

(64. 2.28)

64-3-19

0016

64-3-8 (10)　　　　　晴完801(1)

0017

駐屯軍地位協定 締結交涉
協定締結促進委員会 構成을 爲한 國務会議案件
補充說明 資料

1. 意義;

駐屯軍地位協定은 通常 駐屯軍隊 構成員, 軍属 및 그들의 家族들의 身分과 法的地位를 規律하며, 아울러 接受國法律의 適用範圍를 規制하는 것이다

2. 交涉方針;

交涉에 있어서 우리側 実務交涉者들은 接受國의 利益을 最大限度로 保障하기 爲하여, 美國이 先進諸國과 締結한 NATO 및 美·日協定의 内容과 形態를 基準으로 하고있다.

3. 経緯;

가. 駐韓美軍은 6.25 動乱時 國際聯合 安全保障理事会의 決議에 따라 國際聯合軍의 資格으로 韓國에 駐屯하게 되었으며, 1954年 11月 7日 発効한 韓美相互防衛條約 第4條에 依據, 韓國領土에 配置할 权利를 賦與받게 되었다.

나. 駐韓美軍은 1950年 7月 12日 戰時下의 暫定的措置로 排他的 裁判管轄权을 許容받게 되었다. (大田協定)

승인서식 1—1—2 (11—00900—02) (195mm×265mm16절지)

0018

64.3.18

64-3-8

0019

다. 1953年 8月 7日 韓美相互防衛條約 假調印時 李承晩-덜레스 共同声明에서 駐屯軍地位協定 締結交涉을 開始할것에 約束, 1961年 4月 17日에 第1次 実務者 交涉会議가 開催되었으나 同年 4月 25日에 第2次 会議后 美側의 要請으로 交涉会議는 일단 延期 되었던 것이다.

라. 5.16 革命后 1962年 9月 6日 交涉再開에 合意, 1964年 2月 28日 現在 第44次 実務者会議를 하기에 이르렀다.

4. 交涉現況;

韓美実務者들은 協定에 包含될 事項으로 下記 29個項目을 採擇하여, 其中 14個事項에 関하여는 이미 完全合意에 到達하였으며, 12個事項은 部分的合意를 보았고 3個事項은 草案이 交換되지 않았다.

5. 問題点;

其間의 交涉経緯로 보아 大部分의 條文은 枝葉的 或은 技術的인 事項만 調整한다면 不遠 完全合意에 이를수 있을것으로 展望되나, 請求权, 土地施設, 刑事裁判管轄权, 関稅 및 P.X. 等의 問題에 있어서는 兩國間의 立場에 相当한 距離가 있어, 現在 実務者級의 限界를 벗어나 高位政策決定을 必要로 하고 있는것이다.

승인서식 1-1-2 (11-00900-02) (195mm×265mm16절지)

0020

64-3-11

64-3-8

외원 80-1

0021

가. 土地施設問題 :

(1) 補償問題를 除外한 其他事項은 大体로 合意됨.

(2) 私有財産에 対한 補償
美國側의 責任질것을 要求하고 있으나, 美國側은 이를 強硬히 反対하고 있다.

(가) 現在 韓美合同으로 測量을 実施中에 있는 1950年부터 現在까지 徵発된 土地施設은 約 2億 3千万坪이며, 그中 約 1億 9万坪을 美軍이 使用하고 있다 함.

(나) 이미 國防部에서 取扱한 徵発法 및 同施行令에 따르는 推算에 依하면, 이中 私有財産 約 8,400万坪(土地 또는 建物) 및 战時毀損에 対한 補償推算額은 約 35億원 (約 2,700万弗)에 達하고 있다 함.

(다) 韓國이 美軍이 使用하고 있는 私有財産에 対한 補償을 要求하는 現在 法的根據가 稀薄하며, 美國이 다른 나라와 締結한 軍隊地位協定에서도 찾아볼수 없는 実情에 있다.

0022

승인서식 1-1-2 (11-00900-02) (195mm×265mm16절지)

64·3-24

04-3-8

외원 80-1

0023

따라서 韓美間의 友誼와 韓國의 財政的
困難을 감안하여 同補償을 美國側에 要求하고
있을뿐이다.

(라) 美國이 前記 私有財產에 対한 補償支拂을
끝까지 不応할 境遇, 1948年 9月 11日 締結한
財政 및 財產에 関한 最初協定에 따르는
対美債務額이 約 2,500万弗 ___에 비추어 美國이
同債務支拂을 強力히 要請하고 있음을 勘案하여
이를 補償額과 相殺하는 対策도 本促進
委員会에서 論議할수도 있을 것임.

나. 刑事裁判管轄权 問題;

兩側 草案을 検討한 結果, 問題点으로 豫望되는 事項은
아래와 같다.

(1) 战斗地域에서의 排他的 管轄权 要求;

美側은 战斗地域 ___에서 軍隊構成員, 軍屬 및
그들의 家族에 対하여 排他的인 裁判管轄权을
要求하고 있으며, 战斗地域의 範囲를 非武裝地帶로
부터 美國軍隊의 軍団 및 韓國軍의 野战軍
后方境界線까지를 包含할것을 要求하고 있다.

0024

승인서식 1-1-2 (11-00900-02) (195mm×265mm16절지)

64-3-20

64-3-8

미문 801

0025

(2) 戒嚴令下의 條文適用 排除;

美側은 戒嚴令이 宣布된 境遇, 該當地域內에서 그들의 排他的인 裁判管轄权을 要求하고 있다.

(3) 專屬的 管轄权 行使抛棄要求에 同情的 考慮要求;

美側은 그들이 賦課하는 行政 및 懲戒的인 制裁를 考慮하여 韓國의 刑事裁判管轄权 行使를 抛棄하는데 同情的인 考慮를 할것을 要求하고 있다

(4) 管轄权이 競合한 境遇, 特定事件에 있어서 特定事情을 理由로 大韓民國이 特히 重要하다고 認定한 境遇를 除外하고는 韓國側은 管轄权을 行使할 权利를 無條件, 最終的으로 抛棄한다.

(5) 韓國軍軍法会議의 管轄下에 드는 性質의 犯罪에 対한 美軍의 管轄权要求;

美側은 万一 犯罪가 韓國軍軍人이 犯하였을 때에 軍法裁判에 回附될 犯罪를 美軍이 犯하였을 境遇에는 그 犯罪에 対한 第1次的인 管轄权을 그들이 保有할것을 要求하고 있다 0026

승인서식 1-1-2 (11-00900-02) (195mm×265mm16절지)

66-3-27

64-3-8

0027

(6) 犯罪가 公務執行中의 行爲로 因한것인가의 決定問題;

韓國側은 管轄檢察庁 檢事가 決定权을 가지며, 犯罪者의 指揮官이 異議가 있을때에는 決定通知를 받은 날로부터 15日以內에 法務長官에게 抗辯할수있으며, 이境遇 法務長官의 決定을 最終的인 것으로 하고 있으나, 美側은 犯罪人의 所屬指揮官의 決定을 最終的인 것으로 主張하고 있다.

(7) 被疑者의 拘禁 및 引渡;

美側은 被疑者가 韓國側 手中에 있으며 韓國側이 그에 対한 管轄权을 가지는 境遇에도 訴訟節次가 끝나 韓國側이 拘禁을 要求할때까지 同被疑者를 即時 美側에 引渡할것을 要求하고 있다.

(8) 拘留宣告 執行에 対한 同情的 考慮 要求;

美側은 韓國法廷에서 拘留宣告를 받고 服役中인 者에 対하여 宣告執行을 美側이 하겠다는 要求에 韓國側이 同情的인 考慮를 하여줄것을 要求하고 있다.

0028

승인서식 1-1-2 (11-00900-02) (195mm×265mm16절지)

66-5-70

0029

(9) 美軍은 韓國軍法会議에 依한 裁判을 받지 않는다.

(10) 戰斗行爲 発生時의 條文 適用의 停止;

美側은 韓美相互防衛條約 第2條가 適用되는 戰斗行爲가 発生하는 境遇, 刑事裁判管轄权에 関한 規定은 即時 停止되고 그들의 排他的인 管轄权을 要求하고 있다.

다. 請求权 問題;

請求权에 関한 兩側의 主要差異点은 아래와 같다.

(1) 公務執行中의 政府財産에 対한 損害;

韓; 損害額 800弗 未滿은 抛棄, 그 以上은 仲裁人을 通해서 解決 (韓國高位司法官中에서 選任)

美; 損害額 1,400弗 未滿은 抛棄, 그 以上은 被請求國의 國內法에 依據 解決

(2) 公務執行中의 作爲, 不作爲 및 美國政府가 責任질 行爲로 因한 第三者에 対한 損害;

0030

승인서식 1—1—2 (11—00900—02) (195mm×265mm16절지)

6603-25

64-3-8 미원 80-1

0031

韓; 韓國法에 依據 審議處理

(가) 美國側에 全責任이 有할 時

美國 85%, 韓國 15% 負担

(나) 共同責任 또는 責任限界 不明確할 時

美國 50%, 韓國 50% 負担

美; 美國法에 依據 審議處理

(3) 非公務中의 不法行爲 및 車輛不法使用으로 因한 損害;

韓; 韓國側이 審議하고 結果를 通告,

美國側의 慰藉料에 不滿時에는

請求權者가 訴訟提起

美; 美國側이 處理, 慰藉料 支拂

(4) 公務執行中의 行爲與否 및 車輛의 不法使用 與否

韓; 仲裁者 決定

美; 韓美各國이 決定

라. 關稅問題;

0032

승인서식 1-1-2 (11-00900-02) (195mm×265mm16절지)

660-26

0033

兩側의 主要差異点은 다음과 같다.

(1) P.X. 物品 稅関檢査問題 ;

韓 ; 稅関檢査 実施权限을 要求

美 ; 軍需物資로서 看做함을 理由로 稅関檢査 免除를 要求

마. P.X. 問題 ;

美側은 軍隊構成员, 軍属 및 그들의 家族과 美國政府 官吏에 对한 P.X. 使用을 許可하는 以外에 駐韓 UN 機関員, 外交使節과 甚至於는 USOM 契約者들에게 까지 同利用权을 要求하고 있으나, 이는 現在 美軍이 駐屯하고 있는 他國에서는 거의 찾아볼수 없는 異例的인 것이다.

우리側은 UN 機関員, 外交使節 및 USOM 契約者 等에 对한 P.X. 使用权을 反对하고 있으나, 아무런 対策없이 無條件 反对할수는 없는 立場에 있는 것이다.

0034

이에 对한 解決策의 하나로 生覺할수 있는 것은 現 國際觀光公社의 特定外来品 販売所의 効率的인 運營일 것이다. 同販売所는 最初 60万弗의 資金으로

승인서식 1-1-2 (11-00900-02) (195mm×265mm16절지)

64-) -29

0035

開業하였으나 商品販売代金을 國庫에 継續返還 措置하였기 때문에, 外貨不足으로 더以上 새로운 商品을 輸入할수없는 実情으로 現在는 限定된 몇몇 商品만 있어 아주 微弱한 状態에 놓여있으며, 同販売所 去来外國人의 많은 不満을 사고있는 実情임.

이問題를 解決하기 爲하여는 財務, 商工, 交通部 및 観光公社等의 協調로 充分한 運営資金(外貨)과 商品을 継續 提供할수있는 方途를 模索하여야 하며, 実務者級으로서는 解決할수없는 問題임. 現在 同 販売所가 必要로 하는 外貨는 約 30万弗 程度로 推算하고 있다.

6. 展望;

韓美実務交渉代表들은 現在까지 相互信頼와 尊重의 精神下에 真摯한 態度로 交渉에 臨하여 왔으나, 早速히 交渉을 完結하기 爲하여는 両側의 伸縮性 있는 交渉態度와 相互 協力이 継續 必要함은 勿論, 特히 上記 重要問題에 対한 韓國側의 POSITION이 早速히 樹立되어야만 交渉이 促進될것이나, 問題의 複雑性과 重要性에 비추어 앞으로 相当한 期間이 所要될것으로 観測된다.

(1966.12.31)

0036

승인서식 1-1-2 (11-00900-02) (195mm×265mm16절지)

64-3-8(10)　　　　　　　　발호 8-1(10)

0037

題目	[illegible]	[illegible]	[illegible]	[illegible]
1. 序文				
2. 協定의 定義				
3. 土地 및 施設				
4. [illegible] 및 [illegible]				
5. 合同委員會				
6. 出入國管理				
7. 關稅業務				
8. 船舶 및 航空機 [illegible] 問題				
9. 公益物 및 用役問題				
10. 軍票				
11. 軍事郵便施設 및 軍郵行政				
12. 予備役訓練問題				
13. 美軍人家族 및 財產의 安全問題				
14. 氣象 및 其他 [illegible] 問題				
15. 車輛 및 運轉免許問題				
16. 外換統制問題				
17. 非歲出機關 [illegible] 問題				
18. 法規遵守問題				
19. 刑事裁判管轄權問題				
20. 請求權問題				
21. 租稅問題				
22. 現地調達問題				
23. 契約上의 紛爭				
24. 軍票 [illegible] 問題				
25. [illegible] 問題				
26. [illegible]				
27. 協定의 [illegible]				
28. 協定의 [illegible]				
29. [illegible] 問題				

003

#6

64-3-20

64-3-8

미문 80-1

0039

총 무 처

총무의 133. 1-818 (72-9163)　　　　1964. 3. 17

수신 외무부 장관

제목 국무회의 의결사항 통지

1964. 3. 13. 개최된 제22 회 국무회의에서 귀부 관계 사항이 다음과 같이 의결되었기 알려 드립니다.

V1. 미 주둔군 지위협정 체결교섭촉진위원회 구성

(안건 205호, 외무)

다음과 같이 수정의결하다

(1) "1. 의결주문 가," 중 "외무부차관(위원장)," 다음에 "내무부차관(위원)," 을 "상공부차관(위원)," 다음에 "보건사회부차관(위원)," 을 추가하다

(2) 별첨1. "2(구성)," 중 "재무부차관," 앞에 "내무부차관," 을 삽입하고,
"상공부차관" 다음에 "보건사회부차관" 을 추가하다 끝.

총 무 처 장 관 　 이 석

접수 No. 5129 1964 3.18 외무부

0040

발송 No. 1964. 3. 17 총무처

Mr. Whang

08

46

의안번호	제 205 호
의 결 년 월 일	1964. 2. (제 회)

의결사항

미주둔군지위협정 체결 고섭
촉진위원회구성

제 출 자	국무위원 정일권 (외무부장관)
제출년월일	1964. 2. 28.

0041

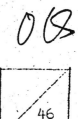

1. 의결주문

가. 미주둔군지위에 관한 한미간의 협정을 조속히 체결할수 있도록 아래와 같은 관계부 차관급으로 구성되는 미주둔군지위협정 체결 촉진위원회를 구성한다.

외무부차관 (위원장)
재무부차관 (위 원)
법무부차관 (")
국방부차관 (")
상공부차관 (")
교통부차관 (")

나. 동위원회는 별첨 미주둔군지위협정 체결 촉진위원회 규정에 의거 운영한다.

2. 제안이유

가. 1965년 9월 20일 미주둔군지위에 관한 협정 체결을 위하여 실무자급 교섭을 재개한 이래 상당한 진전을 보아 왔으나, 동실무자급 교섭은 현재 결정적인 단계에 이르러 형사재판관할권, 청구권, 토지시설보상 및 관세 조항등 중요한 문제가 미합의 사항으로 남아있어 앞으로 우리측의 확고한 입장을 세우기 위하여는 고위층의 정책 결정을 필요로 하고 있음.

— 1 —

0042

나. 이러한 점으로 비추어 보아 앞으로의 원만한 교섭진행과 조속한 협정체결을 위하여 정부관계 부처의 더욱 긴밀한 협조와 실무자급에서 해결할수 없는 고위정책을 결정하여 실무자급 교섭을 뒷받침하여 주는 미주둔군지위 협정 체결을 위한 주요관계 부처의 차관급으로 촉진위원회를 구성코저 하는 것임.

3. 주요골자

미수군둔지위 협정 체결 교섭에 있어 관계 부처의 긴밀한 협조와 고위정책 결정을 위하여 주요관계부처 차관급으로 구성되는 동협정체결교섭 촉진위원회를 구성코저 하는 것임.

4. 참고사항

가. 관계법령

해당조문 없음.

나. 예산조치

별도 예산조치 필요없음.

다. 합의

합의기관 없음.

라. 기타

(1) 미주둔군지위협정 체결 촉진위원회 규정 (별첨 1)

~~(2) 주둔군지위협정 체결 교섭 경위 (별첨 2.)~~

- 2 -

0043

별첨 1

미주둔지위협정체결 촉진위원회 규정

1. (목적) 미주둔군지위에 관한 협정을 체결하기 위하여 현재 진행중인 실무자회의의 중요성과 그 긴급성에 비추어 관계 각부처간의 협조를 긴밀히 하여 우리 측의 입장을 보다 확고히 하고 실무자급에서 해결하기 곤란한 정부의 고위정책 결정을 신속하고 원활히 하기 위하여 주요관계 부처의 차관급으로 구성되는 "미주둔군지위협정 체결 촉진위원회"를 (이하 "위원회"라 한다) 구성한다.
2. (구성) 위원회는 외무부차관을 위원장으로 하고 재무부차관, 법무부차관, 국방부차관, 상공부차관 및 교통부차관을 위원으로 구성한다.
3. (기능) 위원회는 미주둔군지위협정 체결을 위한 우리측 교섭 실무자들을 뒷받침하기 위하여 관계 부처간의 협조를 더욱 긴밀히하고 주요정책을 신속 원활히 결정토록 한다.
4. (회의) (1) 위원장은 회의를 소집하고 사회한다. 위원장 유고시에는 정부조직법 제25조에 정한 순위에 준하여 위원인 차관이 그 직무를 대행한다.
(2) 위원회는 원칙적으로 매주 1회 소집하며 필요에 따라 임시 회의를 소집한다.

0044

(3) 전항의 회의는 심의 안건이 국부적 문제인 경우에 한하여 이에 직접 관련되는 차관만을 소집하는 축소회의로 대신할수 있다.

(4) 임시회의 및 축소회의의 소집은 위원장이 결정한다.

5. (의사) 위원회는 위원장을 포함한 위원 4인 이상의 출석으로 개의한다. 축소회의는 관계위원 전원의 출석으로 개의한다.

6. (서무) 위원회 운영에 필요한 제반서무는 미주둔군 지위협정 체결을 위한 한국측 실무자 수석대표인 외무부 구미국장이 담당한다.

7. (해체) 위원회는 미주둔군지위협정이 체결된후 위원회의 결의에 의하여 해체될때까지 존속한다.

0045

기 안 용 지

자체 통제	외무사무관 김성식	기안처	미주과 이근팔	전화번호	근거서류접수일자
	과장	국장	차관	장관	
관계관 서명					
기안 년월일	1964. 3. 26.	시행 년월일		보존 년한	정서기장
분류 기호	외구미 722.2	전체 통제		종결	
경유 수신 참조	법무부장관 국방부장관 내무부장관			발신	장관
제목	주둔군지위협정 체결 교섭 촉진위원회 개최				

주둔군지위협정 체결 교섭 한.미간 실무자회의에서 토의중에 있는 형사재판관할권에 관하여 우리측 대표단이 앞으로 교섭에서 취할 입장을 강구하기 위하여 다음과 같이 주둔군지위협정 체결 교섭 촉진위원회 규정 제 4 조에 의거 축소회의를 개최코저 별첨과 같이 형사재판관할권에 관한 한.미 양측 초안 (국,영문) 및 당부에서 작성한 제 1 차 대안 및 제 1 차 최종안을 송부하오니 검토하시고 동 회의에서 귀견을 제시하여 주시기 바랍니다.

촉진회의 축소회의 개최 일시: 1964 년 4 월 1 일 하오 2 시.

" " 장소: 외무부 제 1 회의실.

참 석 자 : 위원(각부 차관)

유 첨: 1) 형사재판관할권에 관한 한.미양측 초안(국,영문)각 1 부.

2) 형사재판관할권에 관한 우리측 대안 1 부. 끝.

0046

승인서식 1-1-3 (11 00900-03) (195mm×265mm16절지)

형사 재판 관할권에 관한 미국측안 중 합의의사록의

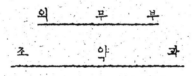

번역문 (가역)

외 무 부

조 약 과

3

0047

합 의 의 사 록

본조의 규정은 미군이외에 한국에 주둔하고 있는 유엔군에 대한 재판관활권의 행사에 관한 현행의 협정, 약정 또는 관행에는 영향을 미치지 아니한다.

제 1 항 (2) 에 관하여

1. 합중국당국은 전투지역이 있다면 그 지역에 있는 합중국군대의 구성원, 군속 및 가족에 대하여 전속적 관활권을 행사할 권리를 갖는다. 전투지역의 한계는 합동위원회가 이를 정하며 이는 비무장지역으로부터 합중국 군단(전투단) 및 이 지역에 배치되어 있는 한국군의 군 규모만한 부대의 후방경계선에 이르기까지의 지역을 포함한다.

2. 대한민국이 계엄령을 선포한 경우에 있어서는 계엄령하에 있는 대한민국의 지역에 있어서는 본조의 규정은 그 적용이 즉시 정지되며 합중국 당국은 계엄령이 해제될때까지 합중국 군대의 구성원, 군속 및 가족에 대하여 전속적 관활권을 행사할 권리를 가진다.

3. 합중국 군대의 구성원, 군속 및 가족에 대한 대한민국 당국의 재판관할권은 대한민국 영역외에서 범한 어떠한 범죄에도 미치지 아니한다.

제 2 항에 관하여

대한민국은 합중국 당국이 적의한 경우에 합중국 군대의 구성원, 군속 및 가족에 과하게 되는 행정석 및 징계적인 재제의 유효성을 인정하여 합동위원회에서 제 2 항에 의한 재판관할권을 행사할 권리의 포기를 요청하는 경우에는 이에 대하여 호의적인 고려를 하여야 한다.

제 2 항 (3) 에 관하여

각기정부는 이 세항에 규정된 안전에 관한 모든 범죄의 상세한 내용과 이러한 범죄에 관한 법령상의 규정을 통고하여야 한다.

0048

제 3 항 에 관하여

대한민국은 합중국 군대의 구성원, 군속 및 가족간의 질서와 규율을 유지함이 합중국 당국의 주된 책임임을 시인하여 대한민국 당국의 제 3 항에 의한 재판관할권을 행사할 권리를 포기한다. 합중국 당국은 상기 권리 포기에 해당하는 개별적 사건을 대한민국 관계당국에 통고한다. 특정사건에 있어서 특정의 사정을 이유로 대한민국이 이러한 경우에 재판관할권을 행사함이 특히 중요하다고 인정할 경우에는 상기 통지를 받은 날로부터 15 일 이내에 그들은 이 특정사건에 대한 권리의 포기를 철회하기 위하여 합동위원회의 협의를 구하여야 한다. 전기 규정에 따라 대한민국이 허용한 권리 포기는 어떠한 경우에 있어서나 무조건이며 최종적이고 또한 이에 따라서 대한민국 당국이나 국민은 형사소송을 제기할수 없다. 경미한 범죄의 신속한 처리를 촉진하기 위하여 합중국 당국과 대한민국 관계당국은 상기 통고를 철회할 약정을 체결할수 있다.

제 3 항 (1) 에 관하여

1. 합중국 당국은 만일 대한민국의 군대가 범죄를 범한다면 민간 법원에 의하지 않고 군법회의에 의하여 재판될 범죄에 관련된 합중국 군대의 구성원에 대하여 재판관할권을 행사할 제 1 차적인 권리를 갖는다.

2. 합중국 군대의 구성원 또는 군속이 어떠한 범죄의 혐의를 받을 경우에는 그가 범죄를 범하였다면 혐의 받는 범죄가 공적직무의 수행중 행하여 진 작위 또는 부작위에 기인하였다고 기재한 범죄 혐의자의 지휘관이 또는 그를 대신하여 발행한 증명서는 제 1 차적인 재판관할권을 결정하기 위한 확정자료가 된다.

제 6 항 에 관하여

1. 합중국 당국과 대한민국 당국은 대한민국 내에서 관계당국이 행하는

0049

형사 소송상 필요한 증인을 출두토록 하기 위하여 상호 협조한다. 한국에 주둔하고 있는 합중국 군대의 구성원이 증인이나 피고인으로서 대한민국 법정에 출두 소환을 받을때에는 합중국 당국은 군사상의 비상사태로 인하여 달리 요청되지 않는 한 이러한 출두가 대한민국 법률상 강제적인 것을 조건으로 그를 출두토록 하여야 한다. 군사상의 비상사태로 인하여 그가 출두할수 없을 때에는 합중국 당국은 출두불능의 예정기간을 기재한 증명서를 제출한다. 증인이나 피고인으로서 합중국 군대의 구성원, 군속 및 가족에 대하여 발부되는 영장은 영어로 작성하여 직접 송달되어야 한다. 영장의 발부 송달은 군사시설이나 지역내에 있는자에 대하여 한국 송달인에 의하여 집행될 경우에 합중국 당국은 한국 송달인이 그와 같은 송달을 집행토록 필요한 제반 가능한 조치를 취하여야 한다. 이에 부가하여 합중국 군대의 구성원, 군속 및 가족을 포함하는 모든 대한민국 형사소송 절차에 있어서 대한민국 당국은 지체없이 형사상의 모든 영장 (구속영장, 소환장, 공소장 및 호출장을 포함한다)의 사본을 합중국 당국이 지정한 영장 영수인에게 송달하여야 한다.

합중국 당국이 대한민국의 국민이나 거주인을 증인이나 전문가로서 필요할 때에는 대한민국의 법원 또는 기타 당국은 대한민국의 법률이 정하는 바에 따라 이러한자로 하여금 출두토록 한다. 이러한 경우에 있어서 합중국 당국은 대한민국 검찰총장 또는 대한민국 당국이 지정하는 기타 기관을 통하여 행한다. 증인에 대한 비용 및 보수는 ______ 조에 의하여 설치된 합동위원회가 이를 정한다.

2. 증인의 특권과 면제는 그가 출두하는 법원, 공판정 또는 기타 당국에 관한 법률의 정하는 바에 따른다. 이러한 경우에 있어서도 증인은 자기의 보죄의 우려가 있는 증언을 할 필요가 없다.

3. 형사 소송의 진행중에 대한민국이나 합중국 당국의 앞에서 그 어떠한 국가의 공적 기밀의 발로 또는 그 어떤 국가의 안전을 침해할 우려성이

있는 정보의 발로가 소송절차의 정당한 필요함 경우에는 관계당국은 관계국가의 관계당국의 이러한 발로를 처리상 하여도 좋다는 서면상의 허가를 구하여야 한다.

제 9 항 (1) 에 관하여

대한민국에 의한 지체없는 신속한 재판을 받을 권리는 시보기간을 이수한 법관으로서 전적으로 구성되는 공정한 법정에 의한 공개재판을 포함한다. 합중국 군대의 구성원, 군속 및 가족은 대한민국의 군법회의에 의한 재판을 받지 않는다.

제 9 항 (2) 에 관하여

합중국 군대의 구성원, 군속 및 가족은 상당한 사유가 없이는 대한민국 당국에 의하여 체포 또는 구금되지 아니하며 그러한 사유가 자신이나 변호인이 참석한 공개법정에서 밝혀져야 하는 직접적인 심문을 받을 권리가 있다. 상당한 사유가 밝혀지지 않을 때에는 지체없이 석방을 명하여야 한다. 체포되거나 구금되었을 때에는 즉시 그가 이해하는 언어로서 그에 대한 혐의 사실을 통고받을 권리를 가진다. 그는 그에게 불리하게 이용될 증거의 재판에 앞서 상당한 기간을 통보받어야 하며 당해 피의자의 변호인은 청구에 따라서 사건의 재판을 담당할 대한민국 법원에 송부된 서류에 포함되어 있고 대한민국 당국이 채증한 증인의 진술을 조사하고 또 녹취할 기회가 재판에 앞서 부여되어야 한다.

제 9 항 (3) 및 (4)

대한민국 당국에 의하여 기소된 합중국 군대의 구성원, 군속 및 가족은 그에게 유리하거나 불리한 모든 증인의 증언, 제반 심리, 재판전의 변론, 심판자체, 기타 소송을 통하여 출석할 권리를 가지며 증인을 심문하기에 충분한 기회가 허용된다.

제 9 항 (5) 에 관하여

변호인의 구조를 받을 권리는 체포 또는 구금되는 때로부터 존재하며 피의자가 출석하는 모든 사건 조사, 심리, 재판전의 변론, 심판자체

0051

(4)

및 기타 소송절차에 변호인을 선임할 권리와 그 변호인과 비밀히 상의할 권리를 포함한다.

제 9 항 (6) 에 관하여

유능한 통역인의 구조를 받을 권리는 체포 또는 구금되는 때로부터 존재한다.

제 9 항 (7) 에 관하여

합중국 정부의 대표자와 접견 교통할 권리는 체포 또는 구금되는 때로부터 존재하며 동 대표자가 겸석중에 피고인이 한 진술은 피고인에 대한 유죄의 증거로서 채용되지 아니한다. 동 대표자는 피의자가 출석하는 모든 사건 조사, 심리, 재판전의 변론, 심판 자체 및 기타 소송절차에 참여할 권리를 갖는다.

제 9 항에 관하여

대한민국 당국이 재판하는 합중국 군대의 구성원, 군속 및 가족은 대한민국의 법률상 대한민국 국민에게 보장한 제반 절차상 및 실체상의 권리가 보장된다. 대한민국 법률상 대한민국 국민에게 보장하고 있는 모든 절차상 또는 실체상의 권리가 당해 피의자에게 거부되었거나 거부될 우려가 있을 경우에는 양 정부의 대표자는 그러한 권리의 거부를 방지하거나 시정하기 위하여 합동위원회에서 협의한다.

본조 본항 (1) 에서 (7) 까지에 열기된 권리에 부가하여 대한민국 당국에 의하여 기소된 합중국 군대의 구성원, 군속 및 가족은

(1) 그의 재판에 관하여 영어로 된 축어적 보고를 받을 권리

(2) 유죄판결 또는 형의 선고에 대한 상소권, 이에 부가하여 유죄판결이나 형의 선고시에 대한민국 법원으로부터 상소권이 있다는 것과 상소권 행사기간을 고지받을 권리

(3) 합중국 또는 대한민국의 유치장에서의 판결선고 전의 구류 기간을 구류형에 산입받을 권리

(5)

0052

(4) 행위시 대한민국 법률에 의하여 범죄를 구성하지 아니하는 작위 또는 부작위로 인하여 범죄 유죄를 소추받지 아니하는 권리

(5) 혐의 받는 범죄가 범하여 졌을때 또는 원판결로서 원심법원이 유죄판결을 하였을때에 적용되는 형보다도 중한 형을 받지 아니하는 권리

(6) 범죄의 범행후 피고에게 불리하게 변경된 증거 법칙이나 증명 요건에 기하여 범죄의 유죄로 소추받지 아니하는 권리

(7) 의사에 반하여 증언을 강제 당하지 아니하거나 달리 자기 부죄를 강제당하지 아니하는 권리

(8) 잔혹하거나 과중한 처벌을 받지 아니하는 권리

(9) 입법행위나 행정행위에 의하여 형의 소추를 받거나 처벌을 받지 아니하는 권리

(10) 동일 범죄에 대하여 이중으로 형의 소추를 받거나 처벌을 받지 아니하는 권리

(11) 심판에 출두하거나 자기의 변호에 있어서 육체적으로나 정신적으로 부적당한 때에는 심판에 출두하도록 요청되지 아니하는 권리

(12) 군인이나 민간인으로서 적절한 정장을 하고 수갑을 채우지 않는다는 것을 포함하여 합중국 군대의 위엄과 합당하는 조건임을 제외하고는 심판을 받지 아니하는 권리

위법하거나 부당한 방법에 의하여 수집된 자백, 자인(승인), 기타 진술이거나 진실한 증거는 대한민국 법원이 본조에 의하여 형의 소추를 하는 데 있어서 채용하지 아니한다.

본조에 의하여 대한민국 당국이 기소하는 어떠한 경우에 있어서나 기소측에서 유죄가 아니거나 무죄 석방 되었음을 이유로 상소하지 못하며 또한 법률 적용의 착오를 이유로 제외하고는 피의자가 상소하지 아니하는 것을 함을 이유로 상소하지 못한다.

합중국 당국은 합중국 군대의 구성원, 군속 및 가족이 수감되거나

수감되어질 대한민국의 구류시설을 조사할 권리를 가진다.

전투발생시에는 대한민국은 재판이전이거나 대한민국 법원이 선고한 형의 복역중이거나를 불문하고 대한민국 구류시설에 수감되고 있는 합중국 군대의 구성원, 군속 및 가족을보호할 모든 가능한 수단을 취하여야 한다.

대한민국은 이러한자를 석방하여 책임있는 합중국 당국의 비호하에 두자는 요구에 대하여 호의적인 고려를 한다.

시행에 필요한 규정은 합동위원회를 통하여 양정부가 협의한다. 합중국 군대의 구성원, 군속 및 가족에 대한 사형선고, 구류, 금고 또는 징역의 기간 또는 유치의 집행을 위하여 이용되는 시설은 합동위원회에서 협의한바에 따라서 최소한도의 수준을 충족시켜야 한다. 합중국 당국은 청구에 따라 언제든지 합중국 군대의 구성원, 군속 및 가족과 접견 교통할 권리를 가진다.

합중국 당국은 대한민국 구류시설에 구류되고 있는 피구류자와의 접견시에 당해 피구류자를 위하여 의류.음식.침대.의학적 및 치아의 치료와 같은 보조적인 의료품및 양식을 공급할수 있다.

제 10 항 (1) 및 제 10 항 (2) 에 관하여

합중국 당국은 원칙적으로 합중국 군대의 사용중인 시설과 지역 내에서 누구든지 체포할수 있다. 대한민국 당국은 합중국당국이 사용하고 시설과 지역내에 있는 사람이나 재산의 신체 또는 소재 여하를 불문하고 합중국의 재산에 대하여 수사, 압수 또는 수색할 권리를 원칙적으로 행사하지 아니한다. 다만 합중국 당국이 대한민국 당국으로하여금 이러한 사람이나 재산에 대하여 이러한 수사,압수 또는 수색하는 것에 동의 할때에는 그러하지 아니한다. 대한민국 당국이 합중국이 사용하고 있는 시설과 지역안에 있는 사람이나 재산 또는 대한민국 내에 있는 합중국 재산에 대하여 수사,압수 또는 수색을 하고저 할때에는

(7)

0054

합중국 당국의 청구에 따라 수사, 압수 또는 수색을 행한다.

합중국 정부나 그 기관이 소유하거나 사용하는 재산을 제외하고 상기 재산에 관한 판결의 경우에는 합중국은 판결에 따른 처리를 위하여 대한민국 당국에 그 재산을 법률이 정하는 바에 따라 인도한다.

합중국 당국은 시설 또는 지역의 주변에서 시설이나 지역의 안전에 대한 범죄를 범하고 있거나 기도한자를 누구든지 체포 또는 구금할수 있다.

합중국 군대의 구성원, 군속 및 가족이 아닌 자의 경우에는 즉시 대한민국 당국에 인도하여야 한다.

보통문서로 재분류(1966.12.31)

0055

ROK.	U.S.
ARTICLE	ARTICLE
1. Subject to the provisions of this Article:	1. Subject to the provisions of this Article,
(a) the military authorities of the United States shall have the right to exercise within the Republic of Korea criminal and disciplinary jurisdiction conferred on them by the law of the United States over the members of the United States armed forces and the civilian components.	(a) the authorities of the United States shall have the right to exercise within the Republic of Korea all criminal and disciplinary jurisdiction conferred on them by the law of the United States over members of the United States armed forces or civilian component, and their dependents.
(b) the authorities of the Republic of Korea shall have jurisdiction over the members of the United States armed forces, the civilian component, and their dependents with respect to offenses committed within the territory of the Republic of Korea and punishable by the law of the Republic of Korea.	(b) the civil authorities of the Republic of Korea shall have the right to exercise jurisdiction over the members of the United States armed forces or civilian component, and their dependents, with respect to offenses committed within the territory of the Republic of Korea and punishable by the law of the Republic of Korea.
2. (a) The military authorities of the United States shall have the right to exercise exclusive jurisdiction over members of the United States armed forces and the civilian components with respect to offenses, including offenses relating to its security, punishable by the law of the United States, but not by the law of the Republic of Korea.	2. (a) The authorities of the United States shall have the right to exercise exclusive jurisdiction over members of the United States armed forces or civilian component, and their dependents, with respect to offenses, including offenses relating to its security, punishable by the law of the United States, but not by the law of the Republic of Korea.

(b) The authorities of the Republic of Korea have the right to exercise exclusive jurisdiction over members of the United States armed forces, the civilian component, and their dependents with respect to offenses, including offenses relating to the security of the Republic of Korea, punishable by its law but not by the law of the United States.

(c) For the purpose of this paragraph and of paragraph 3 of this Article a security offense against a State shall include:

(i) treason against the State;

(ii) sabotage, espionage or violation of any law relating to official secrets of that State, or secrets relating to the national defense of that State.

3. In cases where the right to exercise jurisdiction is concurrent the following rules shall apply;

(a) The military authorities of the United States shall have the primary right to exercise jurisdiction over members of the United States armed forces or the civilian component in relation to:

(b) The authorities of the Republic of Korea shall have the right to exercise exclusive jurisdiction over members of the United States armed forces or civilian component, and their dependents, with respect to offenses, including offenses relating to the security of the Republic of Korea, punishable by its law but not by the law of the United States.

(c) For the purpose of this paragraph and of paragraph 3 of this Article, a security offense against a State shall include:

(i) treason against the State;

(ii) sabotage, espionage or violation of any law relating to official secrets of that State, or secrets relating to the national defense of that State.

3. In case where the right to exercise jurisdiction is concurrent the following rules shall apply:

(a) The authorities of the United States shall have the primary right to exercise jurisdiction over members of the United States armed for or civilian component, and their dependents, in relating to:

(i) offenses solely against the property or security of the United States, or offenses solely against the person or property of another member of the United States armed forces or the civilian component or of a dependent;

(ii) offenses arising out of any act or omission done in the performance of official duty provided that such act or omission is directly related to the duty. The question as to whether offenses were committed in the performance of official duty shall be decided by a competent district public prosecutor of the Republic of Korea. In case the offender's commanding officer finds otherwise, he may appeal from the prosecutor's decision to the Minister of Justice within ten days from the receipt of the decision of the prosecutor, and the decision of the Minister of Justice shall be final.

(b) In the case of any other offenses the authorities of the Republic of Korea shall have the primary right to exercise jurisdiction.

(c) If the State having the primary right decides not to exercise jurisdiction, it shall notify the authorities of the other State as soon

(i) offenses solely against the property or security of the United States, or offenses solely against the person or property of another member of the United States armed forces or civilian component or of a dependent;

(ii) offenses arising out of any act of omission done in the performance of official duty;

(b) In the case of any other offense, the authorities of the Republic of Korea shall have the primary right to exercise jurisdiction.

(c) If the State having the primary right decides not to exercise jurisdiction, it shall notify the authorities of the other State as soon as practicable. The authorities of the State having the primary right shall give sympathetic consideration to a request from the authorities of the other State for a waiver of its right in cases where that other State considers such waiver to be of particular importance.

4. The foregoing provisions of this Article shall not imply any right for the military authorities of the United States to exercise jurisdiction over persons who are nationals of or ordinarily resident in the Republic of Korea, unless they are members of the United States forces.

5. (a) The military authorities of the United States and the authorities of the Republic of Korea shall assist each other in the arrest of members of the United States armed forces, the civilian component, or their dependents in the territory of the Republic of Korea and in handing them over to the authorities which is to exercise jurisdiction in accordance with the above provisions.

(b) The authorities of the Republic of Korea shall notify the military authorities of the United States of the arrest of any member of the United States armed forces, the civilian

as practicable. The authorities of the State having the primary right shall give sympathetic consideration to a request from the authorities of the other State for a waiver of its right in cases where that other State considers such waiver to be of particular importance.

4. The foregoing provisions of this Article shall not imply any right for the authorities of the United States to exercise jurisdiction over persons who are nationals of or ordinary resident in the Republic of Korea, unless they are members of the United States armed forces.

5. (a) The authorities of the United States and the authorities of the Republic of Korea shall assist each other in the arrest of members of the United States armed forces, the civilian component, or their dependents in the territory of the Republic of Korea and in handing them over to the authority which is to have custody in accordance with the following provisions.

(b) The authorities of the Republic of Korea shall notify promptly the authorities of the United States of the arrest of any member of the United States armed forces, or civilian component, or their dependents.

(c) The military authority of the United States shall immediately notify the authority of the Republic of Korea of the arrest of a member of the United States armed forces, the civilian component, or a dependent, unless the United States military authority has the right to exercise exclusive jurisdiction over such a person.

(d) An accused member of the United States armed for the civilian component or a dependent over whom the Republic of Korea is to exercise jurisdiction shall, if he is in the hand of the United States, be under the custody of the United States. Upon presentation of a warrant issued by a judge of the Republic of Korea he shall be handed over immediately to the Korean Authorities.

component, or a dependent.

(c) The custody of an accused member of the United States armed forces or civilian component, or of a dependent, over whom the Republic of Korea is to exercise jurisdiction shall, if he is in the hands of the United States, remain with the United States pending the conclusion of all judicial proceedings and until custody is requested by the authorities of the Republic of Korea. If he is in the hands of the Republic of Korea, he shall be promptly handed over to the authorities of the United States and remain in their custody pending completion of all judicial proceedings and until custody is requested by the authorities of the Republic of Korea. The United States authorities will make any such accused available to the authorities of the Republic of Korea

6. (a) The authorities of the Republic of Korea and the military authorities of the United States shall assist each other in the carrying out of all necessary investigation into offenses, and in the collection and production of evidence including the seizure and, in proper case, the handing over of objects connected with an offense. The handing over of such objects may, however, be made subject to their return within the time specified by the authority delivering them.

(b) The authorities of the Republic of Korea and the military authorities of the United States shall notify each other of the disposition of all cases in which there are concurrent rights to exercise jurisdiction.

7. (a) A death sentence shall not be carried out in the Republic of Korea

upon their request for purposes of investigation and trial. The authorities of the Republic of Korea shall give sympathetic consideration to a request from the authorities of the United States for assistance in maintaining custody of an accused member of the United States armed forces, the civilian component, or a dependent.

6. (a) The authorities of the United States and the authorities of the Republic of Korea shall assist each other in the carrying out of all necessary investigations into offenses, and in the collection and production of evidence, including the seizure and, in proper cases, the handing over of objects connected with an offense. The handing over of such objects may, however, be made subject to their return within the time specified by the authority delivering them.

(b) The authorities of the United States and the authorities of the Republic of Korea shall notify each other of the disposition of all cases in which there are concurrent rights to exercise jurisdiction.

7. (a) A death sentence shall not be carried out in the Republic of Korea

by the military authorities of the United States if the legislation of the Republic of Korea does not provide for such punishment in a similar case.

(b) The authorities of the Republic of Korea shall give sympathetic consideration to a request from the military authorities of the United States for assistance in carrying out a sentence of imprisonment pronounced by the military authorities of the United States under the provisions of this Article within territory of the Republic of Korea.

by the authorities of the United States if the legislation of the Republic of Korea does not provide for such punishment in a similar case.

(b) The authorities of the Republic of Korea shall give sympathetic consideration to a request from the authorities of the United States for assistance in carrying out a sentence of imprisonment pronounced by the authorities of the United States under the provisions of this Article within the territory of the Republic of Korea. The authorities of the Republic of Korea shall also give sympathetic consideratic to a request from the authorities of the United States for the custody of any member of the United States armed force or civilian component or a dependent, who is serving a sentence of confinemen imposed by a court of the Republic of Korea. If such custody is released to the authorities of the United States, the United States shall be obligated to continue the confinement of the individ in an appropriate confinement facility of the United States until the sentence to confinement shall have been served in full or until release from such

- 84 -

0062

8. Where an accused has been tried in accordance with the provisions of this Article either by the authorities of the Republic of Korea or the military authorities of the United States and has been acquitted, or has been convicted and is serving, or has served, his sentence or has been pardoned, he may not be tried again for the same offense within the territory of the Republic of Korea by the authorities of the other State. However, nothing in this paragraph shall prevent the military authorities of the United States from trying a member of its forces for any violation of rules of discipline arising from an act or omission which constituted an offense for which he was tried by the authorities of the Republic of Korea.

9. Whenever a member of the United States armed forces, the civilian component or a dependent is prosecuted under the jurisdiction of the Republic of Korea he shall be entitled:

(a) to a prompt and speedy trial;

confinement shall be approved by competent Korean authority.

8. Where an accused has been tried in accordance with the provisions of this Article either by the authorities of the United States or the authorities of the Republic of Korea and has been acquitted, or has been convicted and is serving, or has served, his sentence, or his sentence has been remitted or suspended or he has been pardoned, he may not be tried again for the same offense within the territory of the Republic of Korea by the authorities of the other State. However, nothing in this paragraph shall prevent the authorities of the United States from trying a member of its armed forces for any violation of rules of discipline arisin[g] from an act or omission which constituted an offense for which he was tried by the authorities of the Republic of Kore[a].

9. Whenever a member of the Unit[ed] States armed forces or civilian compon[ent] or a dependent is prosecuted under the jurisdiction of the Republic of Korea he shall be entitled:

(a) to a prompt and speedy tr[ial]

(b) to be informed, in advance of trial, of the specific charge or charges made against him;

(c) to be confronted with the witnesses against him;

(d) to have compulsory process for obtaining witnesses in his favor, if they are within the jurisdiction of the Republic of Korea;

(e) to have legal representation of his own choice for his defense or to have free or assisted legal representation under the conditions prevailing in the Republic of Korea;

(f) If he considers it necessary, to be provided with the services of a competent interpreter; and

(g) to communicate with a representative of the Government of the United States and to have such a representative present at his trial.

10. (a) Regularly constituted military units or formation of the United States armed forces shall have the right to police any facilities or areas which they use under Article I of this Agreement. The military police of such forces may take all appropriate measures to ensure the maintenance of order and security within such facilities and areas.

(b) to be informed, in advance of trial, of the specific charge or charges made against him;

(c) to be confronted with the witnesses against him;

(d) to have compulsory process for obtaining witnesses in his favor, if they are within the jurisdiction of the Republic of Korea;

(e) to have legal representation of his own choice for his defense or to have free or assisted legal representation under the conditions prevailing for the time being in the Republic of Korea;

(f) if he considers it necessary, to have the services of a competent interpreter; and

(g) to communicate with a representative of the Government of the United States and to have such a representative present at his trial.

10. (a) Regularly constituted military units or formations of the United States armed forces shall have the right to police any facilities or areas which they use under Article ____ of this Agreement. The military police of such forces may take all appropriate measures to ensure the maintenance of order and security within such facilities and areas.

(b) Outside these facilities and areas such military police shall be employed only subject to arrangements with the authorities of the Republic of Korea and in liaison with those authorities and in so far as such employment is necessary to maintain discipline and order among the members of the United States armed forces.

(b) Outside these facilities and areas, such military police shall be employed only subject to arrangements with the authorities of the Republic of Korea and in liaison with those authorities and in so far as such employment is necessary to maintain discipline and order among the members of the United States armed forces, or ensure their security.

11. In the event of hostilities to which the provisions of Article II of the Treaty of Mutual Defense apply, the provisions of this Agreement pertaining to criminal jurisdiction shall be immediately suspended and the authorities of the United States shall have the right to exercise exclusive jurisdiction over members of the United States armed forces, the civilian component, and their dependents.

12. The provisions of this Article shall not apply to any offenses committed before the entry into force of this Agreement. Such cases shall be governed by the provisions of the Agreement between the United States of America and the Republic of Korea effected by an exchange of notes at Taejon, Korea on July 12, 1950.

Agreed Minutes

The provisions of this Article shall not affect existing agreements, arrangements, or practices, relating to the exercise of jurisdiction over personnel of the United Nations forces present in Korea other than forces of the United States.

RE Paragraph 1(b)

1. The authorities of the United States shall have the right to exercise exclusive jurisdiction over members of the United States armed forces or civilian component, and their dependents, if any, in the combat zone. The extent of the combat zone shall be defined by the Joint Committee and shall include the area from the demilitarization zone to the rear boundaries of the United States corps (group) and the Republic of Korea army-size unit deployed in that zone.

2. In the event that martial law is declared by the Republic of Korea, the provisions of this Article shall be immediately suspended in the part of the Republic of Korea under martial law, and the authorities of the United States shall have the right to exercise exclusive

0066

jurisdiction over members of the United States armed forces or civilian component and their dependents, in such part until martial law is ended.

3. The jurisdiction of the authorities of the Republic of Korea over members of the United States armed forces or civilian component, and their dependent shall not extend to any offenses committed outside the Republic of Korea.

RE Paragraph 2

The Republic of Korea, recognizing the effectiveness in appropriate cases of the administrative and disciplinary sanctions which may be imposed by the United States authorities over members of the United States armed forces or civilian component, and their dependents, will give sympathetic consideration in such cases to requests in the Joint Committee for waivers of its right to exercise jurisdiction under paragraph 2.

RE Paragraph 2(c)

Both Governments shall inform each other of the details of all the security offenses mentioned in this subparagraph and the provisions governing such offenses in the existing laws of their respective countries.

RE Paragraph 2(c)

Each Government shall inform the other of the details of all security offenses mentioned in this subparagraph, and of the provisions regarding such offenses in its legislation.

RE Paragraph 3

The Republic of Korea, recognizing that it is the primary responsibility of the United States authorities to maintain good order and discipline among the members of the United States Armed Forces and civilian component, and their dependents, waives the right of the authorities of the Republic of Korea to exercise jurisdiction under paragraph 3. The United States authorities shall notify the competent authorities of the Republic of Korea of individual cases falling under the waiver thus provided. If, by reason of special circumstances in a specific case, the authorities of the Republic of Korea consider that it is of particular importance that jurisdiction be exercised by the Republic of Korea in that case, they shall, within 15 days of receipt of the notification envisaged above, seek agreement of the Joint Committee to recall the waiver for that particular case.

Subject to the foregoing, the waiver granted by the Republic of Korea shall be unconditional and final for all purposes and shall bar both the authorities and the nationals of the Republic of Korea from instituting criminal proceedings.

To facilitate the expeditious disposal of offenses of minor importance, arrangements may be made between United States authorities and the competent authorities of the Republic of Korea to dispense with notification.

RE Paragraph 3(a) (ii)

The term "official duty" is not meant to include all acts by members of the United States armed forces or the civilian component during periods while they are on duty. Any departure from acts which are duly required to be done as a normal function of a particular duty shall be deemed as an act outside of his "official duty."

RE Paragraph 3(c)

Mutual procedures relating to waivers of the primary right to exercise jurisdiction shall be determined by the Joint Committee.

Trials of cases in which the authorities of the Republic of Korea waived the primary right to exercise jurisdiction, and trials of cases involving offenses described in paragraphs 3(a) (ii) committed against the State or nationals

RE Paragraph 3(a)

1. The authorities of the United States shall have the primary right to exercise jurisdiction over members of the United States armed forces in relation to offenses which, if committed by a member of the armed forces of the Republic of Korea, would be tried by court-martial rather than by a civilian court.

2. Where a member of the United States armed forces or civilian component is charged with an offense, a certificate issued by or on behalf of his commanding officer stating that the alleged offense, if committed by him, arose out of an act or omission done in the performance of official duty, shall be conclusive for the purpose of determining primary jurisdiction.

of the Republic of Korea shall be held promptly in the Republic of Korea within a reasonable distance from the places where the offenses are alleged to have taken place unless other arrangements are mutually agreed upon. Representatives of the authorities of the Republic of Korea may be present at such trials.

RE Paragraph 4

Dual nationals, the Republic of Korea and United States, who are the members of the United States armed forces or the civilian component and are brought to the Republic of Korea shall not be considered as nationals of the Republic of Korea, but shall be considered as United States nationals for the purposes of this paragraph.

RE Paragraph 5(b)

In case the authorities of the Republic of Korea have arrested an offender who is a member of the United States armed forces, the civilian component or a dependent with respect to a case over which the Republic of Korea has the primary right to exercise jurisdiction, the authorities of the Republic of Korea will, unless they deem that there is adequate cause and necessity to retain such offender, release him to the custody of

0070

the United States military authorities provided that he shall, on request, be made available to the authorities of the Republic of Korea, if such be the condition of his release. The United States authorities shall, on request, transfer his custody to the authorities of the Republic of Korea at the time he is indicted by the latter.

RE Paragraph 6

1. A member of the United States armed forces or the civilian component shall, if sommoned by the authorities of the Republic of Korea as a witness in the course of investigations and trials, make himself available to the authorities of the Republic of Korea.

2. If any person sommoned as witness did not make himself available to the authorities of the Republic of Korea, they may take necessary measures in accordance with the provisions of the law of the Republic of Korea. Subject to the foregoing, the military authorities of the United States shall, upon presentation of a warrant issued by a judge of the Republic of Korea, immediately take all appropriate measures to ensure the execution of the warrant by the authorities of the Republic of Korea.

RE Paragraph 6

1. The authorities of the United States and the authorities of the Republic of Korea shall assist each other in obtaining the appearance of witnesses necessary for the proceedings conducted by such authorities within the Republic of Korea.

When a member of the United States armed forces in Korea is summoned to appear before a Korean court, as a witness or as a defendant, United States authorities shall unless military exigency requires otherwise, secure his attendance provides such attendance is compulsory under Korean law. If military exigency prevents such attendance, the authorities on the United States shall furnish a certificate stating the estimated duration of such disability.

Service of process upon a member of the United States armed forces or civilian component, or a dependent required as a witness or a defendant must be personal service in the English language. Where the service of process is to be effected by a Korean process server upon any person who is inside a military installation or area, the authorities of the United States shall take all measures necessary to enable the Korean process server to effect such service.

In addition, the Korean authorities shall promptly give copies of all criminal writs (including warrants, summonses, indictments, and subpoenas) to an agent designated by the United States authorities to receive them in all cases of Korean criminal proceedings involving a member of the United States armed forces or civilian component, or a dependent.

When citizens or residents of the Republic of Korea are required as witnesses or experts by the authorities of the United States, the courts and authorities of the Republic of Korea shall, in accordance with Korean law, secure the attendance of such persons. In these cases the authorities of the United States shall act through the Attorney General of the Republic of Korea, or such other agency as is designated by the authorities of the Republic of Korea.

Fees and other payments for witnesses shall be determined by the Joint Committee established under Article ____.

2. The privileges and immunities of witnesses shall be those accorded by

0072

the law of the court, tribunal or authority before which they appear. In no event shall a witness be required to provide testimony which may tend to incriminate him.

3. If, in the course of criminal proceedings before authorities of the United States or the Republic of Korea, the disclosure of an official secret of either of these States or the disclosure of any information which may prejudice the security of either appears necessary for the just disposition of the proceedings, the authorities concerned shall seek written permission to make such disclosure from the appropriate authority of the State concerned.

RE Paragraph 9(a)

The right to a prompt and speedy trial by the courts of the Republic of Korea shall include public trial by an impartial tribunal composed exclusively of judges who have completed their probationary period. A member of the United States armed forces or civilian component, or a dependent, shall not be tried by a military tribunal of the Republic of Korea.

RE Paragraph 9(b)

A member of the United States armed forces or civilian component, or a dependent, shall not be arrested or detained by the authorities of the Republic of Korea without adequate cause, and he shall be entitled to an immediate hearing at which such cause must be shown in open court in his presence and the presence of his counsel. His immediate release shall be ordered if adequate cause is not shown. Immediately upon arrest or detention he shall be informed of the charges against him in a language which he understands.

He shall also be informed a reasonable time prior to trial of the nature of the evidence that is to be used against him. Counsel for the accused shall, upon request, be afforded the opportunity before trial to examine and copy the statements of witnesses obtained by authorities of the Republic of Korea which are included in the file forwarded to the court of the Republic of Korea scheduled to try the case.

RE Paragraph 9(c) and (d)

A member of the United States armed forces or civilian component, or a dependent, who is prosecuted by the authorities of the Republic of Korea shall have the right to be present throughout the testimony of all witnesses, for and against him, in all judicial examinations, pretrial hearings, the trial itself, and subsequent proceedings, and shall be permitted full opportunity to examine the witnesses.

RE Paragraph 9(e)

The right to legal representation shall exist from the moment of arrest or detention and shall include the right to have counsel present, and to consult confidentially with such counsel, at all preliminary investigations, examinations, pretrial hearings, the trial itself, and subsequent proceedings, at which the accused is present.

RE Paragraph 9(f)

The right to have the services of a competent interpreter shall exist from the moment of arrest or detention.

RE Paragraph 9(g)

The right to communicate with a representative of the Government of the United States shall exist from the moment of arrest or detention, and no statement of the accused taken in the absence of such a representative shall be admissible as evidence in support of the guilt of the accused. Such representative shall be entitled to be present at all preliminary investigations, examinations, pretrial hearings, the trial itself, and subsequent proceedings, at which the accused is present.

2. Nothing in the provisions of paragraph 9(g) concerning the presence of a representative of the United States Government at the trial of a member of the United States armed forces, the civilian component or a dependent prosecuted under the jurisdiction of the Republic of Korea, shall be so construed as to prejudice the provisions of the Constitution of the Republic of Korea with respect to public trials.

0075

Paragraph 9

1. The rights enumerated in this paragraph are guaranteed to all persons on trial in the Korean courts by the provisions of the Constitution of the Republic of Korea. In addition to these rights, a member of the United States armed forces, the civilian component or a dependent who is prosecuted under the jurisdiction of the Republic of Korea shall have such other rights as are guranteed under the Constitution and laws of the Republic of Korea to all persons on trial in the Korean courts.

RE Paragraph 9

A member of the United States armed forces or civilian component, or a dependent, tried by the authorities of the Republic of Korea shall be accorded every procedural and substantive right granted by law to the citizens of the Republic of Korea. If it should appear that an accused has been, or is likely to be, denied any procedural or substantive right granted by law to the citizens of the Republic of Korea, representatives of the two Governments shall consult in the Joint Committee on the measures necessary to prevent or cure such denial of rights.

In addition to the rights enumerated in items (a) through (g) of paragraph 9 of this Article, a member of the United States armed forces or civilian component, or a dependent, who is prosecuted by the authorities of the Republic of Korea:

(a) shall be furnished a verbatim record of his trial in English;

(b) shall have the right to appeal a conviction or sentence; in addition, he shall be informed by the court at the time of conviction or sentencing of his right to appeal and of the time limit within which that right must be exercised;

(c) shall have credited to any sentence of confinement his period of pretrial confinement in a United States or Korean confinement facility;

(d) shall not be held guilty of a criminal offense on account of any act or omission which did not constitute a criminal offense under the law of the Republic of Korea at the time it was committed;

(e) shall not be subject to a heavier penalty than the one that was applicable at the time the alleged criminal offense was committed or was adjudged by the court of first instance as the original sentence;

(f) shall not be held guilty of an offense on the basis of rules of evidence or requirements of proof which have been altered to his prejudice since the date of the commission of the offense.

(g) shall not be compelled to testify against or otherwise incriminate himself;

(h) shall not be subject to cruel or unusual punishment;

(i) shall not be subject to prosecution or punishment by legislative or executive act;

(j) shall not be prosecuted or punished more than once for the same offense.

(k) shall not be required to stand trial if he is physically or mentally unfit to stand trial and participate in his defense;

(l) shall not be subjected to trial except under conditions consonant with the dignity of the United States armed forces, including appearing in appropriate military or civilian attire and unmanacled.

No confession, admission, or other statement, or real evidence, obtained by illegal or improper means will be considered by courts of the Republic of Korea in prosecutions under this Article.

In any case prosecuted by the authorities of the Republic of Korea under this Article no appeal will be taken by the prosecution from a judgment of not guilty or an acquittal nor will an appeal be taken by the prosecution from any judgment which the accused does not appeal, except upon grounds of errors of law.

The authorities of the United States shall have the right to inspect any

Korean confinement facility in which a member of the United States armed forces, civilian component, or dependent is confined, or in which it is proposed to confine such an individual.

In the event of hostilities, the Republic of Korea will take all possible measures to safeguard members of the United States armed forces, members of the civilian component, and their dependents who are confined in Korean confinement facilities, whether awaiting trial or serving a sentence imposed by the courts of the Republic of Korea. The Republic of Korea shall give sympathetic consideration to request for release of these persons to the custody of responsible United States authorities. Necessary implementing provisions shall be agreed upon between the two governments through the Joint Committee.

Facilities utilized for the execution of a sentence to death or a period of confinement, imprisonment, or penal servitude, or for the detention of members of the United States armed forces or civilian component or dependents, will meet minimum standards as agreed by the Joint Committee. The United States

	authorities shall have the right upon request to have access at any time to members of the United States armed forces, the civilian component, or their dependents who are confined or detained by authorities of the Republic of Korea. During the visit of these persons at Korean confinement facilities, United States authorities shall be authorized to provide supplementary care and provisions for such persons, such as clothing, food, bedding, and medical and dental treatment.
RE Paragraph 10(a) and 10(b)	RE Paragraph 10(a) and 10(b)
1. The United States military authorities will normally make arrests of the members of the United States armed forces and the civilian component within facilities and areas in use by and guarded under the authority of the United States armed forces. The authorities of the Republic of Korea may arrest all persons who are subject to the jurisdiction of the Republic of Korea within facilities and areas in cases where the authorities of the United States armed forces have given consent, or in cases of pursuit of a flagrant offender who has committed a serious crime.	The United States authorities will normally make all arrests within facilities and areas in use by the United States armed forces. The Korean authorities will normally not exercise the right of search, seizure, or inspection with respect to any person or property within facilities and areas in use by the authorities of the United States or with respect to property of the United States wherever situated, except in cases where the competent authorities of the United States consent to such search, seizure, or inspection by the Korean authorities of such persons or property.

Where persons whose arrest is desired by the authorities of the Republic of Korea and who are not subject to the jurisdiction of the United States armed forces are within facilities and areas in use by the United States armed forces, the United States military authorities shall, upon request, promptly arrest such persons. All persons arrested by the United States military authorities, who are not subject to the jurisdiction of the United States armed forces, shall immediately be turned over to the authorities of the Republic of Korea.

2. The authorities of the Republic of Korea will normally not exercise the right of seizure, search, or inspection with respect to any person or property within facilities and areas in use by and guarded under the authorities of the United States armed forces or with respect to property of the United States armed forces wherever situated except in cases where the authorities of the United States armed forces consent to such seizure, search, or inspection by the authorities of the Republic of Korea of such persons or property.

Where search, seizure, or inspection with respect to persons or property within facilities and areas in use by the United States or with respect to property of the United States in Korea is desired by the Korean authorities, the United States authorities will undertake, upon request, to make such search, seizure, or inspection. In the event of a judgment concerning such property, except property owned or utilized by the United States Government or its instrumentalities, the United States will in accordance with its laws turn over such property to the Korean authorities for disposition in accordance with the judgment.

The United States authorities may arrest or detain in the vicinity of a facility or area any person in the commission or attempted commission of an offense against the security of that facility or area. Any such person who is not a member of the United States armed forces or civilian component or a dependent shall immediately be turned over to the Korean authorities.

Where seizure, search, or inspection with respect to persons or property within facilities and areas in use by the United States armed forces or with respect to property of the United States armed forces in the Republic of Korea is desired by the authorities of the Republic of Korea, the United States military authorities shall, upon request, make such seizure, search, or inspection. In the event of a judgement concerning such property, except property owned or utilized by the United States Government or its instrumentalities, the United States shall turn over such property to the authorities of the Republic of Korea for disposition in accordance with the judgement.

The United States military authorities may, under due process of law, arrest within or in the vicinity of a facility or area any person in the commission of an offense against the security of that facility or area. Any such person not subject to the jurisdiction of the United States armed forces shall immediately be turned over to the authorities of the Republic of Korea.

보통문서로 재분류(1966.12.31)

0082

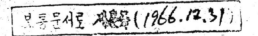

외 무 부 문 서 보 존 실

0083

형사재판 관할권에 관한 우리측 대안,

1964. 3. 26

<외구미 722.2-189> 의 첨부물

외무부 문서보존실

0084

內容	韓國側案	美國側案	NATO-獨逸聯邦共和國 協定	第一代案	第一次的 最終案
1. 管轄權의 適用範圍					
1) 美軍當局의 管轄權에 服하는 者	美軍人 및 軍屬	美軍人, 軍屬 및 家族	派遣國法에 服하는 모든 者의 刑事的 및 懲戒的 犯罪	美軍法에 服하는 者 (合意議事錄에서 美軍當局이 그 範圍를 韓國當局에 通告해야 한다고 規定.)	美側案을 受諾한다.
2) 行使機關					
(1) 美國	(1) 美國軍事當局	(1) 美國當局	(1) 派遣國 軍當局	美國軍事當局.	美國軍事當局.
(2) 韓國	(2) 大韓民國當局	(2) 大韓民國 民事當局	(2) 接受國 當局	大韓民國當局.	大韓民國當局. (但, 軍法會議에 回附하지 않는다.)
3) 適用地域	大韓民國 全領域	(3) 戰斗地域 : 美國當局이 專屬管轄權을 行使한다. 合同委員会에서 決定. 休戰線으로부터 美軍團 및 韓國野戰軍이 配置된 後方境界線까지		(1) 美國側이 戰斗地域의 槪念을 撤回케 하고 그 代身 美軍事當局으로 하여금 公務執行中 犯罪 要否를 證明케 한다. (2) 上記 (1)案이 貫徹되지 않을 境遇 [illegible]까지로 限定시킨다.	(1) 戰斗地域의 限界를 合同委員會에서 決定한다.

0085

內 容	韓國側 案	美國側 案	NATO-独逸聯邦共和國 協定		
		(2) 戒嚴令宣布地域; 美國当局이 專屬管轄权을 行使한다. (3) 韓國領域外 犯罪; 韓國의 管轄权이 미치지 못한다.		非常戒严 下에 있어서는 美軍当局이 專屬管轄权을 갖는다. 但, 警備戒严에 있어서는 美軍当局의 管轄权 抛棄要請에 同情的 考慮를 한다. 불가.	美國側 案 受諾 불가.
2. 專屬管轄权 1) 韓國의 管轄权 行使	1) 韓國에 対한 安全을 包含한 犯罪로서 美國法에 依하여 處罰될수 없는 犯罪에 対하여 專屬的 管轄权을 行使한다	1) 懲戒的 및 行政的 制裁; 美國当局의 管轄权 抛棄要請에 対하여 韓國当局이 好意的 考慮를 한다.	1) 接受國에 対한 安全에 関한 罪를 包含하여 接受國法에 依하여서는 處罰되지만 派遣國法에 依하여서는 處罰되지않는 犯罪	韓國이 專屬管轄权을 行使하지 [illegible] 境遇에는 可能한 限 速히 美軍当局에 通告한다.	美軍의 抛棄要請이 있을 境遇 同情的 考慮를 한다.
3. 管轄权의 競合 1) 韓國의 第一次的 管轄权 行使	1) 美軍当局의 第一次的 管轄权에 屬하지않는 犯罪에 対하여 第一次的 管轄权 行使	1) 韓國当局은 美國当局에 秩序와 規律維持의 責任이 있음을 是認하여 管轄权行使의 权利	第19條 1) 独逸國은 派遣國의 要請에 따라 管轄权에 対한 行使权을 抛棄한다	(1) 特定事件에 있어서 美軍当局이 管轄权 行使를 要請하는 境遇 韓國当局은 同 管轄权 行使가 韓國의 司法上 重大한 利益을 侵害하지 않는 限 第一次的 管轄权을 포기한다. (2) 美軍当局은 個別的 事件을 韓國当局에 通告하여야 한다.	

~2~

0086

內容	韓國側 案	美國側 案	NATO-独逸聯邦共和國 協定		
		를 無條件 最終的으로 抛棄한다. 但, 特定事件에 있어 特定事情으로 特히 重要하다고 認定할 때는 韓國当局이 通知받은 後 15日 以內에 合同委員会에서 協議 2) 韓國軍人이 犯하면 軍法裁判에 回附될 犯罪에 關聯된 美軍人에 対해서 第一次管轄权 行使	2) 独逸国은 特定事件에 있어 必要한 境遇, 通告받은 後 21日 以內에 通告하여 权利抛棄를 撤回할 수 있다. 3) 同事件에 関한 関係当局間의 諒解가 成立되지 않는 境遇, 派遣国의 外交使節은 独逸政府에 陳情할 수 있으며, 独逸政府는 解決하여야 한다	韓國當局은 韓國에 重大한 法益이 侵害되다는 意見을 갖일 境遇 그 具体的 理由를 提示하여 美軍當局에 15日 以內에 通告하여야 하며 上記 期間이 経過한 境遇 韓國當局은 第一次的 管轄权을 抛棄한 것으로 認定한다. 不可	不可
2) 公務執行中犯罪 (1) 決定权	(1) 管轄檢事 (2) 不服時 指揮官의 申請으로 法務長官이 最終決定	(1) 所屬美軍指揮官이 確定的으로 証明	第18條 (1) 派遣国의 最高関係当局이 派遣国法律에 따라 決定 但, 独逸当局의 要請에 따라 独逸政府와 派遣国의 外交	(1) 管轄 地方法院이 最終的으로 決定	(1) 美軍當局과 最高軍法会富이 美國法에 따라 決定하되 反論이 있는 境遇에는 合同委員会에서 決定한다.

~3~

0087

內容	韓國側案	美國側案	NATO-獨逸聯邦共和國 協定		
(2) 定義	(1) 公務執行中에 犯한 作爲 및 不作爲로서 그 行爲가 公務와 直接 關聯된 犯罪 (2) 公務執行中의 모든 行爲가 아니다. 特定 公務의 正常的機能으로서 正當히 要求되는 行爲로부터 벗어난 것은 公務밖의 行爲이다.	(1) 公務執行中에 犯한 作爲 및 不作爲에 依한 犯罪	使節間의 討議를 通하여 再審될수 있다		(1) 美國側案을 受諾한다. 但, 韓國側案의 第2項은 諒解事項으로 記錄에 남긴다.
4. 韓國의 通常居住者	美軍当局은 管轄权 없음	美國当局은 美國軍人 以外는 管轄权 없음	派遣國当局은 管轄权 없음		美國側案 受諾.
5. 犯人의 引渡 1) 美國当局 手中에 있을 때	1) 法官의 令狀提示와 同時, 韓國当局에 引渡	1) 司法節次가 끝나고 韓國当局이 要請할 때 까지 美國当局이 保護한다	1) 接受國에 依하여 起訴될 때 까지 派遣國当局이 拘禁		起訴時까지 韓國当局이 要請할 때 까지 美國軍当局이 拘禁한다.

~4~

0088

內容	韓國側 案	美國側 案	NATO-独逸聯邦共和國 協定		
			第22條 2) 接受國은 派遣國當局의 要請이 있으면 犯人을 引渡 3) 独逸當局이 釋放 또는 無罪放免하거나 刑의 宣告를 할때까지 派遣國當局이 拘禁 4) 派遣國當局은 独逸當局에 拘禁을 移讓할수 있으며, 独逸當局의 移讓要請에 好意的 考慮 5) 独逸國의 安全에 對한 犯罪에 關한 拘禁은 独逸當局이 行한다 6) 派遣國當局은 搜査 및 刑事訴訟節次를 爲하여 独逸當局으로 하여금 拘禁된 者를 利用케 하며, 証據湮滅의		

0089

項 目	韓國側 案	美國側 案	NATO-獨逸聯邦共和國 協定		
			危險防止를 爲하여 措置한다. 7) 暫定逮捕 (第20條) (1) 派遣軍當局은 逮捕令狀없이 다음의 境遇 暫定逮捕할 수 있다. (派遣國管轄에 服하지 않는 者로서) ① 身分不明者 ② 逃亡의 憂慮가 있는 者 ③ 獨逸當局의 要請이 있을 時 ④ 急히 獨逸의 檢事나 警官의 應援을 要請하는 것이 不可能한 時, 派遣國 施設以外에서 既遂犯이거나 可罰性있는 未遂犯行中에 있는 者		

~4~

0090

內容	韓國側案	美國側案	NATO-獨逸聯邦共和國 協定		
			(2) 上記者의 証據物의 押收 등 (3) 遲滯없이 最隣近의 獨逸檢事, 警官 또는 法官에 引渡하여야 한다.		

~4~

0091

內容	韓國側 案	美國側 案	NATO-獨逸聯邦共和國 協定		
2) 韓國当局 手中에 있을 때	1) 正当한 事由가 없으면 美國当局에 保護를 引渡 2) 起訴되면 美國当局은 申請에 依하여, 犯人의 保護를 韓國当局에 引渡	1) 直時 美國当局에 引渡하며 司法節次가 完了되고 韓國当局이 要請할때 까지 美國当局이 保護 2) 韓國当局의 嫌疑者에 対한 搜査 및 裁判을 爲하여 要請할때는 応한다. 3) 犯人을 拘禁할 때 韓國施設 使用을 要請할수 있다.			(1) 韓國案대로 主張하되 正当한 事由 有無에 대하여는 合同委員會에서 決定한다. (2) 美國側案 2項 및 3項을 受諾한다.
6. 犯罪搜査 1) 証人 및 犯人의 召喚	1) 証人으로 召喚되면 出頭하여야 한다. 2) 出頭할수없는 時는 韓國当局은 法에 따라 必要한 措置를 取한다	1) 韓國法에서 强制되는 때에만 召喚에 応한다 (但 軍事上의 非常事態時는 除外) 2) 美國当局이 韓國國民이나 居住人을 証人이나 專門家로 必要한	第37條 1) 派遣軍当局은 独逸法律上 强制的인 것은 條件으로 証人 및 犯人이 召還되면 出頭토록 한다. 但 軍事上의 非常事態時에는 除外된다. 2) 家族은 独逸法律에 定하는 바에따라 召還 3) 派遣軍当局에 依하여서는 出頭토록 할수 없는		(1) 被告者 대상에서 削除한다. (2) 非常事態 期間이 終了하면 即時 出頭하여야 한다. (3) 家族은 例外이다. 以上 條件을 留保하고 美國側案을 受諾한다.

~5~

0092

內容	韓國側案	美國側案	NATO-獨逸聯邦共和國 協定		
	3) 美軍当局은 韓国法官發行 令狀이 提示되면 令狀執行에 必要한 모든 措置를 取한다	將는 韓國檢察總長 또는 韓國政府当局이 指定하는 其他機関을 通하여 出頭도록 한다. 3) 証人에 対한 費用 및 報酬는 合同委員会에서 定한다.	者가 軍当局에서 必要한 境遇, 独逸当局은 이들이 出頭도록 해야 한다. 4) 公務上機密이나 安全을 害할 情報의 発露가 招來될 憂慮가 있는 時, 法廷이나 当局은 関係当局의 書面上의 同意를 求하여야 한다. 第38條		
7. 刑의 執行(服役) 1) 美國当局이 言渡한 刑의 執行 2) 韓國当局이 言渡한 刑의 執行 3) 行刑施設 視察	1) 美軍当局이 協力을 要請하면 韓國当局이 好意的인 考慮를 한다.	1) 美國当局이 協力을 要請하면 韓國当局이 好意的인 考慮를 한다. 2) 美國当局이 保護의 引渡를 要求하면 韓国当局이 好意的인 考慮를 한다. 1) 美國政府代表者는 行刑施設을 視察할수 있다.	1) 派遣國当局이 協力을 要請하면 接受国은 好意的인 考慮를 한다.	(1)美國側案을 受諾한다. 但, 短期刑을 받은 者에 対하여는 好意的인 考慮를 한다. 長期刑을 받은 者에 対하여는 一定한 期間을 服役한 者에 대하여서만 好意的 考慮를 한다.	(1) 쌍방案이 同一하다. (1)美國側案을 記錄上에 남기고 本文으로 부터 削除한다. (1)美國側案대로 受諾한다.

~ 6 ~

0093

內 容	韓國側 案	美國側 案	NATO-獨逸聯邦共和國 協定		
4) 戰斗發生時 措置		1) 韓國当局은 收監者를 保護하기 爲한 모든 措置를 取한다. 2) 美國当局의 保護引渡 要請에 対하여 韓國当局은 好意的인 考慮를 하여야 한다.			(1) 미측안 수락.
5) 行刑施設의 水準		1) 行刑施設은 合同委員会에서 合意한 最低水準을 充足시켜야 한다.			(1) 법무부와 협의 決定
6) 私物의 給與		1) 美國当局은 私食, 私物의 差入, 医療의 便宜를 提供할 수 있다.			(1) 法務部와 協議, 決定
8. 二重處罰	不可	不可	不可		双側案 同一.
9. 被疑者의 权利	1) 直時 迅速한 裁判을 받는 权利	1) 直時 迅速한 裁判을 받는 权利 (1) 修習期间을 畢한 法官으로 構成된 公平한 裁判部의	1) 直時 迅速한 裁判을 받는 权利		(1) 美側案 受諾

~7~

0094

項目	韓国側案	美國側案	NATO-獨逸聯邦共和国 協定		
		公開裁判을 받을 权利			
	2) 裁判前에 嫌疑事実을 通知받을 权利	2) 裁判前에 嫌疑事実을 通知받을 权利 (1) 相当한 事由가 없으면 遲滞없이 釋放한다 (2) 嫌疑事実은 被疑者가 解得하는 言語로 通知받을 权利 (3) 辯護人이 裁判前에 証人의 陳述에 接近할 权利	2) 裁判前에 嫌疑事実을 通知받을 权利		美側案 受諾
	3) 証人審問의 权利 4) 被疑者에게 有利한 証人의 陳述을 聽取할 权利	3) 証人審問의 权利 4) 被疑者에게 有利한 証人의 陳述을 聽取할 权利	3) 証人審問의 权利 4) 被疑者에게 有利한 証人의 陳述을 聽取할 权利		

內 容	韓 國 側 案	美 國 側 案	NATO·獨逸聯邦共和國 協定		
	5) 辯護人의 助力을 받을 权利	5) 辯護人의 助力을 받을 权利 (1) 逮捕, 拘禁 直時부터 存在 (2) 모든 訴訟節次에 參與하는 权利	5) 辯護人의 助力을 받을 权利		(1) 美國側案 受諾
	6) 有能한 通譯의 助力을 받을 权利	6) 有能한 通譯의 助力을 받을 权利 (1) 逮捕, 拘禁 直時부터 存在	6) 有能한 通譯의 助力을 받을 权利		(1) 美國側案 受諾
	7) 自國政府代表者와 接見할 权利 但, 非公開裁判의 境遇에는 此限에 不在	7) 自國政府代表者와 接見할 权利 (1) 逮捕, 拘禁 直時부터 存在 (2) 開廷時의 被疑者의 陳述은 有罪의 証據로 採証할수 없다. (3) 모든 節次에 參與할 权利 包含	第23條, 第24條 7) 自國政府代表者와 接見할 权利		(1) 法務部와 協議, 決定

0096

內容	韓國側案	美國側案	NATO-獨逸聯邦共和國 協定		
土地施設 內의 警察权 1) 土地施設 內	1) 美軍当局은 軍構成員 및 軍屬만 逮捕할수 있다. 2) 韓國当局은 美軍当局이 同意하는 境遇 및 現行犯 追跡 境遇 모든 者를 逮捕할수 있다.	1) 美國当局은 原則的으로 모든者를 逮捕할수 있다.	1) 派遣國은 警察权을 行使할 权利를 가진다		(1) 美國軍当局은 軍人, 軍屬, 및 家族을 逮捕할수 있다. 但, 韓國人 現行犯은 逮捕할수 있다. (1) 韓國側 原案대로 主張
	3) 韓國当局은 美國軍隊 및 構成員의 財産에 対한 押收, 搜索 또는 検証을 行하지 않는다. 但, 韓國当局의 要請이 있으면 美軍当局이 이를 行하고, 美軍当局의 同意를 얻어 韓國当局도 行할수 있다.	2) 韓國当局은 原則的으로 美國軍隊 및 構成員의 財産에 対한 押收, 搜索 또는 検証을 行할수 없다. 但, 美國当局이 同意한 境遇 이를 行할수 있다.			(1) 韓國側 原案대로 主張

0097

內容	韓國側案	美國側案	NATO 獨逸聯邦共和國 協定		
2) 土地施設 周近	1) 美軍当局은 正当한 法節次에 따라 施設의 安全에 関한 現行犯을 逮捕할수 있다. 2) 美軍当局의 管轄权에 属하지 않는 者를 直時 韓国当局에 引渡한다.	1) 美国当局은 旣遂 또는 未遂 現行犯을 逮捕 또는 拘禁할수 있다 2) 美軍構成員, 軍属 및 家族이 아닌 者를 直時 韓国当局에 引渡한다	1) 派遣国은 接受国当局과의 合意下에 軍隊構成員間의 軍紀維持를 爲하여 必要한 限度內에서 警務权을 行使할수 있다		韓國側 案대로 主張
11. 战爭勃発時		刑事裁判管轄权規定을 直接 停止하고, 美国当局이 專属的 管轄权을 行使한다.			美國側 原案 承諾
12. 協定発効 以前의 犯罪		協定発効 以前의 犯罪에는 適用되지 않으며 大田協定에 依據 處理한다.			美國側 案 受諾

보통문서로 재분류(1966.12.31)

~11~

0098

중요 미합의 조항에 대한 양측의 입장의 차의점

가. 형사재판관할권 조항

1. 미국측의 관할권 행사기관 및 피적용자의 범위

(1) 한국: 주한미군의 지위를 규정하는 협정임으로 미국측 행사기관을 "미군당국"으로 하고 피적용자의 범위를 "미군법에 복하는 모든 자"로 한다.

(2) 미국: 미군관계 범법자중 미군법에 복하는 군인은 미군법회의에서 재판하지만 민간인 범법자를 본국으로 이송 재판할 수 있는 길을 마련하기 위하여 미측관할권 행사기관을 "미국당국"으로, 그리고 피적용자의 범위를 "미군대구성원, 군속, 및 가족"으로 한다.

2. 한국의 관할권 행사기관

(1) 한국: 미군관계 범법자를 한국의 군법회의에 회부할 의사는 없으나 한국의 관할권 행사기관을 조문상 "대한민국의 민사당국"으로 하려는 미측 주장은 국제법상 그 선례를 찾아 볼 수 없는 것으로서 이를 수락할 수 없으며 "대한민국당국"으로 규정해야 한다.

(2) 미국: 미군관계 범법자를 한국의 군법회의에 회부할 수는 없음으로 한국측 행사기관을 "대한민국 민사당국"으로 한다.

3. 관할권의 포기

(1) 한국: 한국당국은 미군당국이 요청하면 관할권을 행사함이 특히 중대하다고 결정하는 사건을 제외한 기타 사건에 대한 관할권을 미군당국에 포기한다.
한국당국이 관할권을 행사함이 특히 중대하다고 결정하는 경우는 다음과 같은 범죄를 포함한다:
(가) 대한민국의 안전에 대한 범죄,
(나) 살인죄

0099

(다) 강간죄

(라) 강도죄

(마) 기타 한.미 양국이 특히 중요하다고 인정하는 고의적 범죄.

(바) 상기 각 범죄의 공범죄 및 미수죄.

(2) 미국: 한국당국은 모든 제 1 차관할권을 미국당국에 일단 포기하며,
한국당국은 한국의 안전, 강간, 및 고의적 살인에 관련된 특별한 사건에 있어서 미국당국과 협의 후 한국당국이 관할권을 행사함이 중대하다고 사료할 때에는 미국당국에 통고하여 포기를 철회할 수 있다.

4. 피의자의 재판전 신병구금

(1) 한국: 한국당국이 신병을 구금할 적당한 사유가 있는 특수한 경우를 제외하고 모든 사법절차진행중 미군당국이 신병을 구금하며,
한국의 안전에 관한 피의자의 신병은 한국당국이 구금하며 구금사정의 적당여부는 양국이 협의한다.

(2) 미국: 모든 사법절차가 끝날 때 까지 미국당국이 신병을 구금하며,
한국의 안전에 관한 피의자의 신병은 한국당국이 구금하되 구금사정의 적당여부에 관하여 한.미 양국간에 합의가 있어야 한다.

5. 피의자의 권리

(1) 한국: 미국이 요구하는 피의자의 권리를 원칙적으로 전부 협정상에 열거하되,
검사의 상소권에 대한 제약, 미국정부대표의 결석 시 작성한 진술서의 효력에 관한 권리등 한국의 사법제도에 위배되는 권리는 수정 또는 삭제하여야 한다.

— 2 — 0100

(2) 미국: 미국이 요구하는 피의자의 권리는 미국회와 국민의 지대한 관심사임으로 이를 전부 협정상에 열거 규정하여야 한다.

6. <u>계엄령 선포 지역과 관할권 행사</u>

(1) 한국: 한국당국은 미군관계 범법자를 여하한 경우에도 한국군법회의에 회부하지는 않는다.

(2) 미국: 계엄령 선포지역내에서는 형사재판관할권조항의 규정은 그 효력이 정지되고 계엄령이 해제될 때 까지 미국당국이 전속적 관할권을 행사한다.

7. <u>국외범에 대한 관할권 행사</u>

(1) 한국: 미군관계 국외범도 한국형법의 적용을 받아야 한다.

(2) 미국: 한국의 관할권은 미군관계자의 국외범에 미치지 못한다.

8. <u>전속적 관할권의 포기</u>

(1) 한국: 전속적 관할권은 포기할 수 없다.

(2) 미국: 한국당국은 미국당국의 포기 요청에 대하여 호의적 으로 고려를 하여야 한다.

9. <u>재판후 신병 구금(형의 복역중 구금)</u>

(1) 한국: 형의 복역중 신병을 미군당국에 인도할 수 없다.

(2) 미국당국이 신병 구금의 인도를 요구하면 한국당국은 호의적 고려를 한다.

10. <u>전시 하의 형사재판관할권조항의 효력</u>

(1) 한국: 전쟁상태가 발발하였을 시에는 즉시 한·미양국은 형사재판관할권조항의 효력정지 여부에 관하여 협의 한다.

(2) 미국: 전쟁상태가 발발하였을 시에는 형사재판관할권규정은 즉시 그 효력이 정지되고 미국당국이 미군대구성원, 군속, 및 그들의 가족에 대한 전속적관할권을 행사한다.

나. 민사청구권 조항

민사청구권 조항에 대하여는 그간 공식 혹은 비공식으로 여러차례 토의를 계속하여 왔으나 원칙적인 문제에 있어 한.미양측의 의견이 대립되어 지금 7가지 항목별 토의도 하지 못하고 전연 교섭의 진전을 이루지 못하고 있는바, 양측안의 중요한 차이점은 아래와 같다:

1. 공무집행중에 일어나는 정부재산에 대한 손해(군대재산 제외)

(1) 한국: (1) 상호 합의에 의하여 선출하는 1명의 한국인 중재인을 통하여 해결.

(2) 손해액은 양국정부가 분담:

(가) 미국의 책임: 한국 15%, 미국 85%

(나) 공동책임 혹은 책임한계 불명확: 한국 50%, 미국 50%

(3) $800. 이하의 손해는 상호 포기.

(4) 매 6 개월마다 원화로 청산.

(2) 미국: (1) 피청구국의 국내법에 의거 해결.

(2) $1,400. 이하의 손해는 상호 포기.

2. 공무집행중에 일어나는 제3자에 대한 손해

(1) 한국: (1) 한국국군이 손해를 가하였을 때에 적용하는 한국법에 의거 해결.

(2) 한국당국의 결정에 미국당국이 불만이 있을 때에는 한국당국은 이를 재심하며, 재심의 결과는 최종적이다.

(3) 한국은 모든 손해배상청구를 해결하고 원화로 이를 지불.

(4) 한국이 지불한 청구사건에 대하여 미국측에 상세히 통보하며 양국정부가 분담할 안을 제시. 2개월내에 회답이 없으면 상기 분담안은 수락된 것으로 간주.

(5) 배상액은 양국정부가 분담. (분담 방법은 "1"항과 동일)

— 4 —

0102

(6) 매 6 개월 마다 원화로 청산.

(7) 미군 구성원 및 피고용원(한국인 제외)은 한국의 민사재판에 불복.

(8) 선박관계 손해는 적용하지 않음.

(9) 본 조항은 협정 체결 6개월후에 발효.

(2) 미국:(1) 미국법에 의거 해결.

3. 비공무중에 일어나는 손해

(1) 한국:(1) 한국당국이 사건을 조사 보상금을 사정하여 미국당국에 통고.

(2) 미국당국은 보상금 지불 여부와 금액을 결정하고 청구권자가 수락시 이를 지불.

(3) 청구권자는 미국당국의 보상에 불만이 있을시 가해자를 상대로 한국의 민사재판.

(2) 미국:(1) 미국정부는 미군 혹은 군속에 대한 기타 청구를 호의적인 고려를 하여 적합한 미국기관에서 결정하는 액수의 보상금을 지불.

(2) 청구권자가 만족한 보상을 받지 못할 경우 한국민사재판권 보유.

4. 공무집행 여부에 관한 분쟁해결

(1) 한국: 미군 구성원 및 고용원의 행위가 공무집행중에 행하여 졌는지의 여부와 차량사용의 허가여부에 관한 분쟁이 발생 하였을 때에는 중재인이 결정.

(2) 미국: 각 당사국은 그들의 군대구성원 혹은 고용원의 공무집행 여부와 재산이 공무를 위하여 사용중이였는가의 여부를 결정할 권한을 보유.

5. 계약상의 분쟁 해결

(1) 한국: (1) 당사자간에 해결되지 않을 때에는 합동위원회에서 조정할수 있다.

(2) 계약 당사자가 민사소송제기권을 보유시 그 권한을 침해하지 않는다.

(2) 미국: (없음)

-6-

0104

다. 노무조달 조항

1. 노무조달 조항의 적용범위

(1) 한국: 고용주-미국군, 비세출기관

고용인-한국국적을 가진 민간인

(2) 미국: 고용주-미국군, 비세출기관, 초청계약자

고용인-고용주가 고용한 군속(미군)을 제외한 고용인으로

한국노무사단(KSC)과 가사사용인을 제외한다.

2. 노동조건의 적용범위

(1) 한국: 별도 합의되지 않은한 한국노동법령을 준수한다.

(2) 미국: 본조항의 규정과 미국군의 군사상필요에 상반되지 않는한

한국노동법, 관습과 관례를 준수한다.

3. 파업권의 행사

(1) 한국: 본조항에서 규정을 제거함으로서 한국법령에 의한 파업권

행사를 용인하고저한다.

(2) 미국: 노무자는 한국군고용원과 동일한 파업권을 갖도록한다.

(이에 의하면 파업은 거이 불가능하며 다만 5%정도의

고용인만이 파업권을 갖게됨.)

4. 고용인의 병역

(1) 한국: 미군업무수행에 불가결한 기술자에 대하여 미국군이 사전에

요구하면 그들의 병역의무를 연기하여줄수있다.

(2) 미국: 미국군업무수행에 불가결한 기술자에 대하여 고용주가

한국당국에 명단을 제출하면 병역의무를 면제하여주어야

한다.

5. 분쟁해결 절차

(1)한국: 분쟁해결 기간중 노동청에 회부된날로부터 기산하여 한국

노동쟁의법제14조에 규정된 냉각기간중에는 정상업무를 해치는

행위를 하지 못한다.

(2) 미국: 분쟁해결 절차가 진행중에는 무조건 정상업무를 해치는

행위를 하지 못한다.

라. 토지 및 시설 조항

(1) 한국: 미군이 사용하는 토지 및 시설중 사유재산에 대하여서는 한국의 재정상태를 고려하여 미국이 보상을 하여야 한다.

(2) 미국: 사유재산에 대하여서도 보상을 할 수 없으며 미국이 보상을 한 국제적 선례도 없다.

현안문제에 대한 일괄적인 해결방안

가. 형사재판관할권 조항

1. 미국측의 관할권 행사기관 및 피적용자의 범위

(1) 미국측 행사기관을 "미국당국"으로 하고 피적용자의 범위를" 미군대구성원, 군속, 및 가족"으로 한다.

(2) 그 대신 "미국당국은 한국내에서 미군법회의 이외의 일반 미국법원을 설치하지 못 한다"는 양해사항을 기록에 남긴다.

2. 한국의 관할권 행사기관

(1) 한국의 관할권 행사기관을 "대한민국당국"으로 한다.

(2) 한국당국은 "여하한 경우에도 미군대구성원, 군속, 및 그들의 가족을 한국의 군법회의에 회부하지 안알 것" 임을 합의의사록에서 확약한다.

3. 관할권의 포기

(1) 우리측 현재 주장인 관할권의 포기 여부에 관한 재량권을 한국당국이 확보한다.

4. 피의자의 재판전 신병구금

(1) 모든 사법절차가 끝날 때 까지 미국당국이 신병을 구금한다.

(2) 단, 한국의 안전에 대한 피의자의 신병은 한국당국이 구금하며 구금사병의 적당여부에 관하여 한.미양국간에 합의한다.

5. 피의자의 권리

(1) 미국이 요구하는 피의자의 권리는 전부 협정상에 열거 규정한다.

6. 계엄령 선포지역과 관할권 행사

(1) 비상계엄이 선포된 지역 내에서 만 미국당국이 전속적 관할권을 행사한다.

(2) 경비계엄이 선포된 지역내에서는 미국당국의 관할권 포기 요청에 대하여 한국당국은 호의적인 고려를 한다.

7. 국외범에 대한 관할권 행사

(1) 한국당국은 내란죄, 외환죄, 및 통화에 관한 죄에 관련된 국외범에 대하여서는 관할권을 행사할 수 있도록 주장한다.

8. 전속적 관할권의 포기 [illegible])

(1) 한국당국은 미국당국의 관할권 포기 요청에 대하여 중대한 사법상의 이익을 침해하지 않는 한도내에서 만 호의적 고려를 한다.

9. 재판 후 신병 구금(형의 복역중 구금)

(1) 미국당국이 신병 구금의 인도를 요청하면 한국당국은 호의적 고려를 한다.

10. 전시하의 형사재판관할권조항의 효력

(1) 전쟁상태가 발발하면 형사재판관할권에 관한 규정은 즉시 효력이 정지되고 미국당국이 미군대구성원, 군속, 및 그들의 가족에 대하여 전속적 관할권을 행사한다.

— 10—

0108

나. 민사청구권 조항

민사청구권 조항에 있어서는 미국측은 전적으로 그들의 현행제도를 계속 할것을 주장하고 있는바, 본 조항중 가장 중요한 공무집행중 제3자에 대한 손해에 관한 항목의 적용시기를 대폭 양보하므로서 우리측 안을 채택토록하는 방향으로 일괄 타결한다.

수정안:

공무집행중 제3자에 대한 손해배상에 관한 항목의 적용 시기를 현재의 협정발효후 6개월로 부터, "협정발효후 한국정부의 소청관계기관에서 공무집행중 제3자에 대한 손해배상에 관한 항목에 규정된 사무절차를 인수할 준비가 되었음을 합동위원회에서 결정할때 까지 동 조항의 적용을 보류하되, 협정발효후 2년내에 상기 합동위원회의 결정이 없을 때에는 자동적으로 본규정이 적용된다"로 수정한다.

다. 노무조달 조항

1. 노무조달 조항의 적용범위

고용주: 미국군, 비세출기관, 초청계약자(미군 기관 포함)

고용인: 고용주가 고용한 한국국적을 가진 민간인(미국속이 아님)

2. 노동조건의 적용

본조항의 규정에 위배되지 않거나 별도 상호 합의되지 않는한 한국노동 법령을 준수한다. 미국군이 군사상필요로 한국법을 준수하지 못할때에는 합동위원회에서 합의하되 그러한 경우 한국측은 미군의 군사상 필요에 대하여 적절한 고려를 베푼다.

3. 파업권의 행사

(1) 합동위원회에서 별도 파업권행사를 금지당한자를 제외하고는 파업권을 가진다. (합동위원회에서 파업할수 있는자와 할수없는자를 직무별로 구분케하고저함.)

(2) 상기 제 1 안 이 수락되지 않을 경우에는 간접고용제도 를 주장한다.

4. 고용인의 병역

미군업무수행에 불가결한 기술을 습득한 기술자에 대하여 미군이 사전에 요청하면 병역의무를 연기하여준다.

5. 분쟁해결 절차

피업원 감시초근지 방호지초 제나보 고용인도

(1) 분쟁해결기간중 합동위원회로 회부된 날로부터 기산하여 한국노동쟁의법 제14조에 규정된 냉각기간이 경과하지 않는한 정상업무를 해치는 행위를 하지 못한다.

(2) 상기 제 1 안이 수락되지 않을 경우에는 간접고용제도를 주장하고 분쟁해결은 우리 나라 관계법령에 의하여 해결할 것을 제안한다.

라. <u>토지 및 시설 조항</u>

미군이 사용하는 사유재산에 대하여 미국이 보상할 것을 계속 주장하되 교섭 진전형편을 보아 불가피할 시에는 미국측 주장을 수락함으로서 보상 청구를 포기한다.

끝

0110

형사재판 관할권에 대한 한국측안과 미국측안과의 대조표

Korean Draft

1. Subject to the provisions of this Article:

(a) the military authorities of the United States shall have the right to exercise within the Republic of Korea criminal and disciplinary jurisdiction conferred on them by the law of the United States over the members of the United States armed forces and the civilian components.

U.S. Draft

1. Subject to the provisions of this Article,

(a) the authorities of the United States shall have the right to exercise within the Republic of Korea all criminal and disciplinary jurisdiction conferred on them by the law of the United States over members of the United States armed forces or civilian component, and their dependents.

본조에 따라 미국당국이 그의 법에 의하여 대한민국내에서 형사상 및 징계상의 재판 관할권을 행사할 권리를 갖이는 대상자의 범위를 구정하고 있는바, (1) 아국측안은 "미국의 군당국" 이라고 구정하고 있으며 미국측안은 다만 " 미합중국 당국 " 이라고 구정하고 있으며, (2) 아국측안은 이대상자를 미군과 군속에만 국한시키고 있으나 미국측안은 그들의 가족까지 포함시키고 있다.

Korean Draft

(b) the authorities of the Republic of Korea shall have jurisdiction over the members of the United States armed forces, the civilian component, and their dependents with respect to offenses committed within the territory of the Republic of Korea and punishable by the law of the Republic of Korea.

U.S. Draft

(b) the civil authorities of the Republic of Korea shall have the right to exercise jurisdiction over the members of the United States armed forces or civilian component, and their dependents, with respect to offenses committed within the territory of the Republic of Korea and punishable by the law of the Republic of Korea.

본조에 따라 대한민국의 영역내에서 미군,군속 및 그들의 가족이 범하고 또한 이 범죄가 대한민구의 법률에 의하여 처벌할수있는 범죄에 대하여서는 대한민국이 관할권을 갖이고 있음을 구정하고 있는바,(1) 아국측안은 다만 " 대한민국 당국 "이라고만 구정하고 또한 " 관할권을 갖는다"고만 구정하고 있으나 미국측안은 " 대한민국의 민간 당국 " 이라고 한정시키고 있으며 " 관할권을 행사할 권리를 갖는다"라고 구정하고 있으며 (2) 미국측안은 이밖에 합의의사록에서 본항에 대한 예외로서 (가) 전투지역에서는 미군이 배타적인 관할권을 갖는다는것과 (나)한국의 계엄령이 선포되었을경우에는 본항의

0111

구정은 계엄령하의 지역에 대하여서는 즉시 정지되고 미군이 동지역에있어서 계엄령의 종료시까지 미군 군속 및 그들의가족에 대하여 배타적인 관활권을 갖는다는것과 (다) 대한민국 밖 에서 미군, 군속 및 그들의 가족이 범한 범죄에 대하여서는 대한민국방국의 관활권은 재외된다고 함을 규정하고 있다.

0112

2.(a) The military authorities of the United States shall have the right to exercise exclusive jurisdiction over members of the United States armed forces and the civilian components with respect to offenses, including offenses relating to its security, punishable by the law of the United States, but not by the law of the Republic of Korea	2.(a) The authorities of the United States shall have the right to exercise exclusive jurisdiction over members of the United States armed forces or civilian component, and their dependents, with respect to offenses, including offenses relating to its security, punishable by the law of the United States, but not by the law of the Republic of Korea.

미국당국이 대한민국 법률에 의하여서가 아니고 미국 법률에 의하여 처벌할수 있는 안전에관한 범죄를 포함한 범죄에 대하여 배타적인 재판관을 행사할수 있는 권리를 갖이고 있다는것과 이의 대상자의 범위를 규정하고 있는바,(1) 아국측안은 " 미군당국 " 이라고 한정시키고 있는데 반하여 미측안은 " 미국당국"이라고만 규정하고 있으며 (2) 대상자의 범위에 대하여 아국측안은 미군과 군속만을 규정하고 있으나 미국측안은 그들의 가족까지 포함시키고 있다.

(b) The authorities of the Republic of Korea shall have the right to exercise exclusive jurisdiction over members of the United States armed forces, the civilian component, and their dependents with respect to offenses, including offenses relating to the security of the Republic of Korea, punishable by its law but not by the law of the United States.	(b) The authorities of the Republic of Korea shall have the right to exercise exclusive jurisdiction over memebers of the United States armed forces or civilian component, and their dependents, with respect to offenses, including offenses relating to the security of the Republic of Korea, punishable by its law but not by the law of the United States.

미군, 군속 및 그들의 가족이 미국의 법률에 의하여서가 아니고 대한민국의 법률에 의하여 처벌할수 있는 대한민국의 안전에 관한 범죄를 범하였을경우에 대한민국당국이 이에 대하여 배타적인 관할권을 갖이고 있음을 규정하고 있는바 이에 대하여서는 양측안이 동일하다.

0113

(c) For the purpose of this paragraph and of paragraph 3 of this Article a security offense against a State shall include:

(i) treason against the State;

(ii) sabotage, espionage or violation of any law relating to official secrets of that State, or secrets relating to the national defense of that State.

(c) For the purpose of this paragraph and of paragraph 3 of this Article, a security offense against a State shall include:

(i) treason against the State;

(ii) sabotage, espionage or violation of any law r relating to [official secrets of that State, or secrets relating to] the national defense of that State.

본항과 본조 제 3 항의 적용상 국가의 안전에 관한 범죄의 범위를 규정하고 있는바, (1) 한국측안은 국가에 대한 반역죄, 파괴, 간첩행위 또는 국가의 공무상 및 당해 국가의 국방상 기밀에 관한 법령의 위반을 들고 있는데 반하여, 미국측안은 한국측안의 범위에서 공무상 기밀을 제외하고 있으며 (2) 미국측안은 [redacted] 합의 의사록에서 본항에서 언급하고 있는 제반 안전에 관한 범죄의 상세한 내용을 타방측에 통보할것과 이러한 범죄에 관한 당해국가의 법률규정을 통보할것을 규정하고 있다.

3. In cases where that right to exercise jurisdiction is concurrent the following rules shall apply;

(a) The military authorities of the United States shall have the primary right to exercise jurisdiction over members of the United States armed forces or the civilian component in relation to:

(i) offenses solely against the property or security of the United States, or offenses Solely against the person or property of another member of the United States armed forces or the civilian component or of a dependent;

3. In cases where the right to exercise jurisdiction is concurrent the following rules shall apply:

(a) The authorities of the United States shall have the primary right to exercise jurisdiction over members of the United States armed forces or civilian component, and their dependents, in relation to:

(i) offenses solely against the property or security of the United States, or offenses soleley against t he person or property of another member of the United States armed forces or civilian component or

0114

결 번

넘버링 오류

(ii) offenses arising out of any act or omission done in the performance of official duty provided that such act or omission is directly related to the duty. The question as to whether offenses were committed in the performance of official duty shall be decided by a competent district public prosecutor of the Republic of Korea. In case the offender's commanding officer finds otherwise, he may appeal from the prosecutor's decision to the Miniter of Justice within ten days from the receipt of the decision of the prosecutor, and the decision of the Miniter of Justice shall be final.

of a dependent;

(ii) offenses arising out of any act or omission done in the performance of official duty;

본 항은 양국간에 재판권의 행사가 병합할경우에 미국당국이 어떠한자의 어떠한 범죄에 대하여 제1차적인 재판권을 행사하는가를 규정하고 있는바.

(1)재판권을 행사할수 있는 기관에 대하여 아국측안 다만 " 미군당국 " 이라고만 규정하고 있으며. 미국측안은 " 미국당국 " 이라고 규정하고 있으며.

(2)대상자에 대하여 아국측안은 미군과군속만을 규정하고 있으나 미국측안은 그들의 가족가지 규정하고 있으며

(3) 법죄에 대하여 아국측안은 전혀 미국의 재산 또는 안전에 관한 범죄 또는 전혀 미국군대의 구성원, 군속 또는 가족의 신체 또는 재산에 관한 범죄와 공적 직무의 수행중에 행하여진 작위 또는 부작위로 인하여 발생된범죄로서 이러한 작위와 부작위는 직무에 직접적인 관계를 갖일것을 조건으로 하고 있다고 규정하고 있는데 대하여, 미국측안은 이러한 아국측안의 범죄를 동일하게 인정하고 있으나 상기 작위 또는 부작위가 직무와 직접적인 관계를 갖이고 있어야 할을 규정하고 있지 않으며,

(4)범죄가 공적직무 수행과정에서 발생한것이냐의 여부~~는~~에 대하여서는 아국측안은 한국의 관할 지방검찰청 검사가 결정하고 이에 대하여 당해범죄인의 지휘관이 상이한 견해를 갖이고 있을때는 상기 검사의결정에 대하여 동 결정을 접수한지 10 일 이내에 법무부장관에게 항변할수 있으며 이에 대한 법무부장관의 결정은 최종적인것으로 규정하고 있는데 반하여, 미국측안은 본문에서는 하등의 언급이 없는 대신 합의 의사록에서 (7) 미군, 군속 및 그들의 가족의 질서와 기율을 유지함이 미국의주된 책임을 인정하여 한국정부는 다음(비)합에 !

~~0115~~

0116

의거하여 대한민국이 관활권을 행사할수 있는 권리를 포기하기를 규정하고
(ㄴ) 미합중국 당국은 동 포기할 개개의 사건을 대한민국의 관계당국에 통고하여야 한다고 규정하고 있으며,
(ㄷ) 특정한 사건에 대하여 특정한 사유로 대한민국 당국이 동 사건에 대하여 관활권을 갖어야한다고 합이 특히 중요하다고 고려하는 경우에는 양당사국은 동 통고를 접수한날로부터 15일이내에 동 특수한 사건에 대한 포 기를 환게시키기 위하여 합동위원회의 협의를 구하도록 규정하고 있으며,
(ㄹ) 이에 따라서 대한민국이 행한 포기는 무조건 그리고 최종적이며 대한민국 당국이나 국민이 이에 대한 형사 소송을 제기하지 못하도록 규정하고 있으며
(ㅁ) 중요치않은 범죄의 신속한 처리를 촉진키위하여 동 통고 처리에 관하여 미합중국 당국과 대한민국 관계 당국간에 협의를 하도록 할것을 규정하고 있으며
(5) 범죄가 공적 직무 수행과정에서 발생하였느냐의 여부에 대하여서는 미국측안은 하등의 언급이 없는 대신에 합의 의사록에서 만일 대한민국 군대가 범하였다면 민간 법원에서 재판 받지 않고 군법재판에서 재판 받을 그러한 범죄를 미군이 범하였다면 이에 대하여 미국 당국이 주된 재판 관활권을 갖고 있다고 규정하고 있으며 또한 미군이나 군속이 죄를 범한 경우에도 이러한 죄는 공적 직무의 수행중에서 행한 작위 또는 부작위로 인한것이라고 하는 범죄인의 지휘관이 발급한 증명은 양측에서 누가 주된 재판관활권을 갖이고 있느냐를 결정함에 있어서 결정적인 요소가 된다고 규정하고 있다.

0117

(b) In the case of any other offenses the authorities of the Republic of Korea shall have the primary right to exercise jurisdiction.

(b) In the case of any other offense, the authorities of the Republic of Korea shall have the primary right to exercise jurisdiction.

전항에서 규정된 이외의 경우에 있어서는 대한민국이 제 1 차적인 관할권을 갖이고 있음을 규정하고 있는바. 이에 대하여서는 양측안이 동일하다.

(c) If the State having the primary right decides not to exercise jurisdiction, it shall notify the authorities of the other State as soon as practicable. The authorities of the State having the primary ritht shall give sympathetic consideration to a request from the authorities of the other State for a waiver of its right in cases where that other State considers such waiver to be of particular importance.

(c) If the State having the primary right decides not to exercise jurisdiction, it shall notify the authorities of the other State as soon as practicable. The authorities of the State having the primary right shall give sympathetic consideration to a request from the authorities of the other State for a waiver of its right in cases where that other State considers such waiver to be of particular importance.

제 1 차적인 재판관할권을 갖이고 있는국가가 재판권을 행사하지 않을것을 결정할때에는 가급적 조속히 타방국가에 이를 통고하고 제 1 차적인 재판 관할권을 갖이고 있는국가 당국은 타방 국가로부터 그 권리에 대한 포기의 요청이 있으면 이 요청에 대하여 호의적인 고려를 할것을 규정하고 있는 바. 이에 대하여서는 양측안이 동일하다.

0118

4. The foregoing provisions of this Article shall not imply any right for the military authorities of the United States to exercise jurisdiction over persons who are nationals of or ordinarily resident in the Republic of Korea, unless they are members of the United States armed forces.

4. The foregoing provisions of this Article shall not imply any right for the authorities of the United States to exercise jurisdiction over persons who are nationals of or ordinary resident in the Republic of Korea, unless they are members of the United States armed forces.

본조의 제반 전항 규정은 대한민국의 국민이거나 또는 대한민국에 통상적으로 거주하는자에 그들이 미국 군대가 아닌 이상 이들에 대한 미국당국의 재판관할권을 포함하지 않음을 규정하고 있는바, 아국측안은 단지 " 미군 당국 " 이라고만 규정하고 있으며 이에 대하여 미국측안은 " " 미국 당국" 이라고 규정하고 있는것을 제외하고는 양측안이 동일하다.

5.(a) The military authorities of the United States and the authorities of the Republic of Korea shall assist each other in the arrest of members of the United States armed forces, the civilian component, or their dependents in the territory of the Republic of Korea and in handing them over to the authorities which is to exercise jurisdiction in accordance with the above provisions.

5.(a) The authorities of the United States and the authorities of the Republic of Korea shall assist each other in the arrest of members of the United States armed forces, the civilian component, or their dependents in the territory of the Republic of Korea and in handing them over to the authority which is to have custody in accordance with the following provisions.

미국당국과 대한민국 당국은 대한민국 영역내에서 미군, 군속 또는 그들의 가족을 체포하고 이들을 상기 규정에 따라서 재판관할권을 행사할수 있은 당국에 인도하는데 있어서 상호 협조 하여야 함을 규정하고 있는바, (1) 아국측안 "미군당국 " 이라고 규정하고 있으며 미측안은 " 미국당국 " 이라고 규정하고 있으며 또한 (2) 아국측안은 " 상기 규정에 따라 재판관할권을 행사할수 있는 당국 "에 인도한다고 규정하고 있으나 미국측안은 " 다음 규정에 따라 구금할수 있는 당국 " 에 인도하는것으로 규정하고 있는것에 차이가 있다.

0119

(b) The authorities of the Republic of Korea shall notify the military authorities of the United States of the arrest of any member of the United States armed forces, the civilian component, or their dependents.	(b) The authorities of the Republic of Korea shall notify promptly the authorities of the United States of the arrest of any member of the United States armed forces, or civilian component, or a dependent.

대한민국 당국이 미군, 군속 및 그들의 가족을 체포할 경우에는 이를 미군 당국에 통고할것을 규정하고 있는바 (1) 한국측안 " 미군 당국 " 이라고 규정하고 있으며 미국측안은 " 미국당국 " 이라고 규정하고 있고 (2) 또한 미국측안은 " 신속 " 히 통고하여야 한다고 규정하고 있을뿐이다.

(c) The military authority of the United States shall immediately notify the authority of the Republic of Korea of the arrest of a member of the United States amred forces, the civilian component, or a dependent, unless the United States authority has the right to exercise exclusive jurisdiction over such a person.	(c) The custody of an accused member of the United States armed forces or civilian component, or of a dependent, over whom the Republic of Korea is to exercise jurisdiction shall, if he is in the hands of the United States, remain with the United States pending the conclusion of all judicial proceedings and until custody is requested by the authorities of the Republic of Korea. If he is in the hands of the Republic of Korea, he shall be promptly handed over to the authorities of the United States and remain in their custody pending completion of all judicial proceedings and until custody is requested by the authorities of the Republic of Korea. The United States authorities will make any such accused available

0120

결 번

넘버링 오류

to the authorities of the Republic of Korea upon their request for purposes of investigation and trial. The authorities of the Republic of Korea shall give sympathetic consideration to a request from the authorities of the United States for assistance in maintaining custody of an accused member of the United States armed forces, the civilian component, or a dependent.

본항에서 아국측안은 미국 군대, 군속 및 그들의 가족에 대한 배타적인 재판 관활권을 미국당국이 갖고 있지 않는한 이들을 체포할경우에 미국당국은 즉시 대한민국정부에 이 사실을 통고하여야 한다고 규정하고 있는데 반하여, 미국측안은 (1) 피구금된 미국군대, 군속 및 그들의 가족에 대하여 대한민국이 배타적인 재판관활권을 갖이고 있는경에 이들이 계속 미국의 구금하에 있을면 이들은 대한민국 당국이 그들의 구금을 요청할때까지 그리고 재반 송송절차가 종결될때까지는 미국측에 구금되어야 한다고 규정하고 있으며 (2) 만일 이들이 대한민국의 구금하에 있을 경우에는 대한민국당국은 ~~[illegible]~~ 이들 미국당국에 즉시 인도하여야 하며 그리고 대한민국 당국에 그들의 구금을 요청하고 그리고 재반 소송 절차가 종결될때까지는 미국이 그들을 계속 구금하여야 한다고 규정하고 (3) 미국당국은 여사한 피구금자를 조사와 심판을 [illegible] 한 대한민국의 요구에 응하여 대한민국 당국으로 하여금 이들을 이용케하며 (4) 대한민국당국은 미군, 군속 및 글의 가족중 피구금자를 계속 구금하는데 협조를 위한 미국의 요구에 동정적인 고려를 하여야 한다고 구정하고 있다.

(d) Ah accused member of the United States armed for the civilian component or a dependent over whom the Republic of Korea is to exercise jurisdiction shall, if he is in the hands of the United States, be under the custody of the United State. Upon presentation of a warrant issued by a judge of the Republic Korea he shall be handed over immediately to the Korean Authorities.

아국측안은 대한민국이 재판관활권을 갖이고 있는 피구금된 미군, 군속 및 글들의 가족은 그들이 미국의 구금하에 있을경우에는 미국이 구금하여야 하되 대한민국의 법관의 발급한 영장의 제시에 응하여 이들은 즉시 한국 당국에 인도 되어야 한다고 규정하고 있는데 반 하여 미국측안은 본항에 대한 구정이 없이 전항에 전부 기술하고 있다.

0122

6.(a) The authorities of the Republic of Korea and the <u>military</u> authorities of the United States shall assist each other in the carrving out of all necessary investigations into offenses, and in the collection and production of evidence including the seizure and, in proper case, the handing over of objects connected with an offense. The handing over of such objects may, however, be made subject to their return within the time specified by the authority delivering them.

6.(a) The authorities of the United States and the authorities of the Republic of Korea shall assist each other in the carrying out of all necessary investigations into offenses, and in the collection and production of evidence, including the seizure and, in proper cases, the handing over of objects connected with an offense. The handing over of such objects may, however, be made subject to their return within the time specified by the authority delivering them.

본항에 있어서 아국측안은 대한민국 당국과 미합중국 당국은 범죄에 관련된 물건의 압수 및 합당한 경우에는 그 인도도 포함하여 범죄에 관하여 필요한 모든 수사의 실시 및 증거의 수집과 제출 에 관하여 상호 원조 하여야 한다 그러나 ~~[illegible]~~ 그러한 물건의 인도는 인도를 행하는 당국이 정하는 기간내에 반환할것을 조건으로 하여 행할수 있다고 규정하고 있으며 이에 대 하여 미국측안은 동일한 규정을 하고 있으나 아국측안 의 " 미군당국 " 에 대하여 미국측안의 " 미국 당국 " 이라 고 하는데서 차이가 있을뿐 만 아니라 합의 의사록에서 상세한 다른 규정을 두고 있다.

(b) The authorities of the Republic of Korea and the <u>military</u> authorities of the United States shall notify each other of the disposition of all cases in which there are concurrent rights to exercise jurisdiction.

(b) The authorities of the United States and the authorities of the Republic of Korea shall notify each other of the disposition of all cases in which there are concurrent rights to exercise jurisdiction.

아국측안 대한민국 당국과 미군당국은 재판권을 행사하는 권한이 경합하는경우에 모든 사건의 처리에 관하여상호 통고할것을 규정하고 있으며 단지 " 미군당국이 라고 " 규정하고 있는데 대하여 미국측안은 아국측안 과 동일한 규정하고 있으나 " 미국당국" 이라고 하고 있을뿐만 아니라 다음과 같이 합의의사록에서 상이한 규정하고 있다.

0123

증인이나 피고인으로서

본항에 관하여 미국측안은 합의 의사록에서
(1) 대한민국 당국과 미합중국 당국은 대한민국내에서 전기 양당국이 행하는 소송절차에 대하여 필요한 증거의 제시를 득하는데 있어서 상호 협조하여야 하며, 미국군대 구성원이 한국 법원에 출두 소환을 받었을때에는 군사상의 기급사태가 달리 요청하지 않은한 여사한 출두가 한국법에 의하여 강제적인것을 조건으로 하여 미국 당국은 이러한 출두를 확실하게 하여야 하며, 군사상의 긴급상태가 여의치 못할경우에는 미국 당국은 출두가 불가능한 기간을 기술하는 증명을 제시하여야 한다고 규정하고 있으며,
증인이나 피고인으로 필요한 미군, 군속 및 그들의 가족에 대한 영장의 발급은 영어로 작성하여 직접송달되어야 하며, 대한 민국 영장 집행인이 미군 시설이나 지역 내에 있는 자에 대하여 영장 발급을 집행할경우에는 미합중국 당국은 상기 한국 영장집행인의 영장발급을 할수 있도록 제반 필요한 조치를 취하여야 한 다고 규정하고 있으며,
한국당국은 미군, 군속 및 그들의 가족을 포함한 한국의 제반 소송절차에 있어서 구속영장, 소환장, 기소장 및 호출장을 포함한 제반 형사상 영장을 접수하기 위하여 미합중국 당국이 지정한 대리인에게 상기 영장 사본을 즉시 제공하여야 한다고 규정하고 있으며,
대한민국 시민이나 거주인이 미합중국 당국에 의하여 증인이나 전문가로서 필요할경우에는 대한민국의 법원이나 당국은 한국 법에 따라 상기인의 출두를 확실히 하여야 하며 이러한 경우에 있어서는 미합중국 당국은 대한민국 검찰총장이나 기타 대한민국 당국이 지정하는 기관을 통하여 활동한다고 규정하고 있으 며
증인에 대한 비용과 지불은 본조에 의거 설치된 합동위원회에서 결정토록 규정하고 있으며
(2)증인의 특권 및 면제는 그가 출두하는 법원, 공판정 또는 당국의 법에 의하여 부여되는것이어야 하며 여하한 경우에 있어서도 자기 에 부죄할 것같은 증거를 제공할 필요가 없다 고 규정하고 있으며,
(3)형사소송절차상, 대한민국이나 미합중국 당국앞에서 양국가중 어느국가의 공적 기밀의 발로나 어떤국가의 안전에 해를 끼칠 정보의 발로가 소송 처리상 필요한 경우에는 관계 당국은 관계국가의 관계 당국으로부터 이러한 발로를 서면으로 제출 토록 하여야 한다고 규정하고 있다.

0124

7.(a) Adeath sentence shall not be carried out in the Republic of Korea by the military authorities of the United States if the legislation of the Republic of Korea does not provide for such punishment in a similar case.	7.(a) A death sentence shall not be carried out in the Republic of Korea by the authorities of the United States if the legislation of the Republic of Korea does not provide for such punishment in a similar case.

사형의 판결에 대하여서는 대한민국의 법률이 동일한 경우에 사형을 규정하지 않은 경우에는 미합중국 군당국이 대한민국 내에서 이를 집행할수 없다고 규정하고 있는바, 아국측안은 " 미군 당국 " 이라고 한정시키고 있는데 대하여, 미국측안은 " 미국당국 " 이라고만 규정하고 있는데서 차이가 있을뿐 동일한 내용을 양측안이 규정하고 있다.

(b) The authorities of the Republic of Korea shall give sympathetic consideration to a request from the military authoirites of the United States for assistance in carrying out a sentence of imprisonment pronounced by the military authorities of the United States under the provisions of this Article within the territory of the Republic of Korea.	(b) The authorities of the Republic of Korea shall give sympathetic consideration to a request from the authorities of the United States for assitance in carrying out a sentence of imprisonment pronounced by the authorities of the United States under the provisions of this Article within the territory of the Republic of Korea. The authorities of the Republic of Korea shall also give sympathetic consideration to a request from the authorities of the United States for the custody of any member of the United States armed forces or civilian component or a dependent, who is serving a sentence of confinement imposed by a court of the Republic of Korea. If such custody is released to the authorities of the United States, the United States shall be

obligated to continue the confinement of the individual in an appropriate confinement facility of the United States until the sentence to confinement shall have been served in full or until release from such confinemet shall be approved by competent Korean authority.

본항에 대하여 아국측안은 대한민국 당국은 미국 군당국이 본조의 규정에 따라서 대한민국의 영역내에서 선고한 형의 집행에 관하여 미합중국 당국으로부터 원조 요청이 있는경우에는 이 요청에 대하여 호의적인 고려를 하여야 한다고 규정하고 있으면서 " 미군 당국 " 이라고 한정 시키고 있는데 대하여 미국측안은 (1) 다만 미국 당국이라고만 규칭하고 있으며 (2) 이외에도 대한민국 당국은 대한민국 법원이 선고한 구유 판결을 복무하고 있는 미군, 군속 및 그들의 가족의 구금을 미국당국이 요청하는 경우에는 이에 대하여 대한민국의 관계당국은 호의적인 고려를 하여야 하며 상기 구금이 미국 당국에 대하여 해제 되는 경우에는 미국은 구유판결의 복무가 완전히 끝나거나 동 구유의 해제가 한국의 관계당국의 승인을 받을때까지 미국의적의한 구유기관에서 계속 구금시켜야 한다고 규정할 것

8. Where an accused has been tried in accordance with the provisions of this Article either by the authorities of the Republic of Korea or the military authorities of the United States and has been acquitted, or has been convidted and is serving, or has served, his sentence or has been pardoned, he may not be tried again for the same offense within the territory of the Republic of Korea by the authorities of the other State. However, nothing in this paragraph shall prevent the military authorities of the United States from trying a member of its forces for any violation of rules of discipline arising from an act or omission which constituted an offense for which he was tried by the authorities of the Republic of Korea.

8. Where an accused has been tried in accordance with the provisions of this Article either by the authorities of the United States or the authorities of the Republic of Korea and has been acquitted, or has been convicted and is serving, or has served, ~~his served~~, his sentence, or his sentence has been remitted or suspended, or he has been pardoned, he may not be tried again for the same offense within the territory of the Republic of Korea by the authorities of the other State. However, nothing in this paragraph shall prevent the authorities of the United States from trying a member of its armed forces for any violation of rules of discipline arising from an act or omission which constituted an offense for which he was tried by the authorities of the Republic of Korea.

0126

본항에 대하여 아국측안은,

피고인이 본조의 규정에 따라서 대한민국 당국 또는 미합중국 군당국에 의하여 재판을 받은 경우에 있어서 무죄가 된때, 또는 유죄의 판결을 받고 복역하고 있을 때,복역을 완료한때,또는 사면을 받았을때에는 타방국 당국은 대한민국의 영역내에 있어서 동일한 범죄에 대하여 다시 그를 재판 할수 없다. 단 본항의 규정은 미합중국 군당국이 미국군대구성원을 그가 대한민국 당국에 의하여 재판을 받은 범죄를 구성하는 작위 또는 부작위에서 일어나는 군기 위반에 관하여 재판함을 방해하지 않는다라고 규정하고 있는바,(1) 아국측안은"미군당국 " 이라고 한정하고 있는데 반하여 미국측안은 " 미국 당국이 " 라고 규정하고 있으며 (2) 미국측안은 본항 전절에 형이 감형되거나 정지 되었을때 를 더 부가 시키고 있는점이 상이하다.

9. Whenever a member of the United States armed forces, the civilian component or a dependent is prosecuted under the jurisdiction of the Republic of Korea he shall be entitled:

(a) to a prompt and speedy trial;

(b) to be informed, in advance of trial, of the specific charge or charges made against him;

(c) to be confronted with the withneses against him;

(d) to have compulsory process for obtaining withnesses in his favor, if they are within the jurisdiction of the Republic of Korea;

(e) to have legal representation of his own choice for his defense or to have free or assisted legal representation under the conditions prevailing in the Republic of Korea;

(f) If he considers it necessary, to be provided with the services of a competent interpreter; and

(g) to communicate with a representative of the Government of the United States and to have such a representative present at his trial.

9. Whenever a member of the United States armed forces or civilian component or a dependent is prosecuted under the jurisdiction of the Republic of Korea he shall be entitled:

(a) to a prompt and speedy trial;

(b) to be informed, in advance of trial, of the specific charge or charges made against him;

(c) to be confronted with the withesses against him;

(d) to have compulsory process for obtaining withesses in his favor, if they are within the jurisdiction of the Republic of Korea;

(e) to have legal representation of his own choice for his defense or to have free or assisted legal representation under the conditions prevaling for the time being in the Republic of Korea;

(f) if he considers it necessary, to have the services of a competent interpreter; and

(g) to communicate with a

representative of the Government of the United States and to have such a representative present at his trial.

본항은 미합중국 군대 구성원, 군속 또는 가족은 대한민국의 재판 관할하에서 기소된 경우에 언제든지 갖일권리를 마열하고 있는바, 지체 없이 신속한 재판을 받을 권리, 공판전에 자신에 대한 공소 사유를 통지 받을 권리, 자신에 불리한 증인과 대결할 권리, 증인이 대한민국의 관할권내에 있는 경우에는 자신을 위하여 강제적인 절차에 의하여 증인을 획득할 권리, 자신에 변호를 위하여 자신이 선택한 변호인을 갖일 권리 또는 대한민국에서 행하여지는 조건하에 비용을 하지 않거나 또는 비용의 보조를 받고 변호인을 갖일 권리, 필요하다고 인접할때에는 유능한 통역을 사용할 권리, 미합중국 정부의대표자와 연락할 권리 및 자신의 재판에 그 대표자를 입회시킬 권리 등을 아국측안은 규정하고 있는데 반하여, 미국측안은 (1) 자신의 변호를 위하여 자신이 선택한 변호인을 갖일 권리 또는 대한민국에서 행하여지는 조건하에 가운데 " 당분간 " 이라는 말을 삽입하였고 (2) 합의 의사록에서 대한민국 법원에 의한 지체없이 신속한 재판을 받을 권리

10.(a) Regularly constituted military units or formation of the United States armed forces shall have the right to police any facilities or areas which they use under Article IV of this Agreement. The military police of such forces may take all appropriate measures to ensure the maintenance of order and security within such facilities and areas.

10.(a) Regualarly constituted military units or formations of the United States armed forces shall have the right to police any facilities or areas which they use under Article of this Agreement. The military police of such forces may take all appropriate measures to ensure the maintenance of order and security within such facilities and areas.

본항은 미합중국 군대의 정규편성부대 또는 편성대는 본 협정 제 4 조에 따라서 사용하는 시설또는 지역에 있어서 경찰권을 행할 권리를 갖이며 미합중국 군대의 군사경찰은 그러한 시설 및 지역에 있어서 질서 및 안전의 유지를 확보하기 위하여 모든 적당한 조치를 취할수 있다고 규정하고 있는바, 아국측안은 "본협정 제 4 조" 라고 한정시키고 있는데 대하여, 미국측안은 조항명을 명기치 않은점이 상이하며 또한 합의 의사록에서 다음과 같이 규정하고 있다.

0128

(X) 는 사법기간을 끝마친 법관으로 전적으로 구성된 공평무사한 공판정에 의한
공개 재판을 포함하며 미군, 군속및 그들의 가족은 대한민국의 군법재판에 소의
재판을 받지 않는다고 규정하고 있으며,
(3) 합의 의사록에서, 공판전에 자신에 대한 구체적인 공소 사유를 통지 받을 권
리를 갖이고 있다는 항에 대하여, 미군, 군속 또는 가족은 정당한 이유 없이
대한민국 당국에 의하여 체포 또는 유치 되지 않으며 즉각적인 ~~청취할~~ 권리를
갖이며 이러한 ~~경우에~~ 을 통하여 상기 체포 또는 유치의 이유가 그 자신과
영사가 출석한 공개법원에서 제시 되어야 하며, 체포되거나 유치되는 즉시 그는
그에게 불리한 범죄 사실을 그가 이해 할수 있는 언어로 통보 받어야 하며,
그는 그에게 불리하게 이용될 증거재판에 앞서 상당한 기간을 통보 받어야 하며,
피고인을 위한 영사는 요청에 따라서 사건을 재판하기로 되어 있는 대한민국의
법원에 송부된 서류에 포함되어 있고 대한민국의 당국이 얻은 증거의 진술을
조사하고 사본할 ~~권리를~~ 기회를 재판에 앞서 부여 받어야 한다고 규정하고 있으며,
또한
(4) 자신에 불리한 증인과 대결할 권리 및 증인이 대한 민국의 관할권내에
있은경우에는 자신을 위하여 강제적 절차에 의하여 증인을 획득할 권리에 부가하
여; 합의 의사록에서 대한민국 당국에 의하여 기소된 미군, 군속 및 가족은
그에가 불리하거나 유리한 증인~~에게~~ 의 증언, 제반 심리, 재판전의 변론, 재판 그자
체, 기타 소송절차를 통하여 출석할 권리를 갖이며 증인을 조사할 충분한 기회가
부여 되~~어~~야 한다고 규정하고 있다.

(5) 자신의 변호를 위하여 자신이 선택한 변호인을 갖일권리, 또는 대한민국에서
행하여지는 조건하에 비용을 요하지 않거나 또는 비용의 보조를 받고 변호인을 갖
일 권리 에대하여 합의의사록에서 변호인을 갖일권리는 체포나 유치의 순간으로 부
터 존재하며 또한 이 권리는 영사의~~의~~ 출석권 및 당해 피고인이 출석하는 제반
예비조사, 심리 재판전의 변론, 재판 그 자체, 기타 소송절차에 있어서 상기 영사
와 비밀히 협의할 권리를 포함~~한 하게~~ 한다고 규정하고 있다.
(6) 필요할때는 유능한 통역을 사용할 권리에 대하여서는 이는 체포 또는
유치의 순간으로 부터 존재한다고 규정하고 있다.
(7) 미합중국 정부의 대표자와 연락할 권리 및 자신의 재판에 그 대표자를 입회
시킬 권리에 대하여, 합의 의사록에서는 미합중국 정부의 대표자와 연락할 권리
는 체포 또는 유치의 순간으로 부터 존재하며 동대표자가 부재시에 취하여진
피고인의 진술은 당해 피고인의 유죄를 돈하는 증거로서 승인 할수 없으며,
상기 대표자는 피고인이 출석하는 제반 예비조사, 심리 재판전의 변론, 재판
그자체 및 기타 소송절차에 있어서 출석할 권리를 갖는다고 규정하고 있다.

0129

이 이외에도 9조 전반에 걸쳐서 미국측안은 다음과 같이 부가 사항을 합의 의사록에서 규정하고 있다.

(1)미국 군대 구성원, 군속 및 가족은(대한민국 당국이 재판하는) 대한민국의 국민에게 대한 민국 의 법상 부여하고 있는 모든 절차상 및 실제상의 권리를 부여 받어야 하며, 대한미국의국민에게 대한민국의 법률상 부여하고 있는 버턴 실 그 어떠한 절차상 및 실제상의 권리가 당해 피의자에게 바이 거부되었거나 거부될 가능성이 있을 경우에는 양국 대표자는 이러한 권리의 거부를 예방하고 구제 하기 위하여 필요한 제반 조치를 에 관하여 합동 위원회에서 협의 하여야 하며.

(2) 본조 (에이) 항에서부터 (지) 항에 에 이르기까지 열거된 권리에 부가하여 대한미국 당국에 의하여 기소된 미국 군대 구성원, 군속 및 가족은

(ㄱ) 그의 재판에 관하여 영어로 조어진 보고를 받어야 하며

(ㄴ) 유죄의 판결이나 선고를 상소할권리를 갖이며, 이에 부가하여 유죄의 판결이나 선고의 시에 한국 법원으로부터 상소권이 있다는것과 이 상소권이 실행되어야 할 시간적 제한을 통보 받어야 하며,

(ㄷ) 미합중국이나 대한민국 구유소에서의 구유 기간은 구유선고에 산입되어야 하며,

(ㄹ)범죄가 저질렀을때 대한민국 법률에 의거하여 범죄를 구성하지 않은 작위나 부작위로 인한 범죄는 유죄로 되지 않드며,

(ㅁ) 범죄 당시에 적용되었던 죄나 제 1심법원이 원선고로서 판결한 죄보다도 중죄에 따르지 않으며.

(ㅂ)범죄일 이후에 그에게 불리하게 변경된 증거 규측이나 증명의 필요에 입각하여 범죄가 유죄 되지 않으며,

(ㅅ)그자신에게 불리하게 또는 복죄하게 증언할것을 강요당하지 않으며,

(ㅇ) 야만적이거나 보통이 아닌 처벌에 따르지 않으며.

(ㅈ)입법부나 행정부의 행위에 의한 기소나 처벌에 따르지 않으며

(ㅊ)동일한 범죄에 대하여 한번 이상 기소 또는 처벌되지 않으며,

(ㅋ) 신체적으로나 정신적으로 재판을 받을수 없거나 그의 변호에 참가 할수 없을경우에는 재판을 받을필요가 없으며,

(ㅌ) 적당한 군복이나 민간복을 입고 출석하거나 수갑을 채우지 않고 출석함을 포함하여 미국 군대의 위엄에 일치하는 조건하를 제외하고는 재판에 따르지 않는다고 규정하고 있으며 ,

(3) 불법적인 또는 부당한 수단에 의하여 얻어진 자백, 자인, 기타 진술, 또는 실증은 본조에 의하여 대한민국의법원에 의한 기소에 고려되어야 한다 고 규정하고 있으며,

(4)본조에 의하여 대한민국당국에 의하여 기소된 경우에는,유죄가 아닌거나 무죄석방을 이유로 기소자측에서 상소를 할수 없으며 법률착오의 이유를 제외하고는 피의자 상소하지 않은 이유로 기소자측에서 상소를 할수 없다고 규정하고 있으며

(5) 미합중국 당국은 미국 군대 구성원, 군속 또는 가족이 구유되거나 또는 구유키로한 한국의 구유시설을 검사 할 권리를 갖으며, 0130

(6) 전투행위가 발생한 경우에는 대한민국은 재판을 기다리고 있거나 또는 대한민국 법원이 부과한 선고를 복역하고 있는 미국 군대 구성원, 군속, 또는

가족을 안전케하기 위한 모든 가능한 조치를 취하여야 한다고 구정하고 있으며 또한 책임있는 미국의 당국에의한 비호를 위하여 이들을 석방하여달라는 요청이 있으면 이에 대하여 호의적인 고려를 하여야 하며, 본조의 이행에 필요한 사항은 합동위원회를 통하여 양국 정부간에 합의 되어야 한다고 구정하고 있으며,

[illegible]

(7) 미국군대 구성원, 군속 및 가족의 사형선고, 구유, 구금, 징역 또는 유치를 집행하기 위하여 이용되는 시설은 합동위원회에 의하여 정하여진 최소한의 기준을 충족하여야 하며 미국 당국은 대한민국의 당국이 구유 또는 유치하고 있는 미국군대 구성원, 군속 또는 가족에 대하여 접근할수 있는 권리를 요청에 의하여 갖으며, 이들이 한국의 구유시설을 방문할동안, 미국 당국은 이들을 위하여 추가적인 보호를 할수 있고 의복, 음식, 침구, 의료 의학적 치료를 공급할수 있다고 구정하고 있다.

0131

(b) Outside these facilities and areas such military police shall be employed only subject to arrangements with the authorities of the Republic of Korea and in liaison with those authorities and in so far as such employment is necessary to maintain discipline and order among the members of the United States armed forces.

(b) Outside these facilities and areas, such military police shall be employed only subject to arrangements with the authorities of the Republic of Korea and in liaison with those authorities, and in so far as such employment is necessary to maintain discipline and order among the members of the United States armed forces, <u>or ensure their security.</u>

아국측안은 본항에 있어서
~~본항은~~/전기 시설 및 지역의 외부에 있어서는 전기 군사 경찰은 반듯히 대한민국 당국과의 합의에 따를것을 조건으로 하고, 또한 대한민 국 당국과 연락하여 사용되어야 하며 그 사용은 미합중국 군대 구성원간의 규율 및 질서이 유지를 위하여 필요한 범위내에서 국한된다 고 규정하고 있는바, ~~아국측안은~~ 미국측안은 군대구성원의 규율이외에"안전을 확보 하게 하기 위하여 "를 추가 삽 하고 있을뿐만 아니라 합의의사록에서 다음과 같이 규정하고 있다. (✗)

11. <u>In the event of hostilities to which the provisions of Article II of the Treaty of Mutual Defense apply, the provisions of this Agreement pertaining to criminal jurisdiction shall be immediately suspended and the authorities of the United States shall have the right to exercise exclusive jurisdiction over members of the United States armed forces, the civilian component, and their dependents.</u>

본항에 대하여서는 아국측안이 없는 구정으로서 미국측안만 규정하고 있는바, 상호 방위조약 제 2 조가 적용되는 전투발생의 경우에는 형사재판관할권에 관한 본조의 규정은 즉각 정지되고 미합중국 당국은 군대 구성원, 군속 및 가족에 대하여 배타적인 관할권을 행사할 권리를 갖는다고 규정하고 있다.

0132

미국측안은 합의의사록에서 10조에 부가하여,
(1) 미합중국 당국은 미국군대가 사용중인 시설과 지역내에서 통상 모든 체포를 할수있으며 한국 당국은 미국관계당국이 그가 사용중인 시설과 지역내의 재산이나 사람에 대한 한국당국의 수색,압수 또는 검사에 동의하는 경우를 재외하고는 동 재산이나 사람에 대하여 또는 어느 장소에 위치하던 미국의 재산에 대하여 수색권,압수권, 및 검사권을 통상 행사할수 없다고 규정하고 있으며,
(2)한국이 미군이 사용중인 시설과 지역내의 재산이나 사람에 대하여 또는 한국에 소재하고 있는 미국의 재산에 대하여 수색, 압수 또는 검사를 원할 경우에는, 미국 당국은 요청에 응하여 이러한 수색, 압수 또는 검사를 인수할수 있으며 미국정부나 그기관이 소유하거나 이용하는 재산을 재외하고는 이러한 재산에 관하여 판단 할 경우에는 미국은 ~~자의 법에 따라서~~ 판단에 따라서 처분을 위하여 그의 법에 따라 한국 당국에 이러한 재산을 인도 할수 있다고 규정하고 있으며,
(3)미국당국은 시설이나 지역의 안전에 대한 범죄를 범하거나 범할려고 하는 ~~사람~~ 자를 시설이나 지역의 주변에서 체포 또는 구유할수 있으며 미국 군대구성원 ,군속 또는 가족이 아닌 자는 즉시 한국 당국에 인도 되어야 한다고 규정하고 있다.

0133

12. The provisions of this Article shall not apply to any offenses committed before the entry into force of this Agreement. Such cases shall be governed by the provisions of the Agreement between the United States of America and the Republic of Korea effected by an exchange of notes at Taejon, Korea on July 12, 1950.

본항은 아국측안에 없는것으로서 미국측안은 본조의 규정은 본 협정의 발효이전에 범한 범죄에 대하여서는 적용되지 않으며 이러한 사건은 1950년 7월 12일자 대전에 각서교환으로 발효하고 있는 한미간의 협정에 의하여 규율되어야 한다고 규정하고 있다.

0134

기 안 지

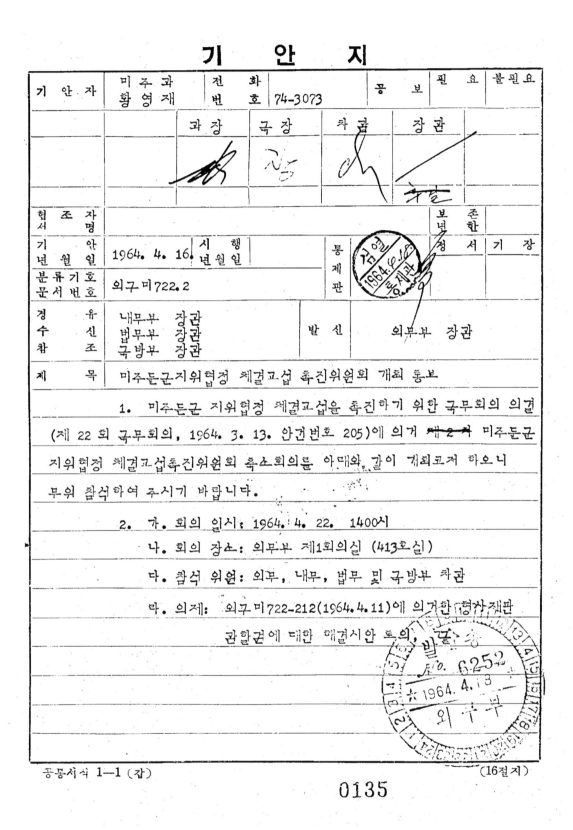

기 안 자	미주과 황영재	전화번호	74-3073	공 보	필 요	불필요
		과 장	국 장	차 관	장 관	
협조자 서 명					보존 년한	
기안 년월일	1964. 4. 16.	시행 년월일		통제관	정서기장	
분류기호 문서번호	외구미722.2					
경유 수신 참조	내무부 장관 법무부 장관 국방부 장관		발 신	외무부 장관		
제 목	미주둔군지위협정 체결교섭 촉진위원회 개최 통보					

검열 1964.4.16 통제과

1. 미주둔군 지위협정 체결교섭을 촉진하기 위한 국무회의 의결 (제 22 회 국무회의, 1964. 3. 13. 안건번호 205)에 의거 ~~제 2 차~~ 미주둔군 지위협정 체결교섭촉진위원회 축소회의를 아래와 같이 개최코저 하오니 무위 참석하여 주시기 바랍니다.

2. 가. 회의 일시: 1964. 4. 22. 1400시

나. 회의 장소: 외무부 제1회의실 (413호실)

다. 참석 위원: 외무, 내무, 법무 및 국방부 차관

라. 의제: 외구미722-212(1964.4.11)에 의거한 형사재판 관할권에 대한 해결시안 토의. 끝.

발송 No. 6252 1964. 4. 18 외무부

공통서식 1—1 (갑) (16절지)

0135

외 무 부 문 서 보 존 실

0136

형사재판 관할권 조항 검토자료

(해결방안 시안 포함)

1964.

외무부 문서보존실

0137

21/30

刑事裁判管轄權條項

檢討資料

(解決試案 包含)

外 務 部

보통문서로 재분류(1966.12.31)

파기하라 : 불필요할시

0138

內容	韓國案	美國案	問題点	先例概觀	解決試案(優先順位)
1. 管轄权의 行使当局 (1) 美国側 行使当局	美軍当局	美国当局	1. 韓国에서 刑事裁判 管轄权을 行使할 수 있는 美国政府当局이 在韓美軍当局에 局限되어야 한다는 韓国側 主張에 对하여 駐韓美軍当局이 行使할 수 있는 軍法會議以外의 다른 法延(例 Constitutional Court가 아닌 Legislative Court)에 依한 管轄权 行使를 考慮하고 있을 可能性이 있음.	Dominica (57년) Nicaragua (58년) Bolivia (57년) 와의 協定에서 美国政府当局으로 規定하고 있는 바와 같은 小数의 例外를 除外하고는 大部分의 경우 美軍当局으로 規定하고 있음.	우리側 原案대로 始終一貫할 것이며 代案은 있을 수 없음. (註) U.S. Court in China 와 같은 Legislative Court 또는 Consular Court를 美国에서도 考慮하고 있는지를 규명하고 事實이라면 韓国을 非完全主权国家로 看做하게 됨을 指摘한다.
(2) 韓国側 行使当局	大韓民国 当局	大韓民国 民事(Civil)当局	1. 司法权行使機関은 平時 또는 戒严令 施行時를 莫論하고 一般法院과 軍法会議로 両分되는 바, 美国側案은 韓国의 軍法会議가 駐韓美軍에 미칠 수 있는 司法权을 排除하고 있음. 2. 所謂 民事政府体制下에서는 韓国側 管轄权이 全的으로 根據를 마련할 수 있음.	1. 接受国의 司法权行使当局(機関)을 民事当局으로 明示的으로 制限한 例는 全無함 2. NATO 接受国의 軍法会議에 派遣国軍人이 廻附된 경우는 全無함.(Morocco)와의 秘密留定 例外) 3. NATO 協定締結 交涉時 接受国의 軍法会議에 服하지 않는다는 것은 一般的인 諒解事項이 되고 있음.	韓国側 原案文을 固守하기 위하여 다음 順序의 諒解事項을 記錄에 남긴다. 1. 軍事機密에 関한 犯罪以外의 境遇에는 軍法会議에 服하지 않는다. 2. 美軍犯法者는 韓国의 軍屬管轄权을 行事할 境遇를 除外하고는 軍法会議에 廻附되지 않는다. 3. 軍法會議에서 取扱할 犯罪를 犯했을때 民間裁判에 廻附할 것을 要請하면 同情的 考慮를 한다. 4. 美軍犯法者는 어떠한 경우에도 韓国軍法會議에는 廻附하지 않는다. (註) 戒严令下의 條項参照

(18-1)

0139

內容	韓國案	美國案	問題点	先例槪觀	解決試案(優先順位)
2. 管轄權의 適用範圍	1. 美國軍隊構成員 2. 軍屬	1. 美國軍隊構成員 2. 軍屬 3. 家族	1. 美当局의 管轄權에 服하는 者를 軍人, 軍屬만에 極限시키고 家族은 一般外國人의 境遇와 마찬가지로 韓國이 專屬的인 管轄權을 行使할 수 있도록 해야 한다는 것은 첫째로, 軍人, 軍屬과 家族은 身分이 다르고, 둘째로 家族은 軍人, 軍屬과 같은 嚴한 軍律에 服하지 않는다는 데 基因한다. 2. 美國이 他國과 締結한 行政協定의 例를 보면은, 家族을 明示한 境遇는 드물고, 大槪의 境遇 美國軍法에 服하는 者(all persons subject to military law of the U.S)라고 規定되어 있다. 美國軍法(Unifarm Code of military justice) 第2條 11項에는 美國領土外에 派遣되는 軍人, 軍屬과 이들을 同伴하는 者는 모다 美軍法에 服하기로 되어 있고, 同法 134條(General Article)에서 同法에 列擧한 犯罪以外의 其他 모든 犯罪에 対해서도 軍法会議의 管轄權을 認定하고 있다. 3. 그러나 美國軍法의 實際運営上에 있어서 同法이 美國憲法 第3條 및 第6修正條項에 保障된, 美國国民은 陪審制에 依한 裁判을 받을 權利가 있다는 條項에 違背되어, 家族을 美國軍法에서 管轄한다는 것은 違憲이라는 主張이 있었으나 1956年 美國大審院은 軍法会議에서 家族을 裁判함은 違憲이 아니라는 決定을 내렸다. 그러나 再審에서 同決定은 다시 번복되어 家族이 美軍法에 服하지 않는다는 決定을 내려(1957年) 美國軍法에 服하는者라는 範圍에 家族이 포함 안된다는 結論을 얻게 된 듯하다. 1960年 美國大審院은 家族이 美軍法에 服한다는 決定을 내렸다 한다.(未確認) 4. 韓國側案에서와 같이 家族을 美軍当局의 管轄權의 適用範圍에서 除外한다면 만일 家族이 軍当局의 專屬的 管轄權에 属하는 犯罪(美國의 安全에 関한 罪를 포함)를 犯하였을 境遇 韓國当局은 勿論이고 美軍当局도 이를 處罰할 수 없는 矛盾을 招來하게됨을 注意할 必要가 있다.	1. Austria (1963), West Indies (1961) Iceland (1951) Dominican (1957), NATO (1951), Japan (1960) 軍法에 服하는 모든 者 2. Ethiopia (1953) Libya (1954) Spain (1953) 軍人, 軍屬, 家族 3. NATO 行政協定에 있어서는 All persons subject to military law 라는 句節이 家族을 포함안한다는 說이 支配的이여서 特히 佛蘭西, 伊太利, 白耳義는 美軍法에 服하는 者 範圍에 家族은 該当 안되고 明白히 宣言하고 있는 反面 英國은 Visiting Force Act를 制定하여 家族이 포함된다고 規定하였다. 4. 日本과의 SOFA에서도 all persons subject to military law 로 되여 있으나, 合議議事錄 規定에 依하여 美國이 日本에 通告한 all persons 에는 家族이 포함되는 것으로 되여 있음	1. members of the U.S armed forces and civilian Component로 하고 別途 understanding에서 家族에 関하여서는 美國側 要請이 있으면 Sympathetic consideration을 한다고 規定한다. 2. 大部分의 國家의 境遇와 같이 All persons subject to military law로 規定하고 그 範圍는 Joint Committee에서 定한다. 3. 美國案을 그대로 受諾한다

(16-2)

0140

內容	韓國案	美國案	問題點	先例概觀	解決試案(優先順位)
3. 適用地域 (1) 戰鬪地域	1. (b) 大韓民國全領域	합의 의사록 1(b) 1. 戰鬪地域內에서는 美國當局은 美軍構成員, 軍屬 및 가족에 対하여 專屬的인 裁判管轄權을 갖는다. 戰斗地域의 範圍는 合同委員會에서 決定한다. 休戰線에서 美軍軍団後方境界線 및 韓國軍野戰軍의 後方境界線까지의 地域을 包含한다.	駐韓美軍은 現在 後方支援部隊를 除外하고는 大部分의 部隊가 美側이 제안한 戰斗地域內에 駐留하고 있으므로 韓國의 美軍에 対한 裁判管轄權은 事實上 無意味한 結果를 초래할 可能性이 있다.	美側이 제안한 합의 의사록과 같이 戰鬪地域을 規定한 例는 全然 없다. (註) 美國側 主張의 要旨 1. 韓國은 現在 休戰狀態에 있으므로 英國, 佛蘭西, 伊太利, 日本 과는 달라 언제든지 敵의 侵略에 対抗해야 할 特異한 狀態에 있다. 2. 이와 같은 戰斗態勢에 있는 美軍이 韓國法院의 召喚으로 戰斗位置에서 離脫됨은 不適當하다. 3. 戰斗地域內에서 美軍司令官이 軍法에 따라 美軍의 犯罪行爲를 處罰하면 되지 않는가?	1. 戰斗地域의 槪念 및 同地域에 있어서의 專屬管轄權을 認定하되 戰鬪地域의 範圍는 歸隊線으로 限定한다. 2. 戰鬪地域槪念을 受諾하되 該地域에 限하여 公務執行中 與否의 決定權者를 美軍當局으로 한다. 3. 戰鬪地域의 槪念을 管轄權의 適用地域 問題에서 排除하고 競合管轄權의 포기 條項에서 取扱하되 公務執行中 與否에 関한 決定權者, 項의 順位에 따른 代案條件으로 美國側 要求에 應한다. 4. 美側案 셋째문장을 삭제한다.
(2) 戒嚴令宣布地域	(없음)	합의의사록 1(b) 2. 戒嚴令宣布地域內에서는 本條의 規定은 卽時 그 効力이 停止되고 戒嚴令이 解除될때까지 美國當局이 專屬管轄權을 行使한다.	1. 警備戒严과 非常戒严에 関한 区別이 없다 2. 警備戒严下에서는 軍事에 関한 行政 및 司法機能만 軍掌握下에 들어간다	先例없음	1. 非常戒严이 宣布된 地域內에서만 美軍當局이 專屬的 管轄權을 갖는다 但, 警備戒严이 宣布된 地域內에서는 美軍當局의 管轄權 拋棄要請에 対하여 韓國當局은 同情的인 考慮를 한다. 2. 美國側 案 受諾

(18-3)

0141

內容	韓国案	美国案	問題点	先例概觀	解決試案
4. 專屬管轄权 1) 韓国의 管轄权行使	韓国에 对한 安全에 関한 犯罪로서 美国法에 依하여 处罰될 수 없는 犯罪에 对하여 專屬的管轄权을 行使한다 (第12條 第2項 (b))	1) 懲戒的 및 行政的制裁의 有効性 美国当局의 管轄权抛棄要請에 对해서 韓国当局이 好意的考慮를 한다.	(2) 어느 犯罪에 对한 美国当局이 行政的 및 懲戒的制裁한 것에 对하여 韓国当局이 거듭 刑罰을 加하여도 "一事不再理의 原則"에 抵觸되지 아니함. 우리나라 憲法 第十一條는 "... 同一한 犯罪에 对하여 거듭 处罰받지 아니한다"라고 規定하고 있는바, 이는 一事不再理의 原則을 規定한 것인데 위의 懲戒的制裁란 特別权力関係에서 科하는 懲戒処分이며 行政的制裁란 懲戒処分을 除外하고 一般权力関係에서 科하는 秩序罰, 執行罰, 代執行 및 即時強制를 意味한 것으로 刑罰과는 峻別된다 刑法第七條에 依하면 外国에서 刑의 全部 또는 一部의 執行을 받은者에 对하여도 刑을 減輕 또는 免除할수 있음에 不過한데 反하여, 行政的処分에 不過한 行政的 및 懲戒的制裁만으로써 刑事裁判权自体의 発動마저 阻止시키는 結果가 되는 美国側案은 甚히 权衡을 喪失하고 있음	專屬管轄权을 行使할 权利의 抛棄要請에 对하여 好意的考慮를 하여야 한다는 協定의 先例는 全無함	(第一案) 韓国当局은 專屬的管轄权을 行使하지 아니하기로 決定하였을 때에는 可及的 速히 美国軍当局에 通告한다. 韓国当局이 專屬的管轄权을 行使하는 경우에 있어서는 韓国当局은 그裁量에 따라 刑을 減輕할수 있다. (第二案) 韓国当局은 專屬的管轄権을 行使하지 아니하기로 決定하였을 때에는 可及的速히 美国軍当局에 通告한다. 韓国当局이 專屬的管轄权을 行使하는 경우에 있어서는 韓国当局은 重大한 司法上의 利益을 侵害하지 않는 限度内에서 刑을 減輕 또는 免除한다. (第三案) 韓国当局은 專屬的管轄权을 行使하지 아니하기로 決定하였을 때에는 可及的速히 美国軍当局에 通告한다. 韓国当局이 專屬的管轄权을 行使하는 경우에 있어서는 韓国当局은 美国軍当局이 行한 行政的 및 懲戒的制裁의 有效性을 是認하여 重大한 司法上의 利益을 侵害치 않는 限度内에서 刑을 訴追하지 아니할수 있다. (第四案) 韓国当局은 專屬的管轄权을 行使하지 아니하기로 決定하였을 때에는 可及的 速히 美国軍当局에 通告한다 韓国当局이 專屬的管轄权을 行使하는 경우에 있어서는 韓国当局은 美国軍当局의 管轄权抛棄要請에 对하여, 重大한 司法上의 利益을 侵害하지 않는 限度内에서, 好意的考慮를 한다.

(18-4)

0142

內容	韓國案	美國案	問題点	先例槪觀	解決試案
5. 管轄权의 拋棄 1) 韓國의 第一次的 管轄权行使	1) 美軍当局의 第一次的 管轄权에 属하지 않는 犯罪에 対하여 第一次的 管轄权行使 (第12條 第3項 (b))	1) 韓國当局은 美国当局이 秩序와 規律維持의 責任이 있음을 承認하여 管轄行使의 权利를 無條件 最終的으로 拋棄한다. 但 特定事件에 있어 特定事情으로 特히 重要하다고 認定할때에는 韓國当局이 通知받은後, 15日以內에 合同委員会에서 協議.	1) ㉮ 美国当局은 內部的인 行政的 및 懲戒的 制裁로서 韓國側의 刑事裁判权이 依하여 加하여지는 刑罰에 代充코저 하는 趣旨인바, 上記制裁와 刑罰은 同一視 할수 없고, 両者를 併科 하여도 一事不再理의 原則에 抵觸되지 아니함. ㉯ 韓國側案은 日本 "리비아" "오스트라리아" "NATO" 等과 같은 先例에 따르고 있고 美国側案은 희랍, "니카라가" 協定의 先例에 따르고 있음.	1) 管轄权 拋棄要求例 ㉮ 管轄权을 가지지 않는 國家에서 하는 경우 日本 16條 3項 (c) "리비아" 20條 2項 "오스트라리아" 8條 3項 (c) 희랍 11條 1項 "니카라가" 9條 3項 (c) NATO 7條 3項 (c) ㉯ 両國側에서 하는 경우 "아이스랜드" 附屬書 2條4項 (c) 훼스트 인디스 9條 3項 (c) 2) 拋棄要求事由 ㉮ 그 权利拋棄가 "特히 重大하다고 認定되는 경우 (to be of particular importance)" "아이스랜드" 附屬書 2條4項 日本 16條 3項 "오스트라리아" 8條 3項 (c) 희랍 11條 1項 "니카라가" 9條 3項 (c) NATO 7條 3項 (c) ㉯ 上記 ㉮ 또는 適宜한 処罰이 法院에 呼訴함이 없이, 懲戒措置에 依하여 加하여 질수있을때 "(or suitable punishment can be applied by disciplinary action without recourse to a court"	(第一案) 韓.美 両当局은 각기 第一次的权利를 行使할 国家当局에 对하여 그 权利의 拋棄를 要請할수 있다. ("아이스랜드" "훼스트 인디스" 先例) 第一次的 权利를 行使할 國家는 司法上의 重大한 利益을 侵害치 않는限 第一次的权利를 拋棄한다. 第一次的 权利를 가지지 아니하는 國家의 当局은 個別事件을 他方國家 当局에 通告하여야 한다. 第一次的 权利를 行使할 国家는 当該国家에 重大한 法益이 侵害된다는 意見을 가지는 경우에 그 具体的理由를 提示하여 他方 国家当局에 相当한 期間內에 通告하여야 한다. (第二案) 美国 軍当局이 权利拋棄가 特히 重大하다고 認定되는 경우에는 韓国 当局에 权利拋棄를 要請할 수 있다. (日本, 오스트라리아, NATO 先例) 韓国当局은 司法上의 重大한 利益을 侵害치 않는限 第一次的 权利를 拋棄한다 美国 軍当局은 個別的事件을 韓国当局에 通告하여야 한다. 韓国当局은 韓国에 重大한 法益이 侵害된다는 意見을 가지는 경우에, 그 具体的 理由를 提示하여 美国 軍当局에 相当한 期間內에 通告하여야 한다. 美国 軍当局이 上記通告를 받는날로 부터 15日以內에 異議가 없이, 그 期間이 經過한 때에는 权利拋棄要請을 撤回한것으로 본다. 韓国 当局이 管轄权을 拋棄한 경우, 美国軍当局은 当該事件処理의 結果를 韓国当局에 通報하여야 한다. ("Greece" 先例)

(18-5)

0143

內 容	韓 國 案	美 國 案	問 題 点	先 例 槪 觀	解 決 試 案
				"리비아" 3) 抛棄에 関한 諒次日本 (Agreed official minutes) 4) 美合衆国이 行한 秩序와 規律維持의 主責任을 尊重한 例 　희랍. 　"니카라가" 5). 管轄权不行使의 通告 "아이스랜드" 2條 4項 日 本 16條 3項 (c) "리비아" 20條 2項 희 랍 11條 2項 "니카라가" 9條 3項 (c) NATO 7條 3項 (c) 6). 事件処理結果의 通報 　희 랍	(第三案) 美国 軍当局이 权利抛棄가 特히 重大하다고 認定되는 경우, 또는 適宜한 処罰이 法院에 叫訴함이 없이 懲戒措置에 依하여 加하여질수 있는 경우에는 韓国当局에 权利抛棄를 要請할수 있다. ("리비아" 先例) 韓国当局은 美国 軍当局에 秩序와 規律維持의 主責任이 있음을 承認하여 司法上의 重大한 利益을 侵害치 않는 限度内에서 抛棄한다. 美国 軍当局은 個別的事件을 韓国当局에 通告하여야 한다. 韓国当局은 韓国에 重大한 法益이 侵害된다는 意見을 가지는 경우에 그 具体的 理由를 提示하여 美国 軍当局에 相当한 期間内에 通告하여야 한다. 美国軍当局이 上記通告를 받은 날로 부터 15日以内에 異議가 없이 그 期間이 經過한 때에는 权利抛棄要請을 撤回한것으로 본다. 韓国 当局이 管轄权을 抛棄한 경우, 美国軍当局은 当該事件処理의 結果를 韓国当局에 通報하여야 한다.

(19-6)

0144

內容	韓國案	美國案	問題点	先例槪規	解決試案(優先順位) (1.2.3항 순위에 의함)
6. 公務執行中의 犯罪 (1) 決定權者	管轄地方檢察庁 檢事	美軍指揮官	(1) 公務執行中 犯罪與否의 決定權者가 派遣国 当局이나 또는 接受国当局이냐에 따라 特定犯罪의 管轄权 帰属이 左右될수 있고 紛爭이 惹起될 可能性이 濃厚함으로 (7) 우리側은 犯罪捜査의 主体인 檢事를 決定权者로 한데 対하여 (ㄴ) 美側은 軍指揮官이 証明을 発行하는 것으로 하였다.	1. 美国側 草案 (1) 軍指揮官이 公務執行中 犯罪証明을 発行하게 되어 있는 예는 다음과 같다. (7) West Indies (1961) 9조 11항 ① 軍指揮官의 証明은 最終的이다 ② 軍指揮官은 接受国 当局의 異議를 考慮한다 (ㄴ) Germany (1959) 18조 ① 派遣最高当局이 / 派遣国法에 따라 決定한다 ② 独逸当局은 証明에 따라 裁判한다 ③ 異议가 있으면 外交交涉을 通하여 解決한다 (ㄷ) Japan (1960) 17조 3(a)(ii)항 ① 軍指揮官 発行 証明은 反証이 없는 限 充分한 証拠이다. ② 刑訴法 318條를 害하는 것은 아니다. ③ 英国 Visiting Forces Act(1952) ① 軍事当局이 発行한 証明은 反証이 없는限 充分한 証據이다. (2) 派遣国의 軍指揮官이 証明을 発行하는 것이 一般的인 先例이다. 2. 韓国側 草案 韓国側 草案에 類似한 形態는 다음과 같다. (7) Philippine (1947) 13조 4(b) 国家的 非常사태下에서 ① 檢事는 公務執行中 犯罪 여부를 決定한다 ② 美軍指揮官의 異議에 対하여 法務部長官이 最終的으로 決定한다.	第一案 1. 管轄地方法院이 最終的으로 決定한다. 第二案 1. 美軍当局의 最高軍司令官이 美国法에 따라 証明한다 2. 反証이 없는 限 充分한 証明力을 갖는다. 3. 刑訴法 308條를 害하는 것은 아니다. 第三案 1. 美軍当局의 最高軍司令官이 美国法에 따라 証明 2. 反証이 없는 限 充分한 証明力을 갖는다. 3. 異议가 있을 境遇 合同委員会에서 決定한다. 第四案 1. 美軍所属 师团의 法務官이 証明한다. 2. 反証이 없는 限 充分한 証明力을 갖는다. 3. 異议가 있을 境遇 合同委員会에서 決定한다. 第五案 1. 美軍所属 师团의 法務官이 証明한다. 2. 韓国当局은 그 証明에 따라 裁判한다. 3. 反証이 있는 境遇 合同委員会에서 決定한다. 第六案 1. 美軍所属 师团의 法務官이 証明한다. 2. 韓国当局은 그 証明에 따라 裁判한다. 3. 反証이 있는 境遇 駐韓美外交使節을 通하여 決定한다.

(13-5)

0145

內容	韓國案	美國案	問題點	先例槪規	解決試案(優先順位) (1.2.3項全般에 關함)
(2) 證據의 證明力	異議를 提起할 수 있다.	美軍指揮官의 證明은 最終的이다.	證據의 證明力을 認定함에 있어서도 다음과 같은 境遇가 있다. (ㄱ) 一段 充分한 證明力을 認定하나 反證을 들 수 있게 한 境遇 (ㄴ) 最終的으로 證明力을 認定하는 境遇	(1) 軍指揮官의 證明의 證明力을 認定함에 있어서도 다음과 같은 類型이 있다. (ㄱ) 充分한 (Sufficient) 證明力 ① Japan ② Visiting forces Act (영국) (ㄴ) 最終的인 (Conclusive) 證明力 ① West Indies ② 美側 草案 (ㄷ) 證明에 따라 (in confrmity with) 判決 ① Germany (2) 一段 充分한 證明力을 認定하나 反證을 들수 있는 것이 一般的이다.	第七案 1. 美軍所屬師團의 法務官이 證明한다. 2. 그 證明力은 暫定的 決定을 위하여 最終的이다. 3. 例外的으로 反證이 있는 境遇 合同委員會에서 決定한다. 〔註〕 戰斗地域內에서의 專屬管轄權을 行使하여야 한다는 美側主張에 対한 妥協策으로서 第三, 第四案 및 美提案이 考慮됨.
(3) 反證이 있는 境遇의 解決	韓國法務部長官이 最終的으로 決定한다.	없다	(1) 證明의 證明力을 充分히 認定하는 境遇에도 反證을 (ㄱ) 接受國의 法務部長官 (ㄴ) 合同委員会, (ㄷ) 外交交涉 等을 通하여 解決하는 先例가 있다. 接受國当局이 最終的으로 決定하는 것은 裁判의 迅速을 期할수 있으나 一方的일 傾向이 濃厚하다. (ㄴ) 合同委員会 外交交涉을 通하여 決定하는 것은 派遣國과 接受國의 主張을 反映 시킬 수 있는 長点이 있으나 意見의 一致를 보지 못하는 境遇에는 裁判의 遲延을 招来할 憂慮가 있다.	(1) 反證이 있는 境遇의 解決 機關 (ㄱ) 法務部長官이 決定 ① Philippine (ㄴ) 合同委員会에서 決定 ① Dominican Republic ② Japan (ㄷ) 外交代表를 通하여 解決 ① Germany (2) 合同委員会 또는 外交交涉을 通하여 解決을 模索하는 것이 一般的으로 認定된 先例이다.	

(18~8)

0146

內容	韓國案	美國案	問題点	先例槪規	解決試案(優先順位)
(4) 定義	(1) 公務執行中 行하여진 行爲 또 不作爲로서 公務와 直接關聯된 犯罪 (2) 公務執行中 모든 行爲를 包含하는 것이 아니고, 特定公務의 正常的 機能으로서 要求되는 行爲로부터 離脫한 行爲는 公務밖의 行爲이다.	公務執行中 行하여진 行爲 또는 不作爲에 起因한 犯罪	(1) 特定事件이 公務執行中 犯罪인가의 與否는 定義 規定如何에 따라 解釋上의 論爭이 일어날 可能性이 濃厚하다. (2) 美側의 定義는 漠然하여 實地 運營上 紛爭의 餘地가 많으며 (3) 우리 草案은 比較的 具體的으로 規定하였다. (4) 美側은 公務執行中 犯罪의 定義는 軍指揮官만이 決定할수 있다는 立場을 取하고 있어 兩側의 主張을 調和하는 길을 模索할 필요가 있다.	1. 美國側 草案 美側의 公務執行中 犯罪의 定義는 (ㄱ) NATO 7조 3(a)(ii)항 (ㄴ) Japan 17조 3(a)(ii)항 (ㄷ) Iceland 2조 4(a)(2)항 (ㄹ) West Indies 9조 3(c)(ii)항 (ㅁ) Dominican Republic 11조 1)(b)항 등 本國協定에서 그 先例를 볼수 있으며, 一般的 規定이라 할수 있다. 2. 韓國側 草案 (1) 韓國側案과 同一한 先例는 볼수 없으나 本文의 定義는 (ㄱ) Philippine 18조 4(a)항 ① 特定軍事的任務의 實際的執行中 犯罪 規定과 類似하며 (ㄴ) 합의의사록의 定義는 國際的先例는 찾아볼수 없으나 다만, 1956년 1월자 U.S. Armed Forces, Far East Circular 中의 定義에서 例를 볼 수 있을 뿐이다. ① 公務執行中 모든 行爲가 아니다. ② 公務의 機能으로서 要求되는 行爲에만 適用 ③ 相當히 離脫된 行爲는 公務밖의 行爲이다.	第1案 1. 우리 草案의 定義를 主張한다. 2. A.G의 정의는 삭제하며 諒解事項으로 留保한다. 第2案 1. 우리 草案의 公務執行中 犯罪의 定義를 主張한다. 2. Provided 이하 句節은 A.G로 決定한다. 3. A.G의 公務執行中 行爲의 定義를 諒解事項으로 留保한다. 第3案 1. 우리 草案의 定義를 本文에 남긴다. 2. Provided 以下 및 A.G 中의 定義를 諒解事項으로 決定한다. 第4案 1. 우리 草案의 定義를 本文에 남긴다. 2. Provided 以下 및 3. A.G 중의 定義를 FEAF Circular 대로 修正하여 諒解事項으로 留保한다. 第5案 (美側案 受諾) 1. 定義 만을 本文에 決定한다. 2. Provided 以下 및 3. A.G중의 定義를 削除한다.

(18-9)

0147

內容	韓國案	美國案	問題点	先例槪觀	解決試案(優先順位)
7. 犯人의 引渡 1) 裁判前拘禁 7. 美国当局手中에 있을때	法官의 令狀提示와 同時 韓国当局에 引渡	司法節次가 끝나고 韓国当局이 要請할 때까지 美国当局이 保護 註; 다음規定은 韓国当局手中에 있을 때도 共司 適用됨. 1) 韓国当局의 嫌疑者에 対한 捜査 및 裁判을 為하여 要請할 때에는 應한다 2) 犯人을 拘禁할 때 韓国施設使用을 要請할수 있다	美国側은 韓国이 裁判权을 行使하여야 할 美国 軍隊構成員, 軍属및 家族인 被疑者의 拘禁에 対하여 다음과 같은 理由로 美軍当局이 保護할것을 強力히 主張하고 있음. ① 韓国收監施設이 美国人收監者를 保護하기 為한 施設로서 不適合 ② 審問時 拷問을 받을 可能性에 対한 憂慮 ③ 韓国当局의 警察的 節約도 된다	① JAPAN (60) NATO (53) Australia (63) Iceland (51) West Indis (61) 接受国当局이 正式으로 起訴(charge)할때까지 美国当局이 拘禁. ② P.I. (47) Ethiopia (53) Netherland (51) 犯人의 管理는 모든 境遇에 美軍当局이 担当 ③ greece (56) Nicaragua (58) 美国案과 同一 ④ West Indis 의 追加事項 美国当局은 接受国이 拘禁方法에 対한 特别한 意見을 表示하면 充分히 考慮한다. ⑤ Spain (53) 裁判이 終了하고 刑의 宣告가 있을때까지 美国当局이 拘禁 ⑥ United Kingdom (Bahama) (57) 両国当局间의 Special Arrangement 에 따른다.	1. 起訴되고 韓国当局이 要請할때까지 美国軍当局이 拘禁 (JAPAN, NATO 等) 2. 1. 韓国当局이 釋放 또는 無罪放免하거나 刑의 宣告를 할때까지 美国軍当局이 拘禁 (1) 美軍当局은 韓国当局에 拘禁을 移譲할수 있으며 特定事件에 있어 韓国当局의 移譲要請에 好意的 考慮를 한다. (2) 韓国의 安全에 対한 犯罪에 関한 拘禁은 韓国当局이 行한다 (Germany) 3. 美国案에다 다음 事項을 追加한다 韓国이 拘禁方法에 対한 特别한 意見을 表示하면 美軍当局은 充分히 考慮하여야 한다 (West Indies) 4. 引渡는 両国当局间에 Special arrangement 에 따른다 (Bahama)

(18-10)

0148

內容	韓國案	美國案	問題點	先例槪觀	解決試案(優先順位)
ㄴ. 韓國當局 手中에 있을 때	1) 正當한 事由가 없으면 美國當局에 保護를 引渡 2) 起訴되면 美國當局은 申請에 依하여 犯人의 保護를 韓國當局에 引渡	1) 直時 美國當局에 引渡하여 司法節次가 完了되고 韓國當局이 要請할 때까지 美國當局이 保護	前記 問題點과 同一	① Germany (59) 22條 1. 接受國은 派遣國當局이 要請있으면 犯人을 引渡 2. 接受當局이 釋放 또는 無罪放免하거나 刑의 宣告를 할 때까지 派遣國當局이 拘禁 3. 派遣國當局은 接受當局에 拘禁을 移讓할 수 있으며 特定事件에 있어 接受當局의 移讓要請에 好意的인 考慮를 한다 4. 接受國의 安全에 對한 犯罪에 關한 拘禁은 接受當局이 行한다. 5. 接受當局이 逮捕하였을 때는 逮捕된 者는 派遣國의 關係當局의 要請이 있으면 當該 關係當局에 引渡하여야 한다.	1. 韓國案대로 主張하되 正當한 事由 有無에 對하여는 双方이 合同委員會에서 協議 2. 韓國當局이 逮捕하였을 때에는 逮捕된 者는 美軍當局이 合同委員會를 通하여 要請이 있다면 當該 關係當局에 引渡 (Germany와 Spain案 折衷)

(18-11)

0149

內容	韓國案	美國案	問題點	先例規定	解決試案(優先順位)
				② Spain (53) 美國 當局이 Mixed Commission 에 引渡를 要請할 수 있고 Mixed Commission 은 이를 拘禁 當局에 要請할 때 拘禁 當局은 美國當局에 犯人을 引渡한다. ③ Lybia (54) 美國側의 釋放 要請으로 引渡 ④ JAPAN (60) .... 韓國案과 同一	
2) 刑의 服役中 拘禁 (Posttrial Custody)					
ㄱ. 美國當局이 請求한 刑의 執行	1) 美軍當局이 協力을 要請하면 韓國當局이 好意的인 考慮를 한다.	1) 左 仝	無	Japan (60) NATO (53) AUStralia (63)	双方案 同一
ㄴ. 韓國當局이 請求한 刑의 執行		1) 美國當局이 保護의 引渡를 要求하면 韓國當局이 好意的인 考慮를 한다.		他國協定에는 全然 이러한 規定는 없음	1. 削除主張 2. 韓國側이 刑의 執行를 願하지 않을 때에는 美國側에 執行를 要請할 수 있다. 3. 美國側案을 受諾하되 記錄上에만 남기고 本文으로 부터는 削除 主張 4. 美國側案을 그대로 受諾.

(18-12)

0150

內容	韓國案	美國案	問題点	先例概況	解決試案(優先順位)
8. 証人의 召喚	1. 美軍人 및 軍屬이 韓國當局에 依하여 証人으로 召喚되면 出頭하여야 한다. 2. 証人으로 召喚된 者가 出頭하지 않는 境遇 韓國當局은 法에 따라 必要한 措置를 取한다. 美軍當局은 韓國法官이 発付한 召喚狀이 提示되면 韓國當局이 이를 執行토록 即時 모든 措置를 取하여야 한다.	1. 美軍人이 証人이나 被告로 召喚될 時 出頭가 韓國法에 依하여 强制되는 때에만 美國當局은 該人을 出頭시킨다. 但, 軍事上의 非常事態時는 除外한다. 軍事上의 非常事態時로 出頭할 수 없는 境遇에는 美國當局은 出頭可能한 予定期間을 記述한 証明書를 提示하여야 한다. 2. 美國當局이 韓國國民이나 居住人을 証人이나 專門家로 必要할 경우 韓國當局은 韓國法에 따라 그들을 出頭시켜야 한다. 이 경우 美國當局은 韓國檢察總長 또는 韓國政府當局이 指定하는 其他 機關을 通하여 한다.	1. 韓國側案에는 美軍人 및 軍屬이 韓國當局에 依하여 召喚되면 반듯이 出頭도록 되어 있으나 美側案에는 美軍人이 証人및 被告로 召喚되는 경우 軍事上의 非常事態時는 應하지 않는다는 規定을 하고 있으므로 軍事上의 非常事態時는 韓國司法權의 制限을 招来케되고 特히 被告로서도 出頭하지 않겠다는 것은 매우 韓國司法權의 重大한 侵害를 意味하는 것이다. 2. 美側案에는 韓國國民이나 居住人을 証人이나 專門家로 出頭시킬 수 있게 되어 있으나 韓國案에는 이와같은 規定이 없다. 이와같은 規定이 없으면 美國當局은 다만 証人의 出頭에 있어 協助를 要請할수 있을 뿐이며 반듯이 出頭를 保障받을 수 없게 된다. 그것은 美軍當局이 韓國國民이나 居住人에 対한 司法權이 없기 때문이다. 然이나 被疑者는 그 權利中 强制的 節次에 依하여 自己에게 有利한 証人을 獲得할 權利가 있으며 또한 國家間의 司法的協力이라는 點에서 이를 認定하지 않기에는 困難하지 않을까하고 고려된다	1. 証人召喚에 있어 相互協助한다는 規定은 모든 SOFA에서 찾을 수 있다. (US-Japan, NATO, US-Australia, US-Nicanagua, US-Libya, US-Spain, US-Ethiopia, US-WestIndies) 2. 接受國은 接受國國民이나 居住人을 派遣國軍當局에 証人으로 出頭시키는데 있어 必要한 措置를 取한다는 規定을 한것도 있다 (US-Ethiopia, US-Iceland). 3. 「NATO 独逸 補充協定」(美側案과 類似한 規定을 하고 있다) ① 派遣國軍 및 軍屬은 独法上 强制的인 것을 條件으로 召喚되면 独法院이나 當局에 出頭토록 하여야 한다. 但 軍事上의 非常事態時는 除外한다 ② 家族도 可能한 限 出頭토록 하여야 하며 그렇지 않은 境遇 独法에 따라 召喚한다. ③ 派遣國軍當局에 依하여 召喚할수 없는 者가 証人이나 專門家로 必要한 境遇 独法院및 當局은 独法에 따라 이들을 派遣國軍當局에 出頭토록 하여야 한다.	1 (1) 韓國案에 아래 規定을 補充한다. 1) 美軍人이 証人으로 召喚될 時 軍事上의 非常事態인 경우 韓國當局은 이를 考慮하여 出頭를 延期시킬 수 있다. 2) 軍屬 및 家族은 韓國法에 따라 召喚한다. (2) 韓國國民이나 居住人의 出頭에 關한 美側案을 諒解事項으로 받아 드린다. 2 (1) 1) 美軍人에 限한다. 2) 被告는 除外된다 3) 軍事上의 非常事態期間이 終了하면 곧 出頭시킨다. 는것을 條件으로 美側案을 受諾한다. (2) 美國案을 受諾한다

(18-13)

0151

內容	韓國案	美國案	問題點	先例槪況	解決試案(優先順位)
9. 美軍施設內外警察權					
(1) 施設內	10項(a) 美軍正規編成部隊 및 編成隊의 施設內에 있어서의 警察權을 認定. 該隊의 憲兵은 施設內의 秩序安全을 維持하기 爲하여 適切한 措置를 取한다.	10項(a) 同一	無	美日 協定內容과 同一	
(7) 美軍側의 權限	RE 10.(a)(b) 美軍当局은 美軍및 軍属을 체포한다.	RE 10(a)(b) 美國当局은 通常 모든 체포를 한다.	美國案에 依하면 韓國裁判管轄權에 屬하는 者를 韓國法에 依하지 않고 (체포영장의 발부등) 체포되는 境遇 우리의 범의이 不當하게 침해당하게 될 우려가 있다. (註) 1. 憲法 第10條 3項 參照 2. 美軍家族에 對한 체포권 問題는 裁判管轄權의 適用範圍項을 參照	1. 美日協定 17條에 對한 합의의사록 1에는 美側案과 同一하게 規定함. 2. 其他 大槪의 協定文에는 all appropriate measures 정도로만 그치고 이와 같이 具體的인 例는 찾아볼수 없은.	1. 美軍当局은 現行犯以外에는 美軍裁判管轄에 屬하지 않는 者를 체포할 수 없다. 2. 美軍当局은 通常 모든 체포를 할수 있다. 但 韓國人은 現行犯만을 체포할 수 있다. 3. 美軍当局은 통상 모든 체포를 할 수 있다 (美案과 同一). 但 체포영장 問題와 現行犯체포 問題에 關한 우리측 立場을 諒解事項으로 記錄에 收錄토록 한다.

(19 - 14)

0152

內容	韓國案	美國案	問題点	先例概觀	解決試案(優先順位)
(1) 韓國側의 權限	RE 10 (a) (b) 韓國当局은 韓國管轄에 属하는 者를 다음 境遇에 체포할 수 있다 1. 美軍当局이 同意時 2. 重罪를 犯한 現行犯 追跡時 韓國当局이 美管轄權外에 属하는 者의 체포를 要請時 即時체포하여 지체없이 引渡한다.	(없음)	1. 重罪를 犯한 現行犯을 체포할 수 없게 된다. 2. 其他 犯法者를 適時에 체포할 수 없다. 3. 政治的 亡命 提供問題가 惹起될 수 있다.	1. 美日協定에는 韓國案과 同一한 內容이 規定됨. 2. 美·比協定에는 軍当局의 許可없이는 原則的으로 如何한 逮捕도 할수 없게됨 (14條 1項) 3. 1963年 5月9日에 조인된 美·Australia 協定 第20條 3項에는 美軍이 指定하는 特定建物 및 地域에는 美当局의 許可없이는 아무도 들어갈수 없게 規定됨 4. 政治的 亡命 提供問題에 関한 先例로서는 美·比協定 13條 7項에 軍基地에는 亡命權을 주지못하도록 規定됨	
(2) 施設가	10項 (b) 施設外에는 美軍軍警察을 반드시 韓國当局과 이루어진 前次에 따라 韓國当局과 連絡하여 美軍構成員의 規律 및 秩序維持에 必要한 範囲 內에서 使用할수 있다.	10項 (b) 施設外에서는 美軍軍警察을 반드시 韓國当局과 이루어진 前次에 따라 韓國当局과 連絡하여 美軍構成員의 規律및 秩序維持와 그들의 安全을 保障하기 爲하여 必要한 範囲 內에서 使用할수 있다.	1. 美國案의 安全保障句節은 美軍의 警察權을 拡大시키게 될 우려가 있다. 2. Security measures 條項 参照	1. 美日이나 NATO 및 其他協定에서는 찾아 볼 수 없다. 2. 1963年 5月9日에 조인된 美·Australia 協定 20條 2項 (b)에 類似한 規定이 있다. 3. 美独協定 28條 ① 軍의 憲兵은 공공 道路 輸送機関 飲食店및 其他 一般大衆이 出入하는 모든 場所를 巡察할 權限을 가지며 軍構成員, 軍属 및 家族에 関하여 秩序와 規律을 維持 하기에 必要한 措置를 取한다. 이 權限의 세부내용에 関	

(18-15)

0153

事項	韓國側案	美國側案	問題點	先例概觀	解決試案(優先順位)
				하여는 必要에 따라 相互 密接한 連絡을 維持하게끔 軍當局과 地方當局이 合意한다. (ㅁ) 万一 軍構成員, 軍屬 및 家族이 関聯된 事故로 因하여 공공 秩序와 安全이 위협되거나 문란해질 境遇에는 軍의 憲兵은 地方當局이 要請時 秩序와 規律을 維持 或은 회복시키기 爲하여 軍構成員 軍屬 및 家族에 対하여 適切한 措置를 取한다.	
(3) 施設內外 및 周辺에 있어서의 現行犯 逮捕問題 (ㄱ) 美軍側의 逮捕權限	RE. 10. (a) (b) 美軍當局은 施設內및 周辺에서 正當한 法節次에 依據 施設의 安全에 関한 既遂및 未遂現行犯을 逮捕할 수 있다.	RE 10. (a) (b) 美國當局은 施設周辺에서 施設의 安全에 関한 既遂 및 未遂現行犯을 逮捕 或은 拘禁할수 있다.	1. 正當한 法節次에 依하지 않아 美軍의 施設內 및 周辺에서의 警察權이 拡大되며 남용될 우려가 있다. 2. 韓國裁判管轄에 屬하는者는 拘禁하지 않고 卽時 韓國當局에 引渡하여야 할 것이다. (註) 憲法 第10條 參照	1. 美日協定은 韓國案과 同一하게 規定됨. 2. 美·에치오피아(17條 8項) 및 美·아이스랜드(부록 2條 10項) 協定에는 合同勤務時 接受國管轄에 屬하는 者에 対하여는 接受國側이 絶対的인 權限을 갖도록 規定되고 있다. 3. NATO 協定에 依한 美·独協定 20條 1및 2項에는 管轄에 屬하지 않는 者를 다음 境遇에 暫定的으로 逮捕할수 있다. 가. ① 現行犯으로서 身分이 판명되지 안았거나 도주할 우려가 있다고 믿어 질때	

(18~16)

0154

內容	韓國側案	美國側案	問題点	先例槪觀	解決試案(優先順位)
				② 韓軍当局이 要請時 軍隊構成員, 軍属 및 家族. ③ 駐還当局이 要請時 나. 지체할수 없으며 駐還当局에서 節次를 取할 수 없을때 施設에 対한 犯罪를 犯하였거나 破還法律上의 可罰性犯罪者.	
(나) 現行犯의 引渡	RE10 (a) (b) 美軍当局의 管轄에 属하지 않는 者는 即時 韓国当局에 引渡한다.	RE10 (a) (b) 美軍構成員, 軍属 및 家族이 아닌 者는 即時 韓国当局에 引渡한다.	施設내 및 周辺에서 現行犯으로 美軍当局이 逮捕한 者는 ㉮ 美国의 裁判管轄权에 服할 美軍人, 軍属 및 家族. ㉯ 韓国의 裁判管轄权에 服할 美軍人, 軍属 및 家族. ㉰ 韓国人 및 第三国人으로 区別할수 있으나, 美国側案에 依하면, ㉰만 韓国側에 引渡하게 되고, 韓国側案에 依하면 ㉯㉰는 韓国側에 引渡하게 된다. 参照 : 逮捕 및 拘禁項.	1. 美日協定은 韓国案과 同一하게 規定하고 있다.	

(8~17)

0155

內容	韓國案	美國案	問題点	先例規定	解決試案(優先順位)
10. 戰時下에 刑事裁判權管轄問題	없음	韓美相互防衛條約 第2條에 該當하는 戰爭狀態가 勃発하였을때는 刑事裁判管轄權에 関한 本協定의 諸規定은 即時 그 効力이 停止되고 美国当局이 美軍構成員 軍属 및 家族에 対한 專屬的인 裁判管轄權을 行使할 權限을 갖는다.	1. 戰爭遂行과 直接関係으로 全然 関係가 없거나 或은 戰斗能力에 아무런 影響을 미치지 않을 刑事犯에 対하여도 專屬的 裁判管轄權을 認定하게 된다. 2. 刑事犯에 対한 pending case 를 解決할 방도가 明示되어있지 않다.	1. 美日協定 17條 11項에는 戰爭勃発時 両国政府가 모두 60日間의 기간을 둔 一方的인 通告로서 刑事裁判管轄權에 関한 條項의 如何한 規定도 그 効力을 停止시킬수 있는 權限을 갖도록 規定되고 그후 그 措置를 協議할수 있게 되어있다. 2. NATO協定 15條에는 一方当事国이 他方当事国에 60日前의 通告로서 協定의 어떤 條文도 그 適用을 停止시킬수 있다. 当事国들은 停止되는 條文을 代置하기 為하여 直時 協議하되 特히 出入国問題나 刑事裁判管轄權 問題에 関하여 協議修正토록 한다. 3. 美, 比 協定은 戰時에 美軍이 犯한 어떠한 犯罪에 対하여도 美国이 專屬的 刑事裁判權을 行事하게 規定되어 있다. (13條 6項) 4. 美, 도미니카 間의 協定에도 戰時에는 美国이 專屬的 刑事裁判管轄權을 行事하게 規定됨 (12條 1項 6)	1. 韓美相互防衛條約 第2條에 해당하는 戰爭狀態가 勃発하였을 時에는 즉시 刑事裁判管轄權에 関한 諸規定의 部分的인 修正 혹은 一部効力停止를 為하여 韓美両当局이 協議한다. 2: 美国案受諾

(18~18)

검토필(1964. 5. 20.)

0156

기 안 용 지

자체통제		기안처	미주과 이근팔	전화번호	근거서류접수일자

과장	국장	차관	장관		

관계관 서명	

기안년월일	1965. 4. 2.	시행년월일		보존년한		정서	기장
분류기호	외구미 722.2—	전체통제	1965 종결				

경유 수신 참조	법무부장관, 참조: 검찰국장 및 법무국장 보건사회부장관, 참조: 노동청장 국방부장관, 참조: 기획국장	발신	장관

제목	미주둔군지위협정 체결 교섭 촉진위원회 개최 통보

1. 당부에서는 대통령각하의 5월 방미를 앞두고 현안인 한.미간 주둔군지위협정 체결 교섭에서 상금 합의를 보지 못하고 있는 형사재판관할권을 위시한 민사청구권, 노무조달, 및 토지시설등 각 조항의 제문제점을 일괄 타결하고 가능하면 대통령 각하 방미 시에 조인코저 하며 만약에 그 것이 여의치 못할 시에는 대통령각하 방미중에 중요 미합의문제를 일괄 타결코저 ~~한 후 오는 6월 말까지 서울에서 조인코저~~ 예의 추진중에 있읍니다.

2. 금번 장관일행이 방미 시에도 본 교섭의 조기 타결에 관한 미국정부 고위층의 성의를 촉구하였던바 미국정부로서도 우리 정부의 조기 타결원칙에 찬동하였으나 우리측이 협정의 핵심인 형사재판관할권조항에서 관할권의 포기에 관한 현 입장을 가능한 한 확보하기 위하여서는 민사청구권, 노무조달, 및 토지 시설등 각 조항에서 미국측 입장을 참작하지 안는 한 조기타결은 난망일 것

승인서식 1-1-3 (11—00900—03) (195mm×265mm16절지)

0157

으로 판단하였읍니다.

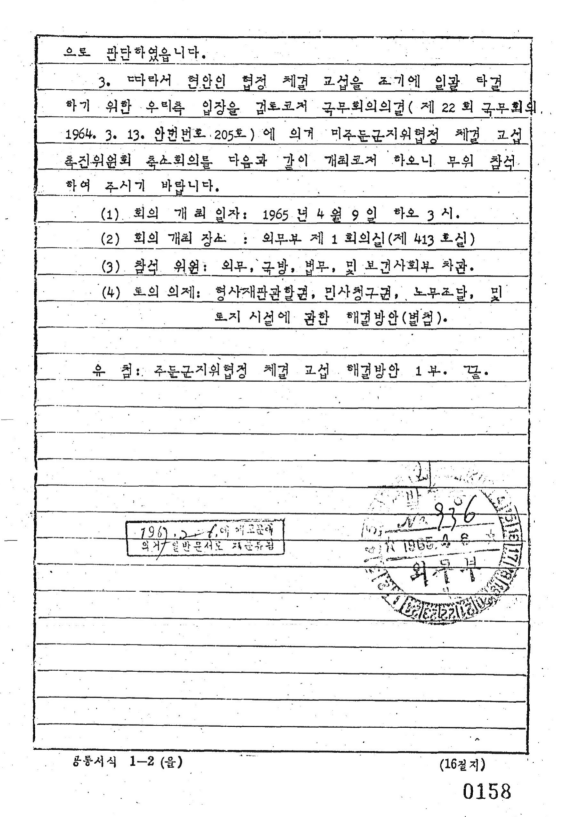

3. 따라서 현안인 협정 체결 교섭을 조기에 일괄 타결하기 위한 우리측 입장을 검토코저 국무회의의결(제 22 회 국무회의 1964. 3. 13. 안번번호 205호)에 의거 미주둔군지위협정 체결 교섭 촉진위원회 축소회의를 다음과 같이 개최코저 하오니 무위 참석하여 주시기 바랍니다.

(1) 회의 개최 일자: 1965 년 4 월 9 일 하오 3 시.

(2) 회의 개최 장소 : 외무부 제 1 회의실(제 413 호실)

(3) 참석 위원: 외무, 국방, 법무, 및 보건사회부 차관.

(4) 토의 의제: 형사재판관할권, 민사청구권, 노무조달, 및 토지 시설에 관한 해결방안(별첨).

유 첨: 주둔군지위협정 체결 교섭 해결방안 1부. 끝.

196 . . 에 예고문에 의거 일반문서로 재분류됨

No. 936
1965. 4. 8
외무부

공통서식 1—2 (을) (16절지)

0158

외 무 부

외구미 722.2 1965.4.6.

수신 배부처 참조

제목 미주둔군지위협정 체결 교섭 촉진위원회 개최통보

1. 당부에서는 대통령각하의 5월 방미를 앞두고 현안인 한·미간 주둔군지위협정 체결 교섭에서 상금 합의를 보지 못하고 있는 형사재판관할권을 위시한 민사청구권, 노무조달 및 토지시설등 각조항의 제문제점을 일괄 타결하고 가능하면 대통령각하 방미시에 조인코저 하며 만약에 그것이 여의치 못할시에는 대통령각하 방미중에 중요 미합의문제를 일괄 타결코저 예의 추진중에 있읍니다.

2. 금번 장관일행이 방미시에도 본교섭의 조기 타결에 관한 미국정부 고위층의 성의를 촉구하였던바 미국정부로서도 우리정부의 조기 타결원칙에 찬동하였나 우리측이 협정의 핵심인 형사재판관할권 조항에서 관할권의 포기에 관한 현 입장을 가능한한 확보하기 위하여서는 민사청구권, 노무조달 및 토지시설등 각 조항에서 미국측 입장을 참작하지 않는한 조기타결은 난망일것으로 판단하였읍니다.

0159

3. 따라서 현안인 협정체결 교섭을 조기에 일괄 타결하기 위한 우리측 입장을 검토코저 국무회의의결 (제22회 국무회의 1964.3.13 안건번호 205)에 의거 미주둔군지위협정 체결 교섭 촉진위원회 축소회의를 다음과 같이 개최코저 하오니 무위 참석하여 주시기 바랍니다.

(1) 회의개최일자: 1965년 4월 9일 하오 3시.

(2) 회의개최장소: 외무부 제1회의실 (제413호실)

(3) 참석위원: 외무, 국방, 법무, 및 보건사회부 차관

(4) 토의의제: 형사재판관할권, 민사청구권, 노무조달 및 토지시설에 관한 해결방안 (별첨).

유첨 — 주둔군지위협정 체결 교섭 해결방안 1부. 끝

외 무 부 장 관 이 동 원

배부처: 법무부장관 (참조. 검찰국장 및 법무국장)
보건사회부장관 (참조. 노동청장)
국방부장관 (참조. 기획국장)

0160

0161

외 무 부   문 서 보 존 실

1.

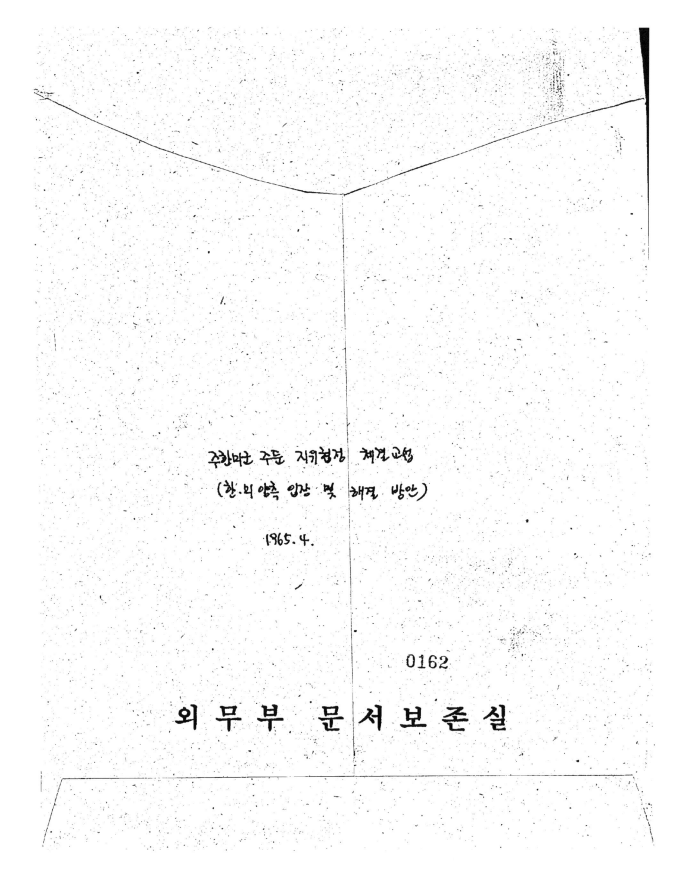

주한미군 주둔 지위협정 체결교섭
(한.미 양측 입장 및 해결 방안)

1965. 4.

0162

외 무 부 문 서 보 존 실

1/20

駐韓美駐屯軍地位協定締結交涉

(韓·美両側立場및解決方案)

1965. 4

196?. 1. 6.에 예고문에 의거 일반문서로 재분류됨

外 務 部

0163

1. 刑事裁判管轄權

題目	NATO		美國側案	韓國側案	解決方法
	美日協定(合意議事錄1960)	独逸補充協定(1959 1963)			
1. 管轄权의 適用範囲	美軍法에 服하는 모든者		美軍人, 軍屬, 家族	美軍法에 服하는 모든者	우리측案主張
(1) 派遣國軍当局의 管轄权에 服하는者	範囲는 合同委員会를 通하여 日本政府에 通告	管轄权放棄判定은 派遣國法에 依함			
(2) 管轄权行使機關 (가) 派遣國 (나) 接受國	美國軍当局 日本國当局	派遣國当局 接受國当局	美國当局 大韓民國民事当局	美國軍当局 大韓民國当局	美國当局 諒解事項: 美國当局은 韓國内에 一般法院을 設置할수 없다. 大韓民國当局 合意議事錄: 美軍人 軍

-33-

0164

題 目	N A T O		美國側案	韓國側案	解決方案
	美日協定(合意議事録 1960)	獨逸補充協定(1959/1963)			
					民 家族을 韓國軍法会議에 回附하지 않는다.
(1) 適用地域	接受國全領域		(1) 戒严令宣布地域: 美國当局이 專屬的 管轄权行使 (2) 韓國領域外犯罪: 韓國은 管轄权을 行使할수 없다.	大韓民國全領域 削除要求 削除要求	戒严令宣布期間中 美國当局의 管轄权抛棄 要請에 特別한 考慮 韓國刑法第5條의 國外犯에 該当하는 美軍人 軍属 및 家族에게도 本條의 諸規定이 適用된다.

-34-

0165

題目	NATO: 美日協定(合意議事錄1960)	NATO: 独逸補充協定(1959/1963)	美國側案	韓國側案	解決方案
2. 專屬的管轄权 (1) 接受國의 管轄权行使	接受國의 安全에 関한 犯罪를 包含하여 美國法에 依하여 處罰될수 없는 犯罪에 対하여 專屬的管轄权 行使		(1) 韓國의 安全에 対한 犯罪를 包含하여 美國法에 依하여 處罰될수 없는 犯罪에 対하여 專屬的 管轄权 行使	(1) 同左	
(2) 接受國当局의 抛棄			(2) 美國当局의 管轄权抛棄 要請에 対하여 韓國当局이 好意的考慮	削除要求	削除要求

-35-

0166

題目	NATO		美國側案	韓國側案	解決方案
	美日協定(合意議事錄1960)	独逸補充協定 (1959/1963)			
3. 管轄权의 競合 (1) 派遣國当局의 第一次管轄权 (가) 美軍関係者의 相互間犯罪	美國의 財産 또는 安全에 対한 犯罪 또는 美軍人 軍属 및 家族의 身体 또는 財産에 対한 犯罪		同左	同左	
(나) 公務執行中 犯罪	(1) 指揮官의 証明書은 反証이 없는限 充分한 証據 (2) 刑訴法 318條	(1) 派遣國의 最高関係当局이 派遣國法에 따라決定 (2) 独逸当局은 証明에 따라 裁判 (3) 但 独逸当局의 要請에 따라 再審될수 있다.	1. 所屬美軍의 权限있는 当局이 発行한 証明書는 管轄权決定을 爲한 事実의 充分한 証據 2. 韓國検察總長이 反証이 있다고 思慮하는 例外的	1. 美軍法務官이 指揮官을 代身 発行한 証明書는 管轄決定을 爲한 事実의 充分한 証據 2. 韓國地方検察庁 検事長이 反証이 있다고 思慮하는	우리側案 主張

-36-

0167

題目	NATO 美日協定(合意議事錄/960)	NATO 独逸補充協定(1959/1963)	美國側案	韓國側案	解決方案
			境遇 韓國関係官 및 駐韓美國外交使節間에 再審할 수있다. 諒解事項 a. 証明書는 條正되지 않는限 拘束力을 갖는다. b. 再審遅延으로 因하여 被疑者의 迅速한 裁判을	例外的인 境遇 韓國関係官 및 駐韓美國外交使節間에 再審되어야 한다. 諒解事項 a 証明書는 修正되지 않는限 拘束力을 갖는다. 그러나 美軍当局은 韓國当局이 提示한 異議에 対하여 正当한 考慮	

-37-

0168

題目	N.A.T.O. 美日協定(合意議事録1960)	N.A.T.O. 独逸補充協定(1959/1963)	美國側案	韓國側案	解決方案
			받을 权利가 剝棄될수 없다	를 해야한다. 2. 同左	
(2) 接受國当局의 第一次的管轄权	美軍当局의 第一次的 管轄权에 属하지 않는 其他犯罪		同左	同左	
(3) 第一次的管轄权의 拋棄	管轄权 不行使時 他方当事國에 通告하여야 하며 他方当事國이 特히 重要視하는 第一次的管轄权의 拋棄要請에 対하여 好意的 考慮를 하여야 한다 第一次的 管轄权의 拋棄節次는 合同委員会에서 決定한다	(1) 独逸國은 派遣國의 要請에 따라 第一次的 管轄权을 拋	1. 韓國当局은 管轄权을 美国当局에 拋棄 2. 韓国当局은 特別한 事件에 있어서 管轄权을 行使함이 特히 重	1. 韓國当局은 美軍当局이 要請하면 管轄权을 行使함이 特히 重大하다고 決定하는 事件을 除外한 其他事件에 対한	우리側案 主張

-38-

0169

題目	NATO		美國側案	韓國例案	解決方案
	美日協定(合意記事錄(1960)	独逸補充協定(1959/1963)			
		棄한다. (2) 独逸國은 特定事件에 있어서 权利抛棄를 放回할수 있다	大하다고 認定하는 境遇 美國当局과 協議後抛棄를 撤回 3 韓國当局이 管轄을 撤回할수있는 境遇 ① 韓國의 安全에 対한犯罪 ② 故意的 殺人罪 ③ 强姦罪	管轄权을 抛棄 2, 韓國当局이 特히 重大하다고 決定하는 境遇는 다음 犯罪를 包含: ① 韓國의 安全에 対한 犯罪 ② 殺人罪 ③ 强姦罪 ④ 强盜罪 ⑤ 其他 重大한 故意犯 ⑥ 上記各犯罪의	

-39-

0170

題目	N A T O		美國側案	韓國側案	解決方案
	美日協定(合意議事録1960)	独逸補充協定(1959 / 1963)			
				旣犯 및 未遂犯	
4. 犯人의 逮捕 引渡 및 拘禁 (가) 裁判前 身柄拘禁 (1) 美国当局 手中에 있을時	接受國의 管轄权에 服하는 者가 美国当局 手中에 있을時 起訴時까지 美國이 拘禁	接受國의 管轄权에 服하는 者가 美国当局 手中에 있을時 起訴時까지 美國이 拘禁 (1) 独逸当局이 釋放하거나 刑의 宣告를 할時까지 派遣国当局이 拘禁 (2) 独逸의 安全에 関한 犯人의 身柄은 独逸当局이 拘禁	(1) 모든 司法節次가 끝나고 韓国当局이 要請할時까지 美国当局이 拘禁 (2) 韓国의 安全에 对한 被疑者의 身柄은 韓国当局이 拘禁 諒解事業 a. 韓国의 拘禁事情의 適否는	(1) 同左 (2) 同左 諒解事項 a. 韓国의 拘禁事情의 適否는	美国側案 受諾

-40-

0171

題目	NATO: 美日協定(合意議事錄1960)	NATO: 独逸補充協定(1959/1963)	美國側案	韓国側案	解決方案
			兩国이 相互合意 2. 韓国의 拘禁施設은 美国水準으로 보아 適当	兩国이 相互協議 2. 同左	
(2) 接受国当局手中에 있을 時	日本이 第一次管轄权을 갖고있는 犯人을 日本当局이 逮捕하였을 境遇 担当한 理由가 없는限 起訴時까지 美国이 拘禁	独逸当局이 逮捕時 派遣国当局의 要請이 있으면 犯人을 引渡하여야 한다.	即時 美国当局에 引渡하여 司法節次가 完了되고 韓国当局이 要請할時까지 美国当局이 拘禁	(1) 正当한 事由가 없는限 美軍当局에 引渡 (2) 모든 司法節次가 完了되고 韓国当局이 要請할時까지	美国側案受諾

-41-

0172

題目	NATO		美國側案	韓國側案	解決方案
	美日協定(合意議事錄1960)	獨逸補充協定(1959/1963)			
				지 美国当局이 拘禁	
(나) 刑의執行 (1) 美国当局이言渡한 刑의執行	美国当局이 協力을 要請하면 接受局当局이 好意的考慮		同左	同左	
(2) 韓国当局이言渡한 刑의執行			美國当局이 身柄의 引渡를 要請하면 韓国当局이 好意的으로考慮	削除主張	美国側案受諾
5. 被疑者의 权利	即時 迅速한 裁判을 받을 权利		同左 ① 韓国의 軍事裁判을 받지않을权利	同左 削除主張	美国側案 受諾

-42-

0173

題目	NATO		美国側案	韓国側案	解決方案
	美日協定(合意議事録1960)	独逸補充協定(1959, 1963)			
	派遣國政府代表와 接見하는 权利		同左	同左	
	但非公開裁判의 境遇는 除外	接受国의 安全과 両立할수 없는 境遇는 除外	① 逮捕拘禁即時부터 모든 節次에 参與할수 있는 权利	同左	
			② 拘禁時의 被疑者의 陳述은 有罪의 証據로 採証할수 없다	削除主張	우리側案 主張
			原審判決의 刑보다 重한 刑을 宣告받지 아니하는 权利	被告人이 上訴한 事件과 被告人을 為하여 上訴한 事件에 있어서는 原審判決의 刑보다 重한刑을 宣	美国側案 受諾

-43-

題目	NATO		美國側案	韓國側案	解決方案
	美日協定(合意議事錄1960)	独逸補充協定(1959/1963)			
				告받지 아니하는 权利	
			法律의 錯誤의 境遇를 除外하고는 檢察로부터 上訴당하지 아니하는 权利	削除主張	美国側案 受諾 (但 控訴까지는 除外)
			肉体的 또는 精神的으로 不適当한 境遇의 審判 不出頭权利	被告人이 審判에 出頭하거나 自己의 防禦에 参與하기에 身体上 또는 精神上 不適当한 때에는 出頭延期를 申請할수 있는 权利	우리側案 主張

-44-

0175

題目	NATO		美国側案	韓国側案	解決方案
	美日協定(合意議事録1960)	独逸補充協定(1959, 1963)			
			韓国法院当局은 違法 不当한 方法으로 蒐集된 証據를 採択하지 못한다.	拷问 暴行 脅迫 身体拘束의 不当한 長期化 또는 欺罔 其他의 方法으로 任意로 陳述한 것이 아니라고 疑心할만한 理由가 있는 自白 自認 其他陳述은 有罪의 証據로 할수없다.	美国側案 受諾

~45~

0176

題目	NATO		美国側案	韓国側案	解決方案
	美日協定(合意議事録1960)	独逸補充協定(1959/1963)			
6.戰爭発生時效力			(1) 刑事裁判管轄权條項은 即時 效力이 停止 (2) 美国当局은 美軍人 軍屬및 그들의 家族에 対하여 專属的 管轄权을 行使	(1) 韓.美 両国은 即時 刑事裁判管轄权 條項의 效力 停止與否에 関하여 協議	美国側案受諾

-46-

0177

2. 民事請求權

題目	美國案	韓國案	解決方案
1. 公務執行中 政府財產의 對한 損害 (軍隊財產 除外)	① 被請求國의 國內法에依據 解決 ② $1,400 以下의 損害 相互抛棄	① 相互合意下에 選出하는 1人의 韓國人 仲裁人을 通하여 解決 ② 損害額은 兩國政府가 分担 ㉮ 美國責任: 韓國 15% 美國 85% ㉯ 共同責任 或은 責任所在不明 韓國 50% 美國 50% ③ $800以下의 損害 相互抛棄	〔第一案〕 韓國案을 主張하되 NATO, 日本과 같이 美國責任時의 分担率을 韓國 25% 美國 75%로 하며, $1,400 以下의 損害 相互抛棄 〔第二案〕 美國案 受諾

-47-

0178

類目	美國案	韓國案	解決方案
2. 公務執行中 第三者에 對한 損害	① 美國法에 依據解決 ② 美軍構成員및 雇用員은 韓國民事裁判에 不服	① 韓國軍이 損害를 加하였을時 適用하는 韓國法에 依據 解決 ② 韓國當局의 決定에 不滿時 再審 但 裁判 除外 ③ 韓國이 支拂한 請求事件을 美國当局에 通告. 分担案에 合意 ④ 賠償額은 兩國政府가 分担 (分担率은 1項과 同一)	〔第一案〕 韓國案을 主張하되 分担率은 1項과 同一 〔第二案〕 一案을 主張하되 再審時 韓國當局은 賠償額을 美國当局과 協議하여 決定 〔第三案〕 一案을 主張하되 再審時 韓國当局은 賠償額을 美國当局과 相互合意下에 決定

~48~

0179

題目	美國案	韓國案	解決方案
		⑤ 每6個月마다 弗貨로 清算 ⑥ 美軍構成員 및 雇用員은 韓國民事裁判에 不服 ⑦ 本項은 協定發効 6個月 后부터 適用	
3. 非公務中에 일어나는 損害	① 美國政府는 美軍構成員 및 軍屬에 対한 其他請求에 好意的考慮를 하여 賠償金支拂	① 韓國当局이 調査、賠償金을 査定、美國当局에 通告 ② 美國当局은 賠償與否와	韓國案 主張

-49-

0180

提目	美國案	韓國案	解決方案
	② 被害者는 不満時 韓國의 民事訴訟提起	金額을 決定하며 被害者가 受諾時 支拂 ③ 被害者는 不満時 韓國의 民事訴訟提起	
4. 公務執行與否에 関한 紛争解決	各当事國은 그의 軍隊構成員 및 雇用員의 公務與否와 財産을 公務에 使用中이었는가의 與否決定	美軍構成員 및 雇用員의 公務與否와 車輛使用의 許可有無에 関하여 紛争発生時 仲裁人이 解決	美國案受諾
5. 契約上의 紛争	없음	① 当事者間에 未解決時 合同委員会가 調停 ② 当事者의 民事訴訟提起权 不侵害	韓國案 主張

0181

3. 勞務調達

題目	美國案	韓國案	解決方案
1. 勞務調達條項의 適用範圍 (1) 雇傭主 (2) 雇用人	(1) 美國軍隊 非歲出機關 軍契約者 (2) 美軍屬이 아닌 雇傭人 但 韓國勞務師團(KSC)과 家事使用人은 除外.	(1) 美國軍隊, 非歲出機關 (2) 韓國國籍을 가진 民間人	(1) 美國軍隊, 非歲出機關 軍契約者 (2) 美軍屬이 아닌 韓國國籍을 가진 民間人
2. 勞動條件의 適用範圍	本條項의 規定과 美國軍의 軍事上 必要에 相反되지 않는 限 勞動法 慣習과 慣例를 遵守	別途合意되지 않는 限 勞動法令을 遵守. 但 軍事上 必要로 韓國法을 遵守하지 못할 때 事前에 合同委員会에서 合意	本條項의 規定에 相反되지 않거나 別途合意되지 않는 限 勞動法令을 遵守. 但, 美軍이 軍事上 必要로 韓國法을 遵守하지 못할時 合同委員会에서 合意

-51-

0182

題目	美國案	韓國案	解決方案
3. 罷業權의 行使	韓國軍雇用人과 同一하게 罷業權을 行使 (罷業이 거의 不可能)	韓國法令에 依한 罷業權을 容認.	(1) 合同委員會에서 罷業權行使를 禁止當한 者를 除外하고 罷業權行使 (2) 上記案이 受諾되지 않을 境遇 間接雇傭制度를 再提案
4. 雇用人과 兵役義務	美軍業務遂行에 不可缺한 技術者에 対하여 名單을 提出하면 兵役義務를 免除하여야 한다.	事前에 要求하면 美軍業務遂行에 不可缺한 技術者에 対하여 兵役義務를 延期할수 있다.	美軍業務遂行에 不可缺한 技術者에 対하여 事前에 要求하면 兵役義務를 延期한다.
5. 紛爭解決節次	紛爭解決期間中 正常業務를 害하는 行爲不許	紛爭解決期間中 勞動廳에 回附된 날로부터 起算하여 爭議	(1) 紛爭解決期間中 合同委員會에 回附된 날로부터 起算하여 爭議法 第14條

題　目	美國案	韓國案	解決方案
		法 第14條에 規定된 冷却期間中 正常業務를 害하는 行爲 不許.	에 規定된 冷却期間中 正常業務를 害하는 行爲 不許 (2) 上記 3의 1案이 受諾되지 않을때에는 韓國法令에 依하여 解決할것을 提案

4. 土地 및 施設

題目	美國案	韓國案	解決方案
私有財産에 対한 補償	補償을 할수 없다.	美軍當局은 美軍이 使用하는 土地 및 施設中 私有財産에 対하여는 補償을 하여야 한다.	交涉進展상황을 보아 不可避할時 美側主張 受諾.

-54-

0185

3/50

韓美間駐屯軍地位協定締結交涉資料

(刑事裁判管轄權拋棄條項)

1969, 1, 6,에 예고문에 의거 일반문서로 재분류됨

보통문서로 재분류 (1966.12.31.

1965. 4.

外 務 部

0186

題目	NATO 美日協定(合意議事錄 1960)	NATO 独逸補充協定(1959 / 1963)	美國側案	韓國側案	解決方案
第一次管轄权의 抛棄	第一次的管轄权을 갖고있는 國家가 管轄权을 行使하지 않기로 決定하는 境遇 他方当事国에 通告하여야하며 他方当事國이 特히 重要하다고 思慮하는 第一次管轄权의 抛棄要請에 対하여 好意的 考慮를 하여야 한다		同左	同左	
	1. 第一次的管轄权의 抛棄節次는 合同委員会에서 決定	1. 独逸國은 派遣国이 要請하면 独逸國에 賦與된 第一次的 管轄权을 派遣國을 爲하여 抛棄하여야 한다 2. 派遣国軍当局은 抛棄에 該	1. 大韓民国은 美国当局이 美国法에 服하는者에 対하여 秩序와 規律을 維持할 主된 責任이	1. 大韓民国当局은 美軍当局이 美軍法에 服하는 者에 対하여 秩序와 規律을 維持	

0187

題目	美日協定 (合意議事錄, 1960)	独逸補充協定 (1959, 1963)	美國側案	韓國側案	解決方案
1		当되는 犯罪를 独逸当局에 通告 3. 独逸国은 特定事件에 있어서 特殊한 事情을 理由로 独逸의 司法行政의 重大한 利益을 爲하여 独逸의 管轄权行使가 不可避하다는 意見을 가질 境遇에는 関係当局에 通告하여 抛棄를 撤回할수 있다. 4. 独逸当局이 抛棄를, 撤回한	있음을 是認하고 第一次的 管轄权을 美國当局에 抛棄 2. 大韓民国当局은 美国当局과 協議後 大韓民国의 安全에 関한 犯罪, 強姦罪, 故意的 殺人罪에 関한 特定事件에 있어서 特殊한 事情을 理由로 大韓	할 主된 責任이 있음을 是認하고 美軍当局이 要請하면 大韓民国当局이 管轄权을 行使함이 特히 重要하다고 決定하는 境遇를 除外하고 第一次的 管轄权은 美軍当局에 抛棄	

~2~

0188

題目	NATO 美日協定(合意議事録 1960)	NATO 独逸補充協定(1959/1963)	美國側案	韓國側案	解決方案
		境遇 両国間에 合意가 이루어지지 않을時 派遣国外交使節은 独逸政府에 見解를 陳述 独逸政府는 両国의 利害関係를 正当히 考慮하여 外交経路를 通하여 解決해야 한다.	民国当局의 管轄権 行使가 極히 重要하다는 意見일때에는 그 意見을 美国当局에 通告 3. 管轄権 行使当局에 関하여 異議가 提起될時 最終決定前에 美国外交使節에게 大韓民国当局과 協議할수 있는機会가	2. 大韓民国当局이 내리는 決定에 관하여 異議가 提起될 境遇 美国外交使節에 大韓民国当局과 協議할수 있는機会가 賦與된다.	

題目	N.A.T.O 美日協定 (合意議事錄(1960))	N.A.T.O 独逸補充協定 (1959/1963)	美国側案	韓国側案	解決方案
	2. 日本国当局이 第一次管轄权을 抛棄하는 事件의 裁判과 公務執行中犯罪로서 日本国 또는 日本国民에	–	賦與된다. 4. 大韓民国当局이 第一次管轄权을 抛棄하는 事件의 裁判과 公務執行中 犯罪로서 大韓民国 또는 大韓民国国民에 対하여 犯해진 犯罪에 関聯된 事件의 裁判은 別途約定에 合意하지	3. 同左	

~4~

0190

題目	NATO 美日協定 (合意議事録, 1960)	NATO 独逸補充協定 (1959 / 1963)	美国側案	韓国側案	解決方案
	対하여 犯해진 犯罪에 関聯된 事件의 裁判은 別途約定에 合意하지 않는 限 犯罪地로부터 適当한 距離内에서		않는 限 犯罪地로부터 適当한 距離内에서 行하여 진다. 大韓民国代表는 그 裁判에 参席		

~5~

0191

題目	NATO		美国側案	韓国側案	解決方案
	美日協定 (合意議事録1960)	独逸補充協定 (1959/1963)			
	行하여진다 日本国代表는 그裁判에 參席				
		5. 軽微한 犯罪와 迅速한 処理를 為하여 派遣国軍当局과 独逸当局間에 約定이 이루어 질수 있다. 議定事項 (a) 特定事件의 詳細한 調査와 그調査의 結果에 따	5. 犯罪의 迅速한 処理를 為하여 通告없이 處理할수 있는 約定이 美国当局과 大韓民国当局間에 이루어 질수 있다.	4. 軽微한 犯罪의 迅速한 處理를 為하여 通告없이 處理할수있는 約定이 美軍当局과 大韓民国当局間에 이루어 질수 있다	

~6~

0192

題目	NATO 美日協定 (合意議事録 1960)	NATO 独逸補充協定 (1959/1963)	美国側案	韓国側案	解決方案
		를것을 그條件으로 独逸의 司法行政上의 重大한 利益을 爲하여 特히 다음과 같은 境遇 独逸의 管轄权行使가 不可避한 것으로 할수 있다. (1) 联邦高等法院이 第一審 및 最終審에 関與할 权限을 가진 犯罪 또는 檢察總長이 联邦高等法院에서 訴追할수 있는		諒解事項 大韓民国이 管轄权을 行使함이 特히 重要하다고 決定하는 事件의 範疇에 該当하는 犯罪는 다음과 같은 犯罪를 包含 (1) 大韓民国의 安全에 関한 犯罪	

~7~

0193

題目	NATO		美國側案	韓國側案	解決方案
	美日協定 (合意議事錄 1960)	獨逸補充協定 (1959, 1963)			
		犯罪 (ii) 사람을 죽이거나 또는 치사케한犯罪 強盜罪 強姦罪 上記各犯罪의 未遂 및 共犯 (b) 關係當局은 搜査上 緊密한 協助를 한다		(2) 사람을 죽이거나 또는 치사케한 犯罪 (3) 強姦罪 (4) 強盜罪 (5) 韓美兩國中 어느當局이 特히 重要하다고 認定하는 犯罪 (6) 未遂罪 및 共犯罪	

~8~

0194

Waiver of Primary Right to Exercise Jurisdiction

<table>
<tr><th colspan="2">NATO Status of Forces Agreement</th><th></th><th></th><th></th></tr>
<tr><th>U.S.-Japan SOFA</th><th>German SOFA</th><th>U.S. Draft</th><th>Korean Draft (1)</th><th>Korean Draft (2)</th></tr>
<tr><td colspan="2">Text:

Para. 3(c). If the State having the primary right decides not to exercise jurisdiction, it shall notify the authorities of the other State as soon as practicable. The authorities of the State having the primary right shall give sympathetic consideration to a request from the authorities of the other State for a waiver of its right in cases where that other State considers such waiver to be of particular importance.</td><td>Same</td><td>Same</td><td></td></tr>
<tr><td>Agreed Minutes:

1. Mutual procedures relating to waivers of the primary right to exercise jurisdiction shall be determined by the Joint Committee.

2. Trials of cases in which the Japanese authorities have waived the primary right to exercise jurisdiction, and trials of cases involving offenses described in paragraph 3(a) (ii)</td><td>Article 19

1. At the request of a sending State, the Federal Republic shall, within the framework of sub-paragraph (c) of paragraph 3 of Article VII of the NATO Status of Forces Agreement, waive in favour of that State the primary right granted to the German authorities under sub-paragraph (b) of paragraph 3 of that Article in cases of concurrent jurusdiction, in accordance with paragraph 2, 3, 4, and 7 of this Article.

2. Subject to any particular arrangement which may be made under paragraph 7 of this Article, the military authorities of the sending States shall notify the competent German authorities of individual cases falling under the waiver provided in paragraph 1.</td><td>Agreed Minute Re Para. 3

The Republic of Korea, recognizing that it is the primary responsibility of the United States authorities to maintain good order and discipline where persons subject to United States law are concerned, waives its primary right to exercise jurisdiction under paragraph 3b. In accordance therewith, the United States authorities shall notify the authorities of the Republic of Korea of their intention to exercise jurisdiction in such cases through the Joint Committee. When the authorities of the Republic of Korea, after</td><td>Agreed Minute Re Para. 3

The authorities of the Republic of Korea, recognizing that it is the primary responsibility of the United States military authorities to maintain good order and discipline where persons subject to United States military law are concerned, will, upon the request of the military authorities of the United States pursuant to paragraph 3 (c), waive their primary right to exercise jurisdiction under paragraph 3(b) except when they determine that it is of particular importance</td><td></td></tr>
</table>

0195

NATO Status of Forces Agreement				
U.S.-Japan SOFA	German SOFA	U.S. Draft	Korean Draft (1)	Korean Draft (2)
committed against the State or nationals of Japan shall be held promptly in Japan within a reasonable distance from the places where the offenses are alleged to have taken place unless other arrangements are mutually agreed upon. Representatives of the Japanese authorities may be present at such trials.	3. Where the competent German authorities hold the view that, by reason of special circumstances in a specific case, major interests of German administration of justice make imperative the exercise of German jurisdiction, they may recall the waiver granted under paragraph 1 of this Article by a statement to the competent military authorities within a period of twenty-one days after receipt of the notification envisaged in paragraph 2 or any shorter period which may be provided in arrangements made under paragraph 7. The German authorities may also submit the statement prior to receipt of such notification. 4. If, pursuant to paragraph 3 of this Article, the competent German authorities have recalled the waiver in a specific case and in such case an understanding cannot be reached in discussions between the authorities concerned, the diplomatic mission in the Federal Republic of the sending State concerned may make representations to the Federal Government. The Federal Government, giving due consideration to the interests of German administration of justice and to the interests of the sending State, shall resolve the disagreement in the exercise of its authority in the field of foreign affairs. 7. In the implementation of the provisions of this Article and to facilitate the expeditious disposal	consultation with United States authorities, are of the opinion that, by reason of special circumstances in a specific case involving an offense against the security of the Republic of Korea, or of forcible rape, or of a malicious killing, the exercise of Korean jurisdiction is of vital importance to the Republic of Korea in that case, they will notify the United States authorities of that opinion within fifteen days after receipt of notification that the United States intends to exercise jurisdiction. The United States shall not have the right to exercise jurisdiction within those fifteen days. If any question arises concerning who is to exercise jurisdiction the United States diplomatic mission will be afforded an opportunity to confer with the proper	that jurisdiction be exercised by the authorities of the Republic of Korea. In case where any question arises concerning such determination as may be made by the authorities of the Republic of Korea in accordance with the foregoing provisions, the United States diplomatic mission will be afforded an apportunity to confer with the proper authorities of the Republic of Korea. Trials of cases in which the authorities of the Republic of Korea waive the primary right to exercise jurisdiction, and trials of cases involving offenses described in paragraph 3(a) (ii) committed against the state or nationals of the Republic of Korea will be held within a reasonable distance from the place	

-10-

0196

U.S.-Japan SOFA	NATO Status of Forces Agreement German SOFA	U.S. Draft	Korean Draft (1)	Korean Draft (2)
	of offences of minor importance, arrangements may be made between the military authorities of a sending State or States and the competent German authorities. These arrangements may also extend to dispensing with notification and to the period of time referred to in paragraph 3 of this Article within which the waiver may be recalled. Protocol of Signature Re Article 19 2.(a) Subject to a careful examination of each specific case and to the results of such examination, major interests of German administration of justice within the meaning of paragraph 3 of Article 19 may make imperative the exercise of German jurisdiction, in particular in the following cases: (i) offences within the competence of the Federal High Court of Justice (Bundesgerichtshot) in first and last instance or offences which may be prosecuted by the Chief Federal Prosecutor (Generalbundesanwalt) at the Federal High Court of Justice; (ii) offenses causing the death of a human being, robbery, rape, except where these offences are directed against a member of a force or of a civilian component or a dependent:	authorities of the Republic of Korea before a final determination of this matter is made. Trials of cases in which the authorities of the Republic of Korea waive the primary right to exercise jurisdiction, and trials of cases involving offenses described in para 3(a)(ii) committed against the state or nationals of the Republic of Korea will be held within a reasonable distance from the place where the offenses are alleged to have taken place unless other arrangements are mutually agreed upon. Representatives of the Republic of Korea may be present at such trials. In the implementation of the provisions of Article and this Minute, and to facilitate the expeditious disrosal of offenses, arrangements may be made between the authorities of the United States and the Republic of Korea to dispense with notification.	where the offenses are alleged to have taken place unless other arrangements are mutually agreed upon. Representatives of the Republic of Korea may be present at such trials. To facilitate the expeditious disposal of offenses of minor importance, arrangements may be made between the United States military authorities and the Competent authorities of the Republic of Korea to dispense with notification. Understanding It is understood that offenses falling under the categories of cases in which it is determined that exercise of jurisdiction by the Republic of Korea is of particular importance include the following: a. An offense against the security of the Republic	

0197

NATO Status of Forces Agreement				
U.S-Japan SOFA	German SOFA	U.[illegible]ft	Korean Draft (1)	Korean Draft (2)
	(iii) attempt to commit such offences or participation therein. (b) In respect of the offences referred to in sub-paragraph (a) of this paragraph the authorities concerned shall proceed in particularly close cooperation from the beginning of the preliminary investigations in order to provide the mutual assistance envisaged in paragraph 6 of Article VII of the NATO Status of Forces Agreement.		of Korea; b. An offense causing the death of a human being; c. Rape; d. Robbery; e. Any other offenses of malicious nature which the authorities of either Government consider to be of particular importance as the result of examination thereof; f. An attempt to commit foregoing offenses or participation therein.	

-12-

0198

정/리/보/존/문/서/목/록

기록물종류	문서-일반공문서철	등록번호	926 9599	등록일자	2006-07-27
분류번호	741.12	국가코드	US	주제	
문서철명	한.미국 간의 상호방위조약 제4조에 의한 시설과 구역 및 한국에서의 미국군대의 지위에 관한 협정 (SOFA) 전59권. 1966.7.9 서울에서 서명 : 1967.2.9 발효 (조약 232호) *원본				
생산과	미주과/조약과	생산년도	1952 - 1967	보존기간	영구
담당과(그룹)	조약	조약	서가번호	--	
참조분류					
권차명	V.28 실무교섭회의, 제69-72차, 1965.1-3월				
내용목차	1. 제69차 회의, 1.25 (p.2~74) 2. 제70차 회의, 1.26 (p.75~149) 3. 제71차 회의, 2.12 (p.150~203) 4. 제72차 회의, 3.2 (p.204~235) * 일지 : 1953.8.7 이승만 대통령-Dulles 미국 국무장관 공동성명 - 상호방위조약 발효 후 군대지위협정 교섭 약속 1954.12.2 정부, 주한 UN군의 관세업무협정 체결 제의 1955.1월, 5월 미국, 제의 거절 1955.4.28 정부, 군대지위협정 제의 (한국측 초안 제시) 1957.9.10 Hurter 미국 국무차관 방한 시 각서 수교 (한국측 제의 수락 요구) 1957.11.13, 26 정부, 개별 협정의 단계적 체결 제의 1958.9.18 Dawling 주한미국대사, 형사재판관할권 협정 제외 조건으로 행정협정 체결 의사 전달 1960.3.10 정부, 토지, 시설협정의 우선적 체결 강력 요구 1961.4.10 장면 국무총리-McConaughy 주한미국대사 공동성명으로 교섭 개시 합의 1961.4.15, 4.25 제1, 2차 한.미국 교섭회의 (서울) 1962.3.12 정부, 교섭 재개 촉구 공한 송부 1962.5.14 Burger 주한미국대사, 최규하 장관 면담 시 형사재판관할권 문제 제기 않는 조건으로 교섭 재개 통고 1962.9.6 한.미국 간 공동성명 발표 (9월 중 교섭 재개 합의) 1962.9.20~ 1965.6.7 제1-81차 실무 교섭회의 (서울) 1966.7.8 제82차 실무 교섭회의 (서울) 1966.7.9 서명 1967.2.9 발효 (조약 232호)					

마/이/크/로/필/름/사/항

촬영연도	*롤 번호	화일 번호	후레임 번호	보관함 번호
2006-11-23	I-06-0069	05	1-235	

0001

1. 제69차 회의, 1. 25

0002

SOFA NEGOTIATION

Agenda for the 69th Session

15:00 January 25, 1965

1. Continuation of Discussions on:

   a. Labor Procurement Article

2. Other Business

3. Agenda and Date of the Next Meeting

4. Press Release

0003

Labor Article

1. The United States armed forces, the organizations provided for in Article _____ and the persons referred to in the first paragraph of Article _____ may employ civilian personnel under this Agreement.

2. Employers may accomplish the recruitment, employment and management of employees directly and, upon request by the employer, with the assistance of the authorities of the Republic of Korea. In case employers accomplish direct recruitment of employees, employers will provide available relevant information as may be required for labor administration to the Office of Labor Affairs of the Republic of Korea.

3. Unless otherwise agreed upon in this Article, the conditions of employment and work, such as those relating to wages and supplementary payments, the conditions for the protection and welfare of employees, compensations, and the rights of employees concerning labor relations shall conform with those laid down by the legislation of the Republic of Korea.

Agreed Minutes

1. It is understood that the Government of the Republic of Korea shall be reimbursed for direct costs incurred in providing assistance requested pursuant to paragraph 2, Article _____.

2. Employers will withhold from the pay of their employees, and pay over to the Government of the Republic of Korea, withholdings required by the income tax legislation of the Republic of Korea.

0004

3. Members of the civilian component shall not be subject to Korean laws with respect to their terms and conditions of employment.

4. With regard to any dispute between the employers except the persons referred to in Paragraph 1, Article _____, and employees or labor unions which cannot be settled through the use of existing procedures of the U.S. armed forces, settlement shall be accomplished through Joint Committee.

5. In the event of a national emergency, employees who have acquired special skills essential to the mission of the United States armed forces may, upon request, be deferred by the Korean authorities from the Republic of Korea military service or other compulsory service. The United States armed forces shall furnish the Republic of Korea with lists of those employees deemed essential.

0005

CLASSIFIED

Labor Article

Paragraph 2

Employers may accomplish the recruitment, employment and management of employees directly and, upon request by the employer, with the assistance of the authorities of the Republic of Korea. In case employers accomplish direct recruitment of employees, employers will provide available relevant information as may be required for labor administration to the Office of Labor Affairs of the Republic of Korea.

0006

1210

CLASSIFIED

Labor Article

Paragraph 3

To the extent not inconsistent with the provisions of this article or the basic management needs of the United States Armed Forces, the conditions of employment, compensation, and labor-management practices established by the United States Armed Forces for their employees will conform with the labor laws, customs, and practices of the Republic of Korea.

0007

12-11

Labor Article

Agreed Minute

Employers will withhold from the pay of their employees, and pay over to the Government of the Republic of Korea, withholdings required by the income tax legislation of the Republic of Korea.

1272

0008

To respond to the request for information made by the ROK side at the 46th Negotiating Session, 13 March 1964, the following is provided concerning the Representation of employers by authorities of the host governments in other agreements.

In those few countries where indirect hire is in effect, the host governments are themselves the actual employers and undertake to respond as such when employees bring disputes before local courts and boards. The provisions of the German SOFA are explicit on this point, as follows:

(Article 56, par 8)

"Disputes arising out of employment or social insurance shall be subject to German jurisdiction. Lawsuits against the employer shall be filed against the Federal Republic. Lawsuits on behalf of the employer shall be instituted by the Federal Republic."

(Minutes Re Article 56, par 10 and 11)

"10. Where the Law provides for court decisions, the German Labour Courts shall decide cases in accordance with the procedure provided for in German law (Beschlussverfahren), and the Federal Republic shall act in the proceedings in the name of a force or a civilian component at their request.

11. At the request of a force or a civilian component, the agency designated by the Federal Republic shall apply for the institution of a criminal prosecution in respect of a breach of secrecy (Verletzung der Schweigepflicht) in accordance with the penal provisions of the Law."

In Iceland, the article relating to the employment of Icelandic civilians provides:

"...To the extent that Iceland shall consent to the employment of Icelandic civilians by the United States such employment shall be effected with the assistance of and through a representative or representatives designated by Iceland."

Under this wording, the employment is through a representative of Iceland. Any suit arising out of this employment would be against the representative and not the United States.

0003

ARTICLE ____

1. The United States armed forces, the organizations provided for in Article ____ and the persons referred to in the first paragraph of Article ____ may employ civilian personnel under this Agreement. Such civilian personnel shall be nationals of the Republic of Korea.

2. The employers provided for in the paragraph 1 shall recruit to the maximum extent practicable with the assistance of the authorities of the Republic of Korea. In case employers exercise direct recruitment and employment of workers, employers shall provide such relevant information as may be necessary for labour administration to the Office of Labour Affairs of the Republic of Korea.

3. Unless otherwise agreed upon in this Article, the conditions of employment and work, such as those relating to wages and supplementary payments, the conditions for the protection and welfare of workers, compensations, and the rights of workers concerning labor relations shall conform with those laid down by the legislation of the Republic of Korea.

4. (a) The United States authorities shall withhold and pay over to the authorities of the Republic of Korea all income tax and other deductions from the wages of the workers.

(b) In the event of a national emergency, workers who have acquired special skills essential to the mission of the United States armed forces shall be deferred on an individual basis from the Republic of Korea military service mobilization recall or other compulsory service.

(Proposed U.S. para 3. Informally presented to ROK side on 30 April 1964)

3. To the extent not inconsistent with the provisions of this article, and the basic management needs of the United States armed forces, the conditions of employment, compensation, and labor-management practices established by the United States armed forces for their employees will conform with the labor laws, customs and practices of the Republic of Korea.

0010

The United States armed forces shall furnish the Republic of Korea with lists of those workers deemed essential.

5. Should the Republic of Korea adopt measures allocating labor, the United States armed forces shall be accorded employment privileges no less favorable than those enjoyed by the armed forces of the Republic of Korea.

6. Members of the civilian component shall not be subject to Korean laws with respect to their terms and conditions of employment.

Agreed Minutes

1. It is understood that the Government of the Republic of Korea shall be reimbursed for direct costs incurred in providing assistance pursuant to paragraph 2, Article ______.

2. With regard to any dispute between the employers except the persons referred to in Paragraph 1, Article ______, and workers or labor unions under the provisions of this Agreement, which cannot be settled through the use of existing procedures of the U.S. armed forces, settlement shall be accomplished in the following manner:

(a) The dispute shall be referred to the Office of Labour Affairs, Ministry of Health and Social Affairs, Republic of Korea, for conciliation.

(b) In the event that the dispute is not settled by the procedure described in (a) above, the matter may be referred to a Special Labor Committee appointed by the Office of Labor Affairs, Ministry of Health and Social Affairs, Republic of Korea, for mediation. This committee shall be tri-partite in composition and shall be consist of equal representation from Labor Unions, the Office of Labor Affairs, and the United States armed forces.

0011

(c) In the event that the dispute is not settled by the procedures described in (a) and (b) above the dispute shall be referred to the Joint Committee, or such sub-committee as may be established thereunder for arbitration to resolve the dispute. The decisions of the Joint Committee or sub-committee threunder shall be binding.

(d) During the period in which a dispute is being handled by the procedures mentioned in paras (a), (b) and (c) above, authorities of the Republic of Korea shall urge labor unions and employees not to indulge in any practices disruptive of normal work requirements.

(e) Failure of any recognized employee organization or employee to abide by the decision of the Joint Committee or any sub-committee established thereunder on any dispute will be considered cause for the deprivation of the rights and protection accorded by the relevent laws of the Republic of Korea.

U.S.

d. During the period in which a dispute is being handled by the procedures mentioned in paras (a), (b) and (c) above, recognized employee organizations and employees shall not indulge in any practices disruptive of normal work requirements.

e. Failure of any recognized employee organization or employee to abide by the decision of the Joint Committee or any sub-committee established thereunder on any dispute, or action in violation of para (d) above shall be considered just cause for the withdrawal of recognition of that organization and the discharge of that employee.

0012

15 December 1964

Revised US Draft of Labor Article

(The underlined parts are modifications authorized by State-Defense- in Dec 1964)

1. In this Article the expression:

(a) "employer" refers to the United States Armed Forces (including nonappropriated fund activities) and the persons referred to in the first paragraph of Article________.

(b) "employee" refers to any civilian (other than a member of the civilian component) employed by an employer, except (1) a member of the Korean Service Corps and (2) a domestic employed by an individual member of the United States Armed Forces, civilian component or dependent thereof.

2. Employers may recruit, employ and administer their personnel. Recruitment services of the Government of the Republic of Korea will be utilized insofar as is practicable. In case employers accomplish direct recruitment of employees, employers will provide available relevant information as may be required for labor administration to the Office of Labor Affairs of the Republic of Korea.

3. To the extent not inconsistent with the provisions of this article or the military requirements the United States Armed Forces, the conditions of employment, compensation, and labor-management practices established by the United States Armed Forces for their employees will conform with the labor laws, customs and practices of the Republic of Korea.

4. (a) An employee shall have the same right to strike as an employee in a comparable position in the employment of the Armed Forces of the Republic of Korea. Such an employee may voluntarily organize and join a union or other employee group whose objectives are not inimical to the

0013

interests of the United States. Membership or nonmembership in such groups shall not be a cause for discharge or nonemployment.

(b) Employers will maintain procedures designed to assure the just and timely resolution of employee grievances.

5. (a) Should the Republic of Korea adopt measures allocating labor, the United States Armed Forces shall be accorded employment privileges no less favorable than those enjoyed by the armed forces of the Republic of Korea.

(b) In the event of a national emergency, employees who have acquired skills essential to the mission of the United States Armed Forces shall be exempt from Republic of Korea military service or other compulsory service. The United States armed forces shall in advance furnish to the Republic of Korea lists of those employees deemed essential.

6. Members of the civilian component shall not be subject to Korean laws or regulations with respect to their terms and conditions of employment.

AGREED MINUTES

1. The Republic of Korea will make available, at designated induction points, qualified personnel for Korean Service Corps units in numbers sufficent to meet the requirements of United States Armed Forces. The employment of a domestic by an individual member of the United States Armed Forces, civilian component or dependent thereof shall be governed by applicable Korean law and in addition by wage scales and control measures promulgated by the United States Armed Forces.

2. The undertaking of the United States Government to conform to Korean labor laws, customs, and practices, does not imply any waiver by the United

0014

2

States Government of its immunities under international law. The United States Government may terminate employment at any time the continuation of such employment is inconsistent with the military requirements of the United States Armed Forces. ①

3. Employers will withhold from the pay of their employees, and pay over to the Government of the Republic of Korea withholdings required by the income tax legislation of the Republic of Korea.

4. It is understood that the Government of the Republic of Korea shall be reimbursed for direct costs incurred in providing assistance requested pursuant to paragraph 2.

5. With regard to any dispute between employers and any recognized employee organization or employees which cannot be settled through the use of existing procedures of the United States Armed Forces, settlement shall be accomplished as provided below. During such disputes neither employee organizations nor employees shall engage in any practices disruptive of normal work requirements: ②

(a) The dispute shall be referred to the Office of Labor Affairs, Ministry of Health and Social Affairs, Republic of Korea, for conciliation.

(b) In the event that the dispute is not settled by the procedure described in (a) above, the matter may be referred to the Joint Committee, which may refer the matter to the Labor Sub-Committee or specially designated Committee, for further fact-finding, review and conciliation efforts.

(c) In the event that the dispute is not settled by the procedures outlined above, the Joint Committee will resolve the dispute. The decisions

0015

of the Joint Committee shall be binding.

(d) Failure of any recognized employee organization or employee to bide by the decision of the Joint Committee on any dispute, or engaging in practices disruptive of normal work requirements during settlement procedures, shall be considered just cause for the withdrawal of recognition of that organization and the discharge of that employee. (3)

mediation
arbitration
tri-partite comittee.

0016

4

Revised Korean Draft of Labor Article

(The underlined parts are modifications)

1. The United States armed forces and the organizations provided for in Article ______ (hereinafter referred to as "employer") may employ civilian personnel (hereinafter referred to as "employee") under this Agreement. Such civilian personnel shall be nationals of the Republic of Korea.

2. The employers provided for in Paragraph 1 shall recruit and employ to the maximum extent practicable with the assistance of the authorities of the Republic of Korea. The employers may accomplish such recruitment, employment and administration directly as may be essentially required. The United States military authorities shall provide such relevant information on Korean employees as may be required for labor administration to the Office of Labor Affairs of the Republic of Korea.

3. To the extent not inconsistent with the provision of this article or the military requirements of the United States armed forces, the conditions of employment and work, such as those relating to wages and supplementary payments, the conditions for the protection and welfare of employees, compensations, and the rights of employees, concerning labor relations shall conform with those laid down by the legislation of the Republic of Korea.

4. Employers will maintain procedures designed to assure the just and timely resolution of employee grievances.

5. (a) Should the Republic of Korea adopt measures allocating labor, the United States Armed Forces shall be accorded employment privileges no less favorable than those enjoyed by the armed forces of the Republic of Korea.

0017

27-34

(b) In the event of a national emergency such as war, hostilities, or other imminent situations, the employees who have acquired skills essential to the mission of the United States Armed Forces may, upon request of the United States Armed Forces, be deferred from Republic of Korea military service or other compulsory services. The United States armed forces shall in advance furnish to the Republic of Korea lists of those employees deemed essential.

6. The United States Government shall ensure that the contractors referred to in Article _____ employ the Korean personnel to the maximum extent practicable in connection with their activities under this Agreement and the conditions of employment, compensation, and labor-management practices established by the contractors for their employees conform with those laid down by the legislation of the Republic of Korea.

7. Members of the civilian component shall not be subject to Korean laws or regulations with respect to their terms and conditions of employment.

AGREED MINUTES

1. The employment of a domestic by an individual member of the United States armed forces, civilian component or dependent thereof shall be governed by applicable Korean legislation and in addition by wage scales and control measures promulgated by the United States armed forces.

2. The undertaking of the United States to conform with those laid down by the legislation of the Republic of Korea does not imply any waiver by the United States Government of its immunities under international law.

37-38

0018

3. Employers shall withhold from the pay of their employees, and pay over to the Government of the Republic of Korea, withholdings required by the income tax legislation of the Republic of Korea.

4. It is understood that the Government of the Republic of Korea shall be reimbursed for direct costs incurred in providing assistance made pursuant to Paragraph 2.

5. Any action and measures, to be taken by the employers on the account of "military requirements" provided for in Paragraph 3, and to be inconsistent with the Korean labor legislation, shall be referred in prior for consultation to the Joint Committee and be subject to the decision thereof.

6. With regard to any dispute between the employers and any employees or labor unions which cannot be settled through the use of existing procedures of the United States Armed Forces, settlement shall be accomplished in the following manner:

(a) The dispute shall be referred to the Office of Labor Affairs, Ministry of Health and Social Affairs, Republic of Korea, for conciliation.

(b) In the event that the dispute is not settled by the procedures described in (a) above, the dispute shall be referred to the Joint Committee, which may refer the matter to the Labor Sub-Committee or specially designated Committee for arbitration to resolve the dispute.

(c) In the event that the dispute is not settled by the procedures outlined above, the Joint Committee will resolve the dispute. The decisions of the Joint Committee shall be binding.

37-36

0019

(d) During the period in which a dispute is being handled by the procedures mentioned in paras (a), (b) and (c) above, neither employee organizations nor employees shall indulge in any practice disruptive of normal work requirements in violation of the provisions laid down in the Korean labor legislation.

(e) Failure of any recognized employee organization or employee to abide by the decision of the Joint Committee on any dispute, or indulging in practice disruptive of normal work requirements during settlement procedure in violation of the provisions laid down in the Korean labor legislation, shall be considered cause for the depriviation of the rights and protection accorded by the relevant laws of the Republic of Korea.

37-37

0020

노무조항 한국측 개정안

(개정부분을 밑 줄로 표시함)

1. 미합중국군대와 ＿＿＿조에 규정된 기관들(이후 고용주라 함)은 본협정에 따라 민간인(이후 고용인이라 함)을 고용할수 있다. 그와같은 민간인은 대한민국국민이여야 한다.

2. 제1항에 규정된 교용주는 가능한 최대한도로 대한민국 당국의 원조를 얻어 채용하고 고용하여야 한다. 고용주는 각별히 필요한대로 채용고용 및 행정을 직접 행할수 있다. 고용주가 고용인의 직접채용을 행할 경우 미합중국 군사당국은 노동행정에 필요한 관계정보를 대한민국 노동청에 제공하여야 한다.

3. ~~본조의 규정 혹은 미합중국군대의 군사상의 필요성에 상반되지 않는 한도내에서~~ 별도로 상호 합의되지 않는한, 임금 및 제수당에 관한 것과 같은 고용과 업무의 조건, 고용인의 보호와 후생을 위한 조건, 보상 그리고 노동관계에 관한 고용인의 권리는 대한민국 법령에 정하여진 것과 일치하여야 한다.

4. 고용주는 고용인의 불평을 정당하고 적기에 해결~~하기 위한 조치(措置)를 보지한다. 불평은 보장하여야한다.~~ 하여야한다.

5. (가) 대한민국이 노동력을 배정하는 조치(措置)를 취할 경우 미합중국군대는 대한민국국군이 향유하는 것보다 불리하지 않은 ~~고용~~ 배정특권이 부여되어야 한다.

(나) 전쟁, 사변 또는 이에 준하는 사태와 같은 국가위기에 처하여 미합중국군대의 임무수행에 긴요한 기술을 습득한 고용인은 미합중국군대의 요청으로 대한민국 병역 또는 기타 강제노역으로부터 연기를 받을수 있다. 미합중국군대는 그와 같이 긴요하다고 생각되는 고용인의 명단을 사전에 대한민국에 제출하여야 한다.

1. 징집
2. 소집
3. 근로소집

~~6. 미합중국정부는 ＿＿＿조에 언급된 계약자가 본협정에 의한 그들의 활동에 있어서 한국인을 가능한 최대한도로 고용하고 계약자가 그들의 고용인을 위하여 설정한 고용 조건, 보상 및 노사관계관계가 대한민국의 법령에 정하여진 것과 일치하도록 보장하여야 한다.~~

0021

6. 군속은 고용의 한계와 조건에 관련하여 한국법 혹은 규정에 따르지 아니한다.

합의의사록

X 1. 미합중국군대의 개인 구성원, 군속 및 그의 가족에 의한 가사사용인의 고용은 적용될수 있는 한국법령 그리고 추가하여 미합중국군대가 공모한 임금묘와 관리조치에 의하여 운용되어야 한다.

1. 대한민국의 법령에 정하여진 것에 일치하도록 한다는 미합중국의 약속은 미합중국정부가 국제법에 의한 그들의 면제를 모기하는 것을 의미하지 아니한다.

2. 고용주는 대한민국의 소득세법령에 규정된 원천과세액을 공제하고 대한민국정부에 납부하여야 한다.

3. 대한민국정부가 제2항에 의거하여 제공한 원조에 소요된 직접경비에 대하여 보상받아야 한다는 것으로 양해한다.

4. 고용주가 미합중국군대의 ~~제3항에 규정된~~ "군사상의 필요성"에 의하여 ~~고용주가~~ 취할 행위와 조치는 제3항의 규정 ~~한국노동법령~~에 상반할 경우 사전에 합동위원회에 협의를 위하여 회부되어야 하며 그의 결정에 따라야 한다. 대한민국은 미합중국군대의 군사상의 필요성에 의하여 긴요한 행위와 조치에 대하여 적절한 고려를 하여야 한다.

5. 미합중국군대의 기존절차의 이용을 통하여 해결될수 없는 고용주와 어떤 고용인 혹은 노동조합간의 분쟁에 관하여는 다음과 같은 방법으로 해결을 성취하여야 한다:

(가) 분쟁은 대한민국 ~~보건사회부~~ 노동청에 알선을 위하여 회부되어야 한다.

(나) 전기 (가)의 절차에 의하여 분쟁이 해결되지 않을 경우, 그 분쟁은 ~~합동위원회에~~ 그 분쟁을 해결하기 위한 ~~중재~~ 조정를 위하여 ~~회부되어야 하며 그 합동위원회는 이 사건을 노동분과위원회~~ ~~혹은~~ 특별히 지정된 위원회에 회부할 수 있다.

0022

(다) 분쟁이 전기절차에 의하여 해결되지 않을 경우 합동위원회는 그분쟁을 해결한다. 합동위원회의 결정은 구속력을 가진다.

(라) 분쟁이 전기 (가), (나) 및 (다)항의 절차에 의하여 취급되고 있는 기간중에는 고용인 단체 혹은 고용인은 한국노동법령의 규정에 위반하여 정상적 업무 요건을 해하는 행위를 자행하지 못한다.

(마) 승인된 고용인 단체 혹은 고용인이 분쟁에 관한 합동위원회의 결정에 불복하거나, 혹은 한국노동법령의 규정에 위반하여 해결절차 진행중 정상적 업무요건을 해하는 행위를 자행함은, 대한민국 관계 법에 의하여 부여된 권리와 보호의 박탈을 초래하는 원인으로 간주한다.

0023

노 무 조 항

1. 고용방법 (제 2 항)

미국안 : 고용주는 채용, 고용 및 관리를 직접 또는 고용주의 요청으로 대한민국당국의 원조를 얻어 행할수 있다. 고용주가 고용인의 직접 채용을 행할 경우 고용주는 대한민국 노동청에 노동행정을 위하여 요청되는 가능한 관계정보를 제공한다. (64 차회의에서 수정 제안)

한국안 : 제 1 항에 규정한 고용주는 가능한 최대한도로 한국당국의 원조를 얻어 채용하고 고용하여야 한다.

미국군사당국이 노무자의 직접 채용 및 고용을 행사할 경우 고용주는 대한민국 노동청에 노동행정상 필요한 관계 정보를 제공하여야 한다. (65 차 회의에서 대안제안)

이안에 대하여 미국측은 65 차회의에서 고용주는 직접 채용과 관리를 행할수 있어야 하고 이권리를 조문에 명시적으로 표시하여야 한다고 주장함.

제 1 안 (1) 고용주의 직접고용은 한국당국이 제공할수 없는 숙련자 혹은 특별히 훈련된 기술자의 고용에 극한할것.

(2) "직접관리" 라는 어구는 관리로만 조치를 의미하되 특별한 경우의 해직권 및 분쟁이 계기중인 경우의 징계조치를 제외하도록 할것.

(3) 고용주의 고용상태에 관하여 미군당국은 정기적으로 한국당국에 그상황을 알릴것

등의 조건하에 다음과 같은 대안을 제의한다.
"고용주는 가능한 최대한도로 한국당국의 원조를 얻어 채용하고 고용하여야 한다. 고용주는

37 26 0024

필수적으로 필요한 경우 채용, 고용 및 관리를 직접 행할수 있다. 미국군당국은 대한민국 노동청에 노동행정상 필요한 한국고용인에 관한 관계 정보를 제공하여야 한다"

그리고 "관리"라는 용어를 한정하기 위하여 합의의사록 제3항에 다음과 같은 구절을 추가할것을 제안한다.

"그리고 본조제2항 첫문장에 있는"관리" 라는 용어는 고용주에 의한 관리 기능만을 의미하되 특수한 경우 및 특히 분쟁이 계기중인 경유 고용인의 해고권을 모함한 징계조치를 제외한다."

제2안: 제1안의 제3항을 미국안대로 수락한다, 즉 "고용주가 직접 고용을 행하였을 경우 미군당국은 대한민국 노동청에 노동행정상 필요한 관계 정보를 제공한다."

2. 고용조건(제3항)

미국안: "본조의 규정과 미국군의 기본적인 관리의 필요에 상반되지 않는 한도내에서 미국이 수립한 고용조건, 보상 및 노무관리 관계는 대한민국의 노동법, 관습 및 만례와 일치하도록 한다."

한국안: 임금과 추가급여, 고용인의 보호 및 후생을 위한 조건, 보상 및 노자관계에 관한 고용인의 권리에 관련된 고용과 업무의 조건은 본조에서 별도 합의되어 있지 않는한 대한민국 법제에 규정된바와 일치하여야 한다."

제1안 제3항의 한국측안대로 "관리"라는 어구를 해석할것을 미측이 수락한다면 "기본적관리의 필요성"이라는 어구의 삽입이 불필요함으로 한국안을 고수한다.

37-27

0025

제 2 안 "기본적관리의 필요성"이라는 용어를 전조의 합의의사록 제3항에 추가한것과 동일한 것으로 해석할것을 미측이 수락하면 미측안전단을 수락하되 주문은 한국안을 채용한다.

제 3 안 미국측에서 "기본적관리의 필요성"이라는 어구의 삽입을 고수하면 합의의사록 4항에 다음과 같은 구절을 추가할것을 제안한다.
"그리고 제3항에 언급된 "기본적관리의 필요성"에 의거한 고용주의 행위 혹은 조치는 합동위원회에 회부되어야 하며 그결정에 의한다.'
단, 주문은 한국안을 채용하기로 한다.

3. 파업권 (미측안4항)

제 1 안 동조건이 한국법에 준거하여야 하기로 전항에서 이미 규정이 된다면 이조항은 불필요 함으로 삭제한다.

제 2 안 4항 (a) 첫문장을 삭제한다면 미측안을 수락한다.

4. 노동배정 (제5항 (a))

노동배정에 있어서 미군에게 한국군과 동일한 정도의 우선권을 준다는 것으로 이를 의의없이 수락한다.

5. 노무자의 병역

미국안 : "국가위기에 제하여 미국군의 임무수행에 긴요한 기술을가진 고용인은 대한민국 군무 혹은 기타 강제 역무로부터 면제되어야 한다.
미국군은 긴요하다고 사료되는 고용원의 명단을 대한민국에 제출하여야 한다."

한국안 : 별도 초안이 없음.

제 1 안 병역의 무는 수하를 막론하고 면제될수는 없음으로 다음과 같은 대안으로 연기할수 있는 여지를 준다.

37-28

0026

"전쟁, 사변 혹은 그와유사한 국가적 위기에 제하여 미국군의 임무수행에 긴요한 기술을 가진고용인은 미국군당국의 사전요청시 한국당국에 의하여 일정 기간 대한민국 군무 혹은 기타 강제역무로 부터 연기될수 있다. 그와같은 숙련직 고용원의 직무 분류와 인원을 합동위원회에 의하여 정한다".

제2안 미측이 고집하면 합동위원회 회부구절을 삭제한다.

6. 군속의 고용인(제6항)

미측안을 수락한다.

7. 합의의사록

가. 1항에 관하여:

1) 미측안 첫째구절은 KSC 에 관한 것임으로 삭제한다. 그후단 개인의 고용문제는 수락하여도 무방할것임.

2) 한국측안은 미측안 제3항을 수락하기로 하고 철회한다.

나. 2항에 관하여:

1) 미측안을 수락하여도 무방할것임.

2) 한국안도 삽입되도록 주장한다.(한국안 제4항이 수락될 경우 필요함.)

다. 3항에 관하여:

1) 미측안을 수락하되 본조2항에 관련된 합의의사록 추가를 미측이 수락하는 것을 조건으로 한다.

2) 한국안은 전문이 합의되면 불필요함으로 철회한다.

라. 4항에 관하여:

1) 미측안을 수락하되 본문제2항 제3안을 추가하기로 한다.

2) 한국안은 제5항으로 한다.

마. 제5항에 관하여(65차회의에서 제안)

65차회의에서 제안한 (a) (b) (c) 에 추가하여 다음과 같이 (d) (e) 를 추가할것을 제안한다.

37-29

0027

" (d) 분쟁이 전항 (a) (b) (c) 의 절차에 의하여
취급중인 기간중에는 대한민국당국은 노동
조합과 고용인이 정상적 업무에 반하는 행동을
못하도록 필요한 최대한도의 조치를 취한다. "

" (e) 분쟁해결을 위하여 조직된 합동위원회 혹은
분과위원회의 결정을 승인 고용단계 혹은 고용
인으로 하여금 복종하지 못하게 할때에는
대한민국의 관계 법령에 의하여 부여된 권리와
보호의 박탈을 초래하는 원인으로 간주한다. "

37-30

0028

Revised Korean Draft of Labor Article

(The underlined parts are modifications)

1. The United States armed forces and the organizations provided for in Article _____ (hereinafter referred to as "employer") may employ civilian personnel (hereinafter referred to as "employees") under this Agreement. Such civilian personnel shall be nationals of the Republic of Korea.

2. The employers provided for in Paragraph 1 shall recruit and employ to the maximum extent practicable with the assistance of the authorities of the Republic of Korea. The employers may accomplish such recruitment, employment and administration directly as may be ~~essentially~~ required. In case employers accomplish direct recruitment of employees, the United States military authorities shall provide such relevant information as may be required for labor administration to the Office of Labor Affairs of the Republic of Korea.

3. Except as may otherwise be mutually agreed, the conditions of employment and work, such as those relating to wages and supplementary payments, the conditions for the protection and welfare of employees, compensations, and the rights of employees, concerning labor relations shall conform with those laid down by the legislation of the Republic of Korea.

4. Employers shall insure the just and timely resolution of employee grievances.

5. (a) Should the Republic of Korea adopt measures allocating labor, the United States Armed Forces shall be accorded allocation privileges no less favorable than those enjoyed by the armed forces of the Republic of Korea.

37-2-7

0029

(b) In the event of a national emergency such as war, hostilities, or other imminent situations, the employees who have acquired skills essential to the mission of the United States Armed Forces may, upon request of the United States Armed Forces ~~may, upon request of the United States~~ Armed Forces, be deferred from Republic of Korea military service or other compulsory services. The United States armed forces shall in advance furnish to the Republic of Korea lists of those employees deemed essential.

6. Members of the civilian component shall not be subject to Korean laws or regulations with respect to their terms and conditions of employment.

AGREED MINUTES

1. The undertaking of the United States to conform with those laid down by the legislation of the Republic Korea does not imply any waiver by the United States Government of its immunities under international law.

2. Employers shall withhold from the pay of their employees, and pay over to the Government of the Republic of Korea, withholdings required by the income tax legislation of the Republic of Korea.

3. It is understood that the Government of the Republic of Korea shall be reimbursed for direct costs incurred in providing assistance ~~made~~ pursuant to Paragraph 2.

4. In case where it is impossible for the employers to ~~comply~~ conform, on account of the military requirements of the United States Armed Forces, with the Korean labor legislation under the provisions of Paragraph 3, the matter shall be referred in ~~prior~~ advance to the Joint Committee for mutual agreement ~~on other means of meeting the object of the provisions~~.

The Republic of Korea will give due consideration to the military requirements of the United States Armed Forces.

33-24

0030

5. With regard to any dispute between the employers and any employees or labor unions which cannot be settled through the use of existing procedures of the United States Armed Forces, settlement shall be accomplished in the following manner:

(a) the dispute shall be referred to the Office of Labor Affairs, of the ~~Ministry of Health and Social Affairs,~~ Republic of Korea, for conciliation.

(b) In the event that the dispute is not settled by the procedures described in (a) above, the dispute shall be referred to a special committee ~~specially~~ designated by the Joint Committee for ~~[illegible]n to resolve the dispute~~. further conciliation efforts.

(c) In the event that the dispute is not settled by the procedures outlined above, the Joint Committee will resolve the dispute. The decisions of the Joint Committee shall be binding.

(d) During the period in which a dispute is being handled by the procedures mentioned in paras (a), (b) and (c) above, neither employee organizations nor employees shall indulge in any practice disruptive of normal work requirements.

The above provisions shall not be interpreted to prejudice in any way the Article 14 of the Korean Labor Dispute Law.

(e) Failure of any recognized employee organization or employee to abide by the decision of the Joint Committee on any dispute, or indulging in practice disruptive of normal work requirements in violation of the provisions of Paragraph (d) above, shall be considered cause for the depriviation of the rights and protection accorded by the relevant laws of the Republic of Korea.

37-28

0031

January 23, 1965

Revised Korean Draft of Labor Article
(The underlined parts are modification)

1. The United States Armed Forces and the organizations provided for in Article ___ (hereinafter referred to as "employer") may employ civilian personnel (hereinafter referred to as "employee") under this Agreement. Such civilian personnel shall be nationals of the Republic of Korea.

2. The employers may recruit, employ and administer their personnel. Recruitment services of the Government of the Republic of Korea shall be utilized to the maximum extent practicable. In case employers accomplish direct recruitment of employees, the United States Armed Forces shall provide such relevant information as may be required for labor administration to the Office of Labor Affairs of the Republic of Korea.

3. Except as may otherwise be mutually agreed, the conditions of employment and work, such as those relating to wages and supplementary payments, the conditions for the protection and welfare of employees, compensations, and the rights of employees, concerning labor relations shall conform with those laid down by the legislation of the Republic of Korea.

4. Employers shall insure the just and timely resolution of employee grievances.

5. (a) Should the Republic of Korea adopt measures allocating labor, the United States Armed Forces shall be accorded allocation privileges no less favorable than those enjoyed by the Armed Forces of the Republic of Korea.

0032

15-5-3

65-5-1

미일 112-10

0033

(b) In the event of a national emergency such as war, hostilities, or other imminent situations, the employees who have acquired skills essential to the mission of the United States Armed Forces may, upon request of the United States Armed Forces, be deferred from Republic of Korea military service or other compulsory services. The United States Armed Forces shall in advance furnish to the Republic of Korea lists of those employees deemed essential.

6. Members of the civilian component shall not be subject to Korean laws or regulations with respect to their terms and conditions of employment.

AGREED MINUTES

1. The undertaking of the United States to conform with ~~those laid down by~~ the labor legislation of the Republic of Korea does not imply any waiver by the United States Government of its immunities under international law.

2. Employers shall withhold from the pay of their employees, and pay over to the Government of the Republic of Korea, withholdings required by the income tax legislation of the Republic of Korea.

3. It is understood that the Government of the Republic of Korea shall be reimbursed for direct costs incurred in providing assistance pursuant to Paragraph 2.

4. In case where it is impossible for the employers to conform, on account of the military requirements of the United States Armed Forces, with the Korean labor legislation under the provisions of Paragraph 3, the matter shall in advance be referred to the Joint Committee for mutual agreement.

The Republic of Korea will give due consideration

to the military requirement of the United States Armed Forces

0034

15-5-6

0035

5. With regard to any dispute between the employers and any employees or labor unions which cannot be settled through the use of existing procedures of the United States Armed Forces, settlement shall be accomplished in the following manner:

(a) The dispute shall be referred to the Office of Labor Affairs of the Republic of Korea for conciliation.

(b) In the event that the dispute is not settled by the procedures described in (a) above, the dispute shall be referred to a special committee designated by the Joint Committee for further conciliation efforts.

(c) In the event that the dispute is not settled by the procedures outlined above, the Joint Committee will resolve the dispute. The decisions of the Joint Committee shall be binding.

(d) Neither employee organizations nor employees shall engage in any practices disruptive of normal work requirements unless the cooling-off period set forth in Article 14 of the Korean Labor Dispute Law has elapsed after the dispute is referred to the Office of Labor Affairs mentioned in (a) above.

(e) Failure of any employee organization or employee to abide by the decision of the Joint Committee on any dispute, or engaging in practices disruptive of normal work requirements in violation of the provisions of Paragraph (d) above, shall be considered cause for the depriviation of the rights and protection accorded by the relevant laws of the Republic of Korea.

0036

65-5-1 (5)

미국·무 112-10(5)

0037

11 Paras < US 1 accepted / ROK 5 amended

7 sub-paras < US - 3 accepted / ROK - 4 amended

January 23, 1965

Revised Korean Draft of Labor Article
(The underlined parts are modification)

X 1. The United States Armed Forces and the organizations provided for in Article ____ (hereinafter referred to as "employer") may employ civilian personnel (hereinafter referred to as "employee") under this Agreement. Such civilian personnel shall be nationals of the Republic of Korea.

O 2. The employers may recruit, employ and administer their personnel. Recruitment services of the Government of the Republic of Korea shall be utilized to the maximum extent practicable. In case employers accomplish direct recruitment of employees, the United States Armed Forces shall provide such relevant information as may be required for labor administration to the Office of Labor Affairs of the Republic of Korea.

X 3. Except as may otherwise be mutually agreed, the conditions of employment and work, such as those relating to wages and supplementary payments, the conditions for the protection and welfare of employees, compensations, and the rights of employees, concerning labor relations shall conform with those laid down by the legislation of the Republic of Korea.

O 4. Employers shall insure the just and timely resolution of employee grievances.

X 5. (a) Should the Republic of Korea adopt measures allocating labor, the United States Armed Forces shall be accorded allocation privileges no less favorable than those enjoyed by the Armed Forces of the Republic of Korea.

37 12

0038

X (b) In the event of a national emergency such as war, hostilities, or other imminent situations, the employees who have acquired skills essential to the mission of the United States Armed Forces may, upon request of the United States Armed Forces, be deferred from Republic of Korea military service or other compulsory services. The United States Armed Forces shall in advance furnish to the Republic of Korea lists of those employees deemed essential.

O 6. Members of the civilian component shall not be subject to Korean laws or regulations with respect to their terms and conditions of employment.

AGREED MINUTES

O 1. The undertaking of the United States to conform with ~~those laid down by~~ the labor legislation of the Republic of Korea does not imply any waiver by the United States Government of its immunities under international law.

O 2. Employers shall withhold from the pay of their employees, and pay over to the Government of the Republic of Korea, withholdings required by the income tax legislation of the Republic of Korea.

O 3. It is understood that the Government of the Republic of Korea shall be reimbursed for direct costs incurred in providing assistance pursuant to Paragraph 2.

X 4. In case where it is impossible for the employers to conform, on account of the military requirements of the United States Armed Forces, with the Korean labor legislation under the provisions of Paragraph 3, the matter shall in advance be referred to the Joint Committee for mutual agreement.

The Republic of Korea will give due consideration to the military requirements of the United States Armed Forces.

3713

0039

5. With regard to any dispute between the employers and any employees or labor unions which cannot be settled through the use of existing procedures of the United States Armed Forces, settlement shall be accomplished in the following manner:

(a) The dispute shall be referred to the Office of Labor Affairs of the Republic of Korea for conciliation.

(b) In the event that the dispute is not settled by the procedures described in (a) above, the dispute shall be referred to a special committee designated by the Joint Committee for further conciliation efforts.

(c) In the event that the dispute is not settled by the procedures outlined above, the Joint Committee will resolve the dispute. The decisions of the Joint Committee shall be binding.

(d) Neither employee organizations nor employees shall engage in any practices disruptive of normal work requirements unless the cooling-off period set forth in Article 14 of the Korean Labor Dispute Law has elapsed after the dispute is referred to the ~~special committee~~ Office of Labor Affairs mentioned in ~~(b)~~ (a) above.

(e) Failure of any ~~recognized~~ employee organization or employee to abide by the decision of the Joint Committee on any dispute, or engaging in practices disruptive of normal work requirements in violation of the provisions of Paragraph (d) above, shall be considered cause for the depriviation of the rights and protection accorded by the relevant laws of the Republic of Korea.

37-14

0040

January 23, 1965

Revised Korean Draft of Labor Article
(The underlined parts are modification)

1. The United States Armed Forces and the organizations provided for in Article ____ (hereinafter referred to as "employer") may employ civilian personnel (hereinafter referred to as "employee") under this Agreement. Such civilian personnel shall be nationals of the Republic of Korea.

2. The employers may recruit, employ and administer their personnel. Recruitment services of the Government of the Republic of Korea shall be utilized to the maximum extent practicable. In case employers accomplish direct recruitment of employees, the United States Armed Forces shall provide such relevant information as may be required for labor administration to the Office of Labor Affairs of the Republic of Korea.

3. Except as may otherwise be mutually agreed, the conditions of employment and work, such as those relating to wages and supplementary payments, the conditions for the protection and welfare of employees, compensations, and the rights of employees, concerning labor relations shall conform with those laid down by the legislation of the Republic of Korea.

4. Employers shall insure the just and timely resolution of employee grievances.

5. (a) Should the Republic of Korea adopt measures allocating labor, the United States Armed Forces shall be accorded allocation privileges no less favorable than those enjoyed by the Armed Forces of the Republic of Korea.

32-8

0041

(b) In the event of a national emergency such as war, hostilities, or other imminent situations, the employees who have acquired skills essential to the mission of the United States Armed Forces may, upon request of the United States Armed Forces, be deferred from Republic of Korea military service or other compulsory services. The United States Armed Forces shall in advance furnish to the Republic of Korea lists of those employees deemed essential.

(6) Members of the civilian component shall not be subject to Korean laws or regulations with respect to their terms and conditions of employment.

AGREED MINUTES

(1.) The undertaking of the United States to conform with ~~those laid down by~~ the labor legislation of the Republic of Korea does not imply any waiver by the United States Government of its immunities under international law.

2. Employers shall withhold from the pay of their employees, and pay over to the Government of the Republic of Korea, withholdings required by the income tax legislation of the Republic of Korea.

(3) It is understood that the Government of the Republic of Korea shall be reimbursed for direct costs incurred in providing assistance pursuant to Paragraph 2.

"4. In case where it is impossible for the employers to conform, on account of the military requirements of the United States Armed Forces, with the Korean labor legislation under the provisions of Paragraph 3, the matter shall (in advance) be referred to the Joint Committee for mutual agreement.

The Republic of Korea will give due consideration to the military requirements of the United States Armed Forces."

3710

0042

With regard to any dispute between the employers and any employees or labor unions which cannot be settled through the use of existing procedures of the United States Armed Forces, settlement shall be accomplished in the following manner:

(a) The dispute shall be referred to the Office of Labor Affairs of the Republic of Korea for conciliation.

(b) In the event that the dispute is not settled by the procedures described in (a) above, the dispute shall be referred to a special committee designated by the Joint Committee for further conciliation efforts.

(c) In the event that the dispute is not settled by the procedures outlined above, the Joint Committee will resolve the dispute. The decisions of the Joint Committee shall be binding.

(d) Neither employee organizations nor employees shall engage in any practices disruptive of normal work requirements unless the cooling-off period set forth in Article 14 of the Korean Labor Dispute Law has elapsed after the dispute is referred to the Office of Labor Affairs mentioned in (a) above.

(e) Failure of any employee organization or employee to abide by the decision of the Joint Committee on any dispute, or engaging in practices disruptive of normal work requirements in violation of the provisions of Paragraph (d) above, shall be considered cause for the depriviation of the rights and protection accorded by the relevant laws of the Republic of Korea.

公益, 非公益 不问 30日

3711

너의 desire 를 meet 한다. M.R.

근거로 해서 한국법에서 벌어나는 여지를

허용하는 것 M.R.에 의해서

보는 경우에 cover 할 우려가 있는데

우리가 아는 바로 M.R. M.M. 에서

그러한 이유에서 이 안을 낸다

0044

기 안 지

기 안 자	미주과 김기조	전화번호		공 보	필요 / 불필요
	과장	국장	차관	장관	
			전결		
협조자 서명				보존년한	
기안 년월일	65. 1. 26.	시행 년월일		통제관	정서 / 기장
분류기호 문서번호	외구미 722.2				
경유 수신 참조	대통령, 참조 : 비서실장 국무총리, 참조 : 비서실장 사본 : 보건사회부장관, 참조 : 노동청장	발신	장 관		
제 목	제 69 차 주둔군지위협정 체결 교섭 실무자회의 결과보고				

1965. 1. 29

1965 년 1.25 일 하오 3 시부터 동 4 시 10 분까지 외무부 제 1 회의실에서 개최된 제 69 차 주둔군지위협정 체결 교섭 실무자회의에서 토의된 노무조달문제에 관한 내용을 별첨과 같이 보고합니다.

유첨 - 제 69 차 주둔군지위협정 체결교섭 실무자회의 결과 보고서. 끝

0045

공통서식 1—2 (갑) (16절지)

~~0044~~

기 안 용 지

자체 통제		기안처	미주과 김기조	전화번호	근거서류접수일자

과 장		국 장		차 관		장 관
(서명)		(서명)		전결		(서명)

관계관 서명							
기안 년월일	1965. 1. 26.	시행 년월일		보존 년한		정 서	기 장
분류 기호	외구미 722.2	전체 통제		종결			
경유 수신 참조	보건사회부장관 노동청장			발 신			
제 목	제69차 주둔군지위협정 체결교섭 실무자회의 결과 보고						

1965. 1. 25. 하오 3시부터 4시10분까지 외무부 제1회의실에서 개최된 제69차 주둔군지위협정 체결교섭 실무자회의 결과 보고서 사본을 송부하오니 이를 검토하시기 바랍니다.

유첨: 보고서 사본 1부 끝

0046

승인서식 1-1-3 (11-00900-03) (195mm×265mm16절지)

제 69 차

한·미간 주둔군지위협정 체결 교섭 실무자회의 보고서

1. 일시 1965. 1. 25.
2. 장소 외무부 제 1 회의실
3. 토의사항

<u>노무조항</u>

가. 우리측은 미측이 제 68 차회의에서 제안한 미군근로자의 직접고용범위, 고용조건 준수한계, 노·사간 분쟁 해결 절차에 관한 미측 제안에 대하여 약 1 개월간 관계부와의 협의를 거처 다음과 같이 수정제안하였다.

(1) 미군과의 계약자, KSC 및 미군의 가사사용인은 본조항에서 제외한다.

(2) 미군은 가급적 최대한도로 한국정부의 제용기관을 이용하되 직접 고용하고 행정을 수행할수 있다.

(3) 고용조건은 한국노동법령을 따르되 군사상의 필요에 의하여 준수하지 못할때에는 한국측의 사전합의를 얻는다. 이경우 한국측은 미군의 군사상 필요에 대하여 적절한 고려를 한다.

(4) 사용주는 근로자 불평에 대하여 적절한 해결책을 보장한다.

(5) 한국이 노동력을 배정할 경우 한국군에게 주는 바와 동일한 특권을 미군에게 준다.

(6) 국가비상시 미군에게 불가결의 기술을 가진 근로자에게는 병역의무 혹은 강제노역으로부터 연기하여 준다.

(7) 분쟁이 해결되지 않은 경우 노동청, 특별위원회, 합동위원회의 순으로 분쟁을 해결한다. 근로자 및 근로자단체는 노동청에 회부된 날로부터 한국노동쟁의법 제 14 조에 규정된 냉각기간이

0047

65-5-1(5)

미국문 112-10(5)

0048

경과되지 않는한 정상업무를 저해하는 행위를 행하지 못한다. 합동위원회의 결정에 불복 하거나 노동쟁의법 제 14 조에 위반하는 행위는 한국관계 법령에 의하여 부여된 권리를 박탈 할수 있는 원인으로 간주한다.

(8) 미군의 군속은 그들의 고용한계와 조건에 관하여 한국법에 복하지 아니한다.

(9) 미국이 한국법에 복하기로 수락한 것은 미국이 국제법상 부여된 면제를 포기하는 것을 의미 하지 아니한다.

(10) 한국정부는 미군 근로자를 고용함에 소요된 경비에 대하여 미군으로 부터 보상을 받는다.

나. 이상의 신제안에 대하여 미측은 추후에 정식으로 의견을 진술하기로 하고 다만 몇가지 어구해석상의 질문이 있었고 우리측은 그에 대답하였다.

4. 차기회의일자 : 1965. 2.2. 끝

0049

기문112-10

0050

LABOR ARTICLE

1. It is recalled that we have discussed to work out agreement on the labor article through the 8 consecutive negotiating sessions during the past ten months. It is the view of the Korean negotiators that we have made considerable progress towards agreement on certain matters except some divergencies. In this regard, the Korean negotiators appreciate to the U.S. negotiators for their endeavors in making this progress and particularly in proposing significant modifications made at the previous session.

2. The Korean negotiators have carefully reviewed the revised draft of U.S. side and considered the views of U.S. negotiators as well. As were clearly expressed in the past, it is the position of the Korean negotiating team that the status including the rights and privileges of Korean employees working for the U.S. armed forces, which is presently enjoyed by them, will be enhanced and up-graded to the extent practicable. But, we do not intend to be inflexible in negotiation of this Article at the sacrifice of the U.S. armed forces. We are rather prepared to compromise at least to the extent that the Korean employees can have the same rights and privileges as they are presently enjoying.

3. With this basic requirements and position we have made most significant modifications of our former draft. We table our new revised draft for your consideration. As you see, the modifications of the Korean side are underlined, which comprise twelve (12) paragraphs including 6 sub-paragraphs. These modifications include 6 paragraphs as well as 3 sub-paragraphs of the U.S. draft in part or as a whole, which the Korean negotiators are now prepared to accept, with minor reservations in some cases. The Korean negotiators hope that the U.S.

0051

side will accept those remaining paragraphs which the Korean side has carefully revised in light of the views of the U.S. negotiators expressed at former session.

4. We are going to explain our modifications paragraph by paragraph and at the same time to comment on the U.S. draft as well. With regard to the first paragraph, our revised draft is designed to incorperate both the Korean and the U.S. drafts, except a deletion of "the Korean Service Corps", for which the Korean sides had already proposed not to raise within the framework of the present SOFA negotiation. We, therefore, foresee no difficulty in agreeing on this paragraph.

5. With regard to Paragraph 2, it is recalled that the U.S. negotiators proposed at the 64th Session the revised table which were designed, inter alia, to withhold the right of direct employment and management, and the Korean side counter-proposed at the 65th Session, revision of the Paragraph to the effect that while enabling the U.S. armed forces to accomplish direct employment and management, the assistance of the Korean authorities should be made use of to the maximum extent practicable. At that time, the U.S. negotiators held the view that a literal wording should explicitly be made on the availability of direct employment and management by the U.S. armed forces and, again, at the previous session, the U.S. negotiators revised their draft by substituting the word "administer" for the word "manage". In order to meet the desire of the U.S. side and to satisfy our basic requirements, we are now proposing the present draft paragraph for consideration. This revision provides that the employers shall endeavour to recruit and employ to the maximum extent practible with the assistance of the Korean authorities and may employ directly skilled labor and specially

0052

trained technical personnel and that the employers may establish personnel administration practice for their employees. The third sentence of the paragraph has already been agreed upon by both sides.

6. Turning to the Paragraph 3, there has been no great differences with regard to the principle that the conditions of employment confirm with those laid down in the Korean labor legislation. At the previous sessions, the Korean negotiators expressed the controversial view that the implication of phrase "basic management needs" which was replaced by the phrase "military requirements" at the 68th session was still ambiguous and too broad, which might have been defined or explained. In that regard, Mr. Habib stated that "the interpretation of the phrase in individual cases would be referred to the Joint Committee." Again, the Korean negotiators maintained that "the phrase be defined before reaching agreement on this Article."

~~With these views expressed by both sides, the Korean side now table them as Agreed Minute #5 to which the Korean side attaches great importance. We agree that any action or measures to be taken on account of "the military requirements" shall be referred to the Joint Committee for clear interpretation, whenever disputes arise. We would like to make it clear that the Korean authorities would not refer every matter to the Joint Committee, unless the rights and privileges of Korean employees are deprived or diminished greatly. Naturally, we hope such cases would not occur.~~

~~On the condition that the U.S. side accept this Agreed Minute #5, the Korean side is prepared to accept the phrase "the military requirements" stipulated in Paragraph 3.~~

0053

With these views expressed by the both sides, the Korean side now propose the revised draft of Paragraph 3 which substitutes the phrase "except as may otherwise be mutually agreed" for the phrase "to the extent not inconsistent with the provisions of this article or the military requirements of the United States Armed Forces" and a new Agreed Minute #5 which provides that "any action or measures to be taken by the employers in virtue of the military requirements of the United States Armed Forces, whenever inconsistent with the provisions of Paragraph 3, shall be in prior referred for consultation to the Joint Committee and shall be subject to the decision thereof, and the Republic of Korea ~~shall~~ will give due consideration on such action or measures as essential in virtue of the military requirements of the United States Armed Forces.". The Korean side attaches great importance to this proposal. This proposal is partly based on Mr. Habib's remark at the previous session, with which we completely agree, that any action or measures to be taken on account of the military requirements shall be referred to the Joint Committee for clear interpretation, whenever disputes arise. We would like to make it clear that the Korean authorities would not prefer to have every matter referred to the Joint Committee, unless the rights and privileges of Korean employees are greatly deprived or diminished. Naturally, the Korean side hopes such references would rarely occur. In any case, the Korean authorities will do their best in cooperation with the United States armed forces for the accomplishment of their mission.

With this content, the Korean side assumes that the new Korean draft of Paragraph 3 and Agreed Minute #5 would satisfactorily meet the desire and requirements of the United States side.

0054

It is added, in this connection, that the Korean negotiators still maintain that the main clause of Paragraph 3 of the Korean draft is preferable.

7. As regards the Paragraph 4 of the U.S. draft, it is the opinion of the Korean negotiators that the provisions of its sub-paragraph (a) relating to strike, labor union, and so on, are already covered with by the Paragraph 3 of the present Korean draft, which stipulates that employer-employee relations conform with the existing Korean labor legislation. It is also our view that the sub-paragraph (a) is an unnecessary duplication and, therefore, we propose to delete it from the present Article. As for the sub-paragraph (b), we are prepared to accept it.

8. Turning to the Paragraph 5, we are pleased to accept the sub-paragraph (a).

As for the sub-paragraph (b), it is legally established practice that all eligible Korean youths cannot be exempted from their military service, for it is solemn duty of all youths under the provisions of the Constitution, but some may be granted deferment, not exemption, of their military service under very special circumstances in accordance with the Korean Draft Law. On this matter, Korean negotiators have but to reiterate the regulations of Korean legislation. It is to be known that in Korea, "exemption" is granted only to those who are disabled or crippled. Therefore, the Korean negotiators propose to adopt the sub-paragraph (b), as amended in the present Revised Korean Draft.

9. May we invite your attention to the Paragraph 6 regarding the employment by the contractors, which was appeared in the original Korean draft. Since there have been no provisions relating to local employment by the

contractors, Korean negotiators deem it necessary to maintain this clause with an addition that the employment conditions shall be governed in accordance with the Korean labor legislation. We take it for granted that the U.S. side would agree on this points.

With regard to the Paragraph 7 which is shown in the U.S. draft as Paragraph 6, we have no objection.

10. Turning to the Agreed Minutes, the Para. 1 contains the second sentence of the U.S. draft, whereas the first part of the Para. is deleted in the light of our previous contention that the matters concerning the Korean Service Corps should be eliminated from the SOFA deliberation. With this understanding, this Paragraph would be accepted by both sides.

11. We are ready to accept the first sentence of the Agreed Minutes #2. But, in so far as the second sentence is concerned, the Korean negotiators are firmly against the inclusion of it in the present Agreed Minutes. In this regard, the Korean negotiators held the view at the previous meeting that this addition would be unnecessary duplication of the revised Paragraph 3 of U.S. draft and would imply a retreat by the U.S. negotiators to a rigid position in the application of the phrace "military requirements". In this connection, the Agreed Minutes #5 of the revised Korean draft provides a proper procedures by which this sort of matters may be referred to the Joint Committee.

12. As for the Agreed Minutes #3 and #4, the Korean negotiators are willing to accept the identical versions of the U.S. draft. As regards the Agreed Minutes #5, full explanation was already made when we discussed the Paragraph 3.

0056

Turning to the last question as to establishing procedures for the settlement of labor disputes which cannot be settled through the use of existing procedures of the U.S. armed forces, the Korean negotiators are now ready to agree in principle on adopting a three stage procedures for settling any labor disputes as proposed by the U.S. negotiators at the 68th session. The Korean negotiators also agree with the views expressed by the U.S. side that the Joint Committee will resolve the disputes and its decisions shall be binding. In the opinion of the Korean negotiators, any practice disruptive of normal work requirements shall be limited to the extent practicable, for which the Korean authorities would do their best in cooperation with the U.S. military authorities in the future, as they did in the past. That is to say, the Korean authorities are obliged to prevent the Korean employees from indulging in any practice disruptive of normal work requirements in such case as the practices are carried out in violation of the relevant regulations of Korean legislation. This is logical and normal manner in any case. It is, therefore, proposed that any disruptive practice during the settlement procedures shall be regulated in accordance with the applicable provisions of Korean labor laws which deal with every matter in respect of labor disputes. It is illogical to preclude the exercise of fundamental rights of laborers for an indefinite period of time in virtue of "settlement procedures which are being proceeded". By this, Korean negotiators do not mean that the employees shall be able to engage in disruptive practices at any time they feel like. Our assertion is simply based on the necessity that their interests shall be protected in such a reasonable way

0057

as are provided for in the Korean labor legislation. Inasmuch as the employment conditions will be governed by the Korean labor regulations, we assert, ~~that~~ the employees' rights to strike be governed under the same Korean laws. With this, nothing contravene the accomplishment of the mission of the United States armed forces. In this sence, it is our expressed hope that the U.S. side will find our proposals acceptable in view of the common mission of defense and security as a whole.

0058

1965.1.25
69th session에서 낭독

LABOR ARTICLE

1. It is recalled that we have discussed to work out agreement on the labor article through the 8 consecutive negotiating sessions during the past ten months. It is the view of the Korean negotiators that we have made considerable progress towards agreement on certain points. And, the Korean negotiators appreciate to the U.S. negotiators for their endeavors in making this progress and particularly in proposing modifications made at the previous session.

2. The Korean negotiators have carefully reviewed the revised draft of U.S. side and considered the views of U.S. negotiators as expressed upon presentation of the revised draft. As was clearly expressed in the past, it is the position of the Korean negotiating team that the rights and privileges currently enjoyed by the Korean employees working for the U.S. armed forces should be ~~enhanced and up-graded~~ improved through the conclusion of SOFA. But, we do not intend to be inflexible in negotiation of this Article. We are rather prepared to compromise at least to the extent that the Korean employees can have the same rights and privileges as they are presently enjoying.

3. With this basic requirements and position in mind, we have made most significant modifications on our ~~former~~ draft. Now, we table our new revised draft for your consideration. As you see, the revised portions are underlined.

4. We now like to explain our modifications paragraph by paragraph and at the same time to comment on the U.S. draft. With regard to the first Paragraph, our position remains the same, but the new draft is merely designed to

0059

streamline the formality of text. As you may note, the Korean side has excluded from our draft the phrases of "the contractors", "the Korean Service Corps", and "a domestic employed by an individual member of the U.S. Armed Forces." As for the contractors, it is our standing position, as was clearly conveyed when we discussed the Contractors Article, that the terms and conditions of employment of the Korean employees by the contractors shall be governed by the applicable Korean labor legislation. As regards the Korean Service Corps, you may recall that the Korean side had already proposed not to raise this question within the framework of the present SOFA negotiation. The phrase relating to a domestic employed by an individual member of the U.S. Armed Forces, civilian component or dependent thereof is not provided for in this Article as a domestic is not covered by the Korean labor laws.

5. With regard to Paragraph 2, we are now prepared to accept the U.S. draft with minor change of wording.

6. Turning to the Paragraph 3, there has been no substantial differences with regard to the principle that the conditions of employment confirm with those laid down by the Korean labor legislation. At the previous sessions, the Korean negotiators expressed the view that the implication of phrase "basic management needs" which was replaced by the phrase "military requirements" at the 68th session, was still ambiguous and too broad. In that regard, Mr. Habib stated that "the interpretation of the phrase in individual cases would be referred to the Joint Committee."

With these views in mind, the Korean side now proposes the revised draft of Paragraph 3 and a new Agreed Minute #4.

0060

The revised portion of Paragraph 3 reads "except as may otherwise be mutually agreed" in place of the phrase "to the extent not inconsistent with the provisions of this Article or the military requirements of the United States Armed Forces." And the new Agreed Minute, which meets the substance of U.S. requirements in principle, reads. "In case where it is impossible for the employers to conform, on account of the military requirements of the United States Armed Forces, with the Korean labor legislation under the provisions of Paragraph 3, the matter shall in advance be referred to the Joint Committee for mutual agreement.

The Republic of Korea will give due consideration to the military requirements of the United States Armed Forces."

This revised draft is designed to meet fully requirements of U.S. side. In our sincere efforts to reach an agreement on this Article, the Korean side now accepts the phrase "the military requirements of the United States Armed Forces." Under the provisions of this revised draft, the Korean side clearly recognize the possible deviation by the U.S. authorities from Korean labor legislation on the ground of "military requirements." We further propose that the U.S. deviation on this ground shall be referred to the Joint Committee for mutual agreement. We believe the U.S. side has no objection to this proposal.

7. As regards the Paragraph 4 of the U.S. draft, it is the opinion of the Korean negotiators that the provisions of its sub-paragraph (a) relating to right to strike, labor union, and so on, are already covered with by the Paragraph 3 of the present Korean draft, which stipulates that employer-employee relations conform with the existing Korean labor legislation. It is also our view that the sub-paragraph (a)

0061

is an unnecessary duplication and, therefore, we propose to delete it from the present Article. As for the sub-paragraph (b), we are prepared to accept it with minor change of wording.

8. Turning to the Paragraph 5, we ~~are pleased to~~ accept the sub-paragraph (a) of U.S. version with a change of "allocation privilege "in stead of "employment privilege." We believe the change is ~~clearly~~ readily understandable from the logical point of view.

As for the sub-paragraph (b), ~~it is legally established practice that~~ all eligible Korean youths cannot be exempted from their military service, for it is solemn duty of all youths under the provisions of the Constitution, but some may be granted deferment, not exemption ~~of~~ from their military service under very special circumstances in accordance with the Korean Draft Law. The Korean Law provides that "exemption" is granted only to those who are disabled or crippled. Therefore, the Korean negotiators propose to adopt the sub-paragraph (b), as amended in the present Revised Korean Draft.

9. With regard to the Paragraph 6, we accept the U.S. version.

10. Turning to the Agreed Minutes, the Para. 1 of the U.S. draft is deleted ~~in the light of our previous contention that the matters concerning the Korean Service Corps should be eliminated from the SOFA deliberation and that the provisions relating to domestic would not be necessarily covered by this Article. With this understanding, this Paragraph would be unnecessary.~~ our draft. The proposed deletion is self-explanatory in the light of the presentation of our position on Paragraph 1 of the text.

11. We ~~are ready to~~ accept the first sentence of the Agreed Minutes #2 of the U.S. draft, which is shown as

0062

Agreed Minute #1 of the Korean draft. But, in so far as the second sentence is concerned, the Korean negotiators are firmly against the inclusion of it in the present Agreed Minutes. At the previous meeting, the Korean negotiators held the view that this addition would be unnecessary duplication of the revised Paragraph 3 of U.S. draft. In this connection, the Agreed Minutes #4 of the revised Korean draft provides proper procedures.

12. As for the Agreed Minutes #2 and #3, the Korean negotiators accept the U.S. draft. As regards the Agreed Minutes #4, full explanation was already made when we explained the Paragraph 3.

13. Turning to the last question, Agreed Minute #5, as to establishing procedures for the settlement of labor disputes which cannot be settled through the use of existing procedures of the U.S. Armed Forces, the Korean negotiators are now ready to agree in principle to adopt three stage procedures for settling labor disputes as proposed by the U.S. negotiators at the 68th session. But, as for the sub-paragraph (b), the U.S. draft provides that the dispute may be referred to the Joint Committee and that Committee may refer to a specially designated committee. We consider this steps are complicated as the next step (c) ~~prescribes~~ provides renewed reference to the Joint Committee. In order to simplify these steps, the Korean negotiators propose that the Joint Committee designate a special committee which is solely charged with dispute settlement before the references to the Joint Committee. Therefore, we modified the sub-paragraph (b) as shown in the new draft and we hope that the U.S. negotiators would agree.

As regards the third step, the Korean side has no objectinn to the U.S. draft.

With regard to the sub-paragraph (d) relating to the prohibition of ~~disruptive practice~~ act of dispute during the settlement procedures, the Korean negotiators uphold its position that the Korean employees may conduct act of dispute in accordance with the spirits embodied in the Korean Laws while no practice disruptive of normal work requirements shall be permitted in violation of the cooling-off period set forth in the relevant Korean Labor legislation. We cannot accept any provisions that preclude the exercise of fundamental rights of laborers for an indefinite period. However, the Korean negotiators do not maintain that the employees shall be able to engage in disruptive practice at any time they feel like. With this requirements and position in mind, the Korean negotiators ~~now~~ proposed ~~to adopt~~ the present Korean draft. In connection with this provisions, the Korean side modified the sub-paragraph (e) which is almost identical version with sub-paragraph (d) of the U.S. draft.

It is our ~~expressed~~ hope that the U.S. side will find our proposals acceptable.

0064

STATUS OF FORCES NEGOTIATIONS: 69th Meeting

SUBJECT: Labor Article

PLACE: Ministry of Foreign Affairs

DATE: January 25, 1965

PARTICIPANTS:

Republic of Korea	United States
CHANG Sang-mun	Philip C. Habib
HO Sung-chung	Brig. General Carroll H. Dunn, USA
YI Nam-ki Maj.	Captain John Wayne, USN
KIM Ki-cho Lee Ke Horn	Colonel Howard Smigelow, USA
HWANG Yong-chae	Frank R. LaMacchia
YI Kun-pal (Interpreter)	Benjamin A. Fleck
PAK Won-chol	Robert A. Kinney
	Goodwin Shapiro
	Major Alton Harvey, USA
	David Y.C. Lee (Interpreter)
	Ogden Reed (Observer)

0065

1. Opening the meeting, Mr. Chang recalled that the Labor Article had been discussed during the past ten months at eight negotiating meetings. The Korean negotiators believe that considerable progress has been made toward agreement on certain points. The Korean negotiators appreciated the endeavors of the U.S. negotiators in contributing to that progress and particularly in proposing modifications at the previous meeting.

2. Mr. Chang stated that the Korean negotiators had reviewed the revised U.S. draft [redacted] and had carefully considered the views expressed by the U.S. negotiators when they tabled that draft. As the Korean negotiators had clearly stated in the past, the Korean position is that the rights and privileges currently enjoyed by the Korean employees of the U.S. armed forces should be improved through the conclusion of the Status of Forces Agreement. However, the Korean negotiators do not intend to be inflexible in negotiating this article. Rather, they are prepared to compromise, at least to the extent that the Korean employees can continue to have the rights and privileges which they are presently enjoying.

3. With this basic position and these requirements in mind, Mr. Chang continued, the Korean negotiators had made most significant modifications in the Korean draft. He then tabled a revision of the Korean draft, noting that the revised portions were underlined.

Mr. Chang stated that he would explain the revisions, paragraph by paragraph, and at the same time would comment on the U.S. revised draft. para 4. With regard to Paragraph 1, Mr. Chang said the Korean position remains the same but the new draft had been designed to streamline the text. Excluded from the revised text were the phrases "the contractors", "the Korean Service Corps", and "a domestic employed by an individual member of the U.S. Armed Forces". As for the contractors, Mr. Chang pointed out that the standing position of the Korean negotiators, as had been clearly stated during discussion of the Contractors Article, is that the terms and conditions of employment of the Korean employees by invited [redacted]tors shall be governed by the appli-

0066

cable Korean labor legislation. As regards the Korean Service Corps, the U.S. negotiators would recall that the Korean negotiators had already proposed that this subject not be raised within the framework of the SOFA negotiations. The phrase relating to a domestic employed by an individual member of the U.S. armed forces, civilian component, or dependent thereof, had been deleted because a domestic is not covered by the Korean labor laws.

5. Mr. Chang stated that the Korean negotiators were now prepared to accept the language of Paragraph 2 of the revised U.S. draft, with a minor change of wording.

6. Turning to Paragraph 3, Mr. Chang noted that there had been no substantial difference of opinion with regard to the principle that the conditions of employment should conform with those laid down by Korean labor legislation. At previous negotiating sessions, the Korean negotiators had expressed the view that the implication of the phrase "military requirements", as well as that of the phrase "basic management needs" which it replaced, was ambiguous and too broad. In that regard, Mr. Habib had stated that the interpretation of the phrase in individual cases would be referred to the Joint Committee. With these views in mind, the Korean negotiators were now proposing this revised draft of Paragraph 3 and a new Agreed Minute #4. The revised portion of Paragraph 3 reads "except as may otherwise be mutually agreed" in place of the phrase "to the extent not inconsistent with the provisions of this Article or the military requirements of the United States Armed Forces". The proposed Agreed Minute #4, which meets the substance of the U.S. requirements in principle, reads as follows:

> "4. In case where it is impossible for the employers to conform, on account of the military requirements of the United States Armed Forces, with the Korean labor legislation under the provisions of Paragraph 3, the matter shall in advance be referred to the Joint Committee for mutual agreement.

0067

"The Republic of Korea will give due consideration to
the military requirements of the United States Armed Forces."

Mr. Chang stated that the revised draft which he had just read had been designed to meet fully the requirements of the U.S. negotiators. In their sincere efforts to reach agreement on this article, the Korean negotiators now accepted the phrase "the military requirements of the United States Armed Forces". Under the provisions of the revised draft, the Korean negotiators clearly recognize the possibility of deviation by the U.S. authorities from Korean labor legislation on the grounds of "military requirements". The Korean negotiators were further proposing that such U.S. deviation should be referred to the Joint Committee for mutual agreement. They believed the U.S. negotiators would have no objection to this proposal.

7. With regard to Paragraph 4 of the U.S. draft, Mr. Chang said that the Korean negotiators were of the opinion that the provisions of subparagraph (a) relating to the right to strike, organization of labor unions, etc., were covered by Paragraph 3 of the revised Korean draft, which stipulates that employer-employee relations must conform with the existing Korean labor legislation. The Korean negotiators believed that subparagraph (a) was unnecessary duplication and therefore they proposed its deletion from this article. They were prepared to accept subparagraph (b) of the U.S. draft with a minor change of wording. This appeared as Paragraph 4 of the revised Korean draft.

8. With regard to Paragraph 5, Mr. Chang stated that the Korean negotiators accepted subparagraph (a) of the U.S. revised draft, substituting "allocation privileges" for "employment privileges". They believed the change to be readily understandable from a logical point of view. With regard to subparagraph (b), Mr. Chang stated that all eligible Korean youths cannot be exempted from their military service, for it is the solemn duty of all youths under the provisions of the Constitution to serve in the armed forces. However, some may be granted deferment, not

0068

exemption, from their military service under very special circumstances in accordance with the Korean draft law. This law provides that "exemption" is granted only to those who are disabled or crippled. Therefore, the Korean negotiators propose the adoption of sub-paragraph (b), as amended in the revised Korean draft.

9. Mr. Chang said the Korean negotiators accept Paragraph 6 of the revised U.Ss draft.

10. Turning to the Agreed Minutes, Mr. Chang noted that Agreed Minute #1 of the U.S. draft had been deleted from the Korean revised draft. The deletion was self-explanatory in the light of the Korean position regarding Paragraph 1.

11. Mr. Chang said the Korean negotiators agreed to the first sentence of Agreed Minute #2 of the U.S. draft, which appears as Agreed Minute #1 of the [redacted] revised Korean draft. But, he continued, the Korean negotiators are firmly against inclusion of the second sentence. At the previous meeting, the Korean negotiators had expressed the view that this sentence constituted unnecessary duplication of [redacted] Paragraph 3 of the revised U.S. draft. In this connection, they believed that Agreed Minute #4 of the revised Korean draft [redacted] would provide proper procedures.

12. Mr. Chang noted that Agreed Minutes #2 and #3 were identical with Agreed Minutes #3 and #4 of the U.S. revised draft.

13. Mr. Chang stated that full explanation of Agreed Minute #4 had been [redacted] included in the explanation given of Paragraph 3.

14. Turning to Agreed Minute #5, which would establish procedures for the settlement of labor disputes which cannot be settled through the use of existing procedures of the U.S. armed forces, Mr. Chang stated that the Korean negotiators were now ready to agree in principle to the adoption of a three-stage procedure for the settlement of disputes, as proposed by the U.S. negotiators at the 68th meeting. However, they thought subparagraph (b) of the revised U.S. draft was unnecessarily complicated in providing for reference of a dispute to the Joint Committee and then to a [redacted] committee [redacted] the Joint Committee,

0069

for subparagraph (c) provides for reference once again to the Joint Committee. In order to simplify those steps, the Korean negotiators were proposing that the Joint Committee designate a special committee to which a labor dispute would be referred before reference to the Joint Committee. They had modified subparagraph (b) in their revised draft and hoped that the U.S. negotiators would agree. With regard to the third step in the settlement process, the Korean negotiators had no objection to the revised U.S. draft.

15. With regard to subparagraph (d), relating to the prohibition of disruptive practices during the settlement procedures, Mr. Chang stated that the Korean negotiators maintained their position that the Korean employees may indulge in disruptive practices in accordance with the spirit of the Korean laws but that no practice disruptive of normal work requirements should be permitted in violation of the cooling-off period set forth in the relevant Korean labor legislation. The Korean negotiators cannot accept any provision that precludes the exercise of fundamental rights of laborers for an indefinite period. However, the Korean negotiators do not maintain that the employees should be able to engage in disruptive practices at any time they feel like it. Therefore, the Korean negotiators proposed subparagraph (d) of their revised draft and subparagraph (e) which is almost identical with subparagraph (d) of the U.S. draft. The Korean negotiators hoped that the U.S. negotiators would find their proposals acceptable. They had tried their best to meet the U.S. requirements and urged the U.S. negotiators to study the revised Korean draft carefully and respond at an early date.

16. Mr. Habib replied that the U.S. negotiators would study the Korean draft and comment on it at a later meeting. At present, they would like to ask a few questions in order to clarify the Korean position.

17. With regard to Agreed Minute #1, the Korean negotiators had said that it was equivalent to Agreed Minute #2 of the U.S. draft. This was not the case, however, as the Korean draft "to conform with those laid down by the legislation of the

0070

Republic of Korea" while the U.S. draft reads "to conform to Korean labor laws, customs, and practices". The U.S. negotiators failed to understand what the language of the Korean draft meant. Mr. Chang replied that the Korean negotiators understood that the basic intention of the U.S. negotiators is that the U.S. authorities will not conform with decisions of the Korean courts or labor committees. The Korean negotiators believed that customs and practices are not related to court decisions or to Korean law and therefore need not be mentioned. Mr. Habib remarked that the intent of the Korean negotiators appeared to be to exclude reference to customs and practice from the language of this Agreed Minute. Mr. Chang confirmed this and it was agreed to change the language of the Agreed Minute in the Korean draft to read: "to conform with the labor legislation of the Republic of Korea".

18. Mr. Reed inquired about the reference in Agreed Minute #5 subparagraph (d) of the revised Korean draft to Article 14 of the Korean Labor Dispute Law. Mr. Chang thereupon read Article 14, as follows:

> "Article 14. (Cooling Period). No act of dispute shall be conducted unless 20 days have elapsed in the case of general enterprise and 30 days in the case of public utility after a lawful adjudication of the labor committee prescribed in Article 16 has been rendered."

There then followed a discussion as to whether subparagraph (d) of the Korean draft was consistent with Article 14 of the Labor Dispute Law. Mr. Chang confirmed that while Article 14 refers to a 30-day cooling off period following adjudication by the labor committee, subparagraph (d) refers to a 30-day cooling off period following referral to the ~~labor committee~~ Office of Labor Affairs. Mr. Habib stated that the U.S. negotiators would study this question, as well as the rest of the revised Korean draft. The meeting was then adjourned.

0071

1/3

JOINT SUMMARY RECORD OF THE 69TH SESSION

1. Time and Place: 3:00 - 4:00 P.M. January 25, 1965 at the Foreign Ministry's Conference Room (No.1)

2. Attendants:

ROK Side:

Mr. Chang, Sang Moon	Director European and American Affairs Bureau
Mr. Hu, Sung Joon	Director Labor Administration Bureau Office of Labor Affairs
Mr. Lee, Nam Ki	Chief America Section Ministry of Foreign Affairs
Maj. Lee, Kye Hoon	Military Affairs Section Ministry of National Defense
Mr. Kim, Kee Joe	3rd Secretary Ministry of Foreign Affairs
Mr. Lee, Keun Pal (Rapporteur and Interpreter)	3rd Secretary Ministry of Foreign Affairs
Mr. Hwang, Young Jae	3rd Secretary Ministry of Foreign Affairs
Mr. Park, Won Chul	3rd Secretary Ministry of Foreign Affairs

U.S. Side:

Mr. Philip C. Habib	Counselor American Embassy
Brig. Gen. Carroll H. Dunn	Deputy Chief of Staff 8th U.S. Army
Col. Howard Smigelow	Deputy Chief of Staff 8th U.S. Army
Capt. John Wayne	Assistant Chief of Staff USN/K
Mr. Frank R. LaMacchia	First Secretary American Embassy

0072

Mr. Benjamin A. Fleck (Rapporteur and Press Officer)	First Secretary American Embassy
Mr. Robert A. Kinney	J-5 8th U.S. Army
Mr. Goodwin Shapiro	Second Secretary American Embassy
Maj. Alton H. Harvey	Staff Judge Advocate's Office 8th U.S. Army
Mr. David Y.S. Lee (Interpreter)	Second Secretary American Embassy
Mr. Ogden C. Reed	Civilian Personnel Director 8th U.S. Army

Labor Article

1. Opening the meeting, Mr. Chang recalled that the Labor Article had been discussed during the past ten months at eight negotiating meetings. The Korean negotiators believe that considerable progress has been made toward agreement on certain points. The Korean negotiators appreciated the endeavors of the U.S. negotiators in contributing to that progress and particularly in proposing modifications at the previous meeting.

2. Mr. Chang stated that the Korean negotiators had reviewed the revised U.S. draft and had carefully considered the views expressed by the U.S. negotiators when they tabled that draft. As the Korean negotiators had clearly stated in the past, the Korean position is that the rights and privileges currently enjoyed by the Korean employees of the U.S. armed forces should be improved through the conclusion of the Status of Forces Agreement. However, the Korean negotiators do not intend to be inflexible in negotiating this article. Rather, they are prepared to compromise, at least to the extent that the Korean employees can continue to have the rights and privileges which they are presently enjoying.

0073

3. With this basic position and these requirements in mind, Mr. Chang continued, the Korean negotiators had made most significant modifications in the Korean draft. He then tabled a revision of the Korean draft, noting that the revised portions were underlined. Mr. Chang stated that he would explain the revisions, paragraph by paragraph, and at the same time would comment on the U.S. revised draft.

4. With regard to Paragraph 1, Mr. Chang said the Korean position remains the same but the new draft had been designed to streamline the text. Excluded from the revised text were the phrases "the contractors", "the Korean Service Corps", and "a domestic employed by an individual member of the U.S. Armed Forces". As for the contractors, Mr. Chang pointed out that the standing position of the Korean negotiators, as had been clearly stated during discussion of the Contractors Article, is that the terms and conditions of employment of the Korean employees by invited contractors shall be governed by the applicable Korean labor legislation. As regards the Korean Service Corps, the U.S. negotiators would recall that the Korean negotiators had already proposed that this subject not be raised within the framework of the SOFA negotiations. The phrase relating to a domestic employed by an individual member of the U.S. armed forces, civilian component, or dependent thereof, had been deleted because a domestic is not covered by the Korean labor laws.

5. Mr. Chang stated that the Korean negotiators were now prepared to accept the language of Paragraph 2 of the revised U.S. draft, with a minor change of wording.

6. Turning to Paragraph 3, Mr. Chang noted that there had been no substantial difference of opinion with regard to the principle that the conditions of employment should

0074

conform with those laid down by Korean labor legislation. At previous negotiating sessions, the Korean negotiators had expressed the view that the implication of the phrase "military requirements", as well as that of the phrase "basic management needs" which it replaced, was ambiguous and too broad. In that regard, Mr. Habib had stated that the interpretation of the phrase in individual cases would be referred to the Joint Committee. With these views in mind, the Korean negotiators were now proposing this revised draft of Paragraph 3 and a new Agreed Minute #4. The revised portion of Paragraph 3 reads "except as may otherwise be mutually agreed" in place of the phrase "to the extent not inconsistent with the provisions of this Article or the military requirements of the United States Armed Forces". The proposed Agreed Minute #4, which meets the substance of the U.S. requirements in principle, reads as follows:

> "4. In case where it is impossible for the employers to conform, on account of the military requirements of the United States Armed Forces, with the Korean labor legislation under the provisions of Paragraph 3, the matter shall in advance be referred to the Joint Committee for mutual agreement.
>
> "The Republic of Korea will give due consideration to the military requirements of the United States Armed Forces."

Mr. Chang stated that the revised draft which he had just read had been designed to meet fully the requirements of the U.S. negotiators. In their sincere efforts to reach agreement on this article, the Korean negotiators now accepted the phrase "the military requirements of the United States Armed Forces." Under the provisions of the revised draft, the Korean negotiators clearly recognize the possibility of deviation by the U.S. authorities from Korean labor legislation on the grounds of "military requirements". The

Korean negotiators were further proposing that such U.S. deviation should be referred to the Joint Committee for mutual agreement. They believed the U.S. negotiators would have no objection to this proposal.

7. With regard to Paragraph 4 of the U.S. draft, Mr. Chang said that the Korean negotiators were of the opinion that the provisions of subparagraph (a) relating to the right to strike, organization of labor unions, etc., were covered by Paragraph 3 of the revised Korean draft, which stipulates that employer-employee relations must conform with the existing Korean labor legislation. The Korean negotiators believed that subparagraph (a) was unnecessary duplication and therefore they proposed its deletion from this article. They were prepared to accept subparagraph (b) of the U.S. draft with a minor change of wording. This appeared as Paragraph 4 of the revised Korean draft.

8. With regard to Paragraph 5, Mr. Chang stated that the Korean negotiators accepted subparagraph (a) of the U.S. revised draft, substituting "allocation privileges" for "employment privileges". They believed the change to be readily understandable from a logical point of view. With regard to subparagraph (b), Mr. Chang stated that all eligible Korean youths cannot be exempted from their military service, for it is the solemn duty of all youths under the provisions of the Constitution to serve in the armed forces. However, some may be granted deferment, not exemption, from their military service under very special circumstances in accordance with the Korean draft law. This law provides that "exemption" is granted only to those who are disabled or crippled. Therefore, the Korean negotiators propose the adoption of sub-paragraph (b), as amended in the revised Korean draft.

0076

9. Mr. Chang said the Korean negotiators accept Paragraph 6 of the revised U.S. draft.

10. Turning to the Agreed Minutes, Mr. Chang noted that Agreed Minute #1 of the U.S. draft had been deleted from the Korean revised draft. The deletion was self-explanatory in the light of the Korean position regarding Paragraph 1.

11. Mr. Chang said the Korean negotiators agreed to the first sentence of Agreed Minute #2 of the U.S. draft, which appears as Agreed Minute #1 of the revised Korean draft. But, he continued, the Korean negotiators are firmly against inclusion of the second sentence. At the previous meeting, the Korean negotiators had expressed the view that this sentence constituted unnecessary duplication of Paragraph 3 of the revised U.S. draft. In this connection, they believed that Agreed Minute #4 of the revised Korean draft would provide proper procedures.

12. Mr. Chang noted that Agreed Minutes #2 and #3 were identical with Agreed Minutes #3 and #4 of the U.S. revised draft.

13. Mr. Chang stated that full explanation of Agreed Minute #4 had been included in the explanation given of Paragraph 3.

14. Turning to Agreed Minute #5, which would establish procedures for the settlement of labor disputes which cannot be settled through the use of existing procedures of the U.S. armed forces, Mr. Chang stated that the Korean negotiators were now ready to agree in principle to the adoption of a three-stage procedure for the settlement of disputes, as proposed by the U.S. negotiators at the 68th meeting. However, they thought subparagraph (b) of the revised U.S. draft was unnecessarily complicated in providing for

0077

reference of a dispute to the Joint Committee and then to a special committee designated by the Joint Committee, for subparagraph (c) provides for reference once again to the Joint Committee. In order to simplify those steps, the Korean negotiators were proposing that the Joint Committee designate a special committee to which a labor dispute would be referred before reference to the Joint Committee. They had modified subparagraph (b) in their revised draft and hoped that the U.S. negotiators would agree. With regard to the third step in the settlement process, the Korean negotiators had no objection to the revised U.S. draft.

15. With regard to subparagraph (d), relating to the prohibition of act of dispute during the settlement procedures, Mr. Chang stated that the Korean negotiators maintained their position that the Korean employees may conduct act of dispute in accordance with the spirit of the Korean laws while no practice disruptive of normal work requirements should be permitted in violation of the cooling-off period set forth in the relevant Korean labor legislation. The Korean negotiators cannot accept any provision that precludes the exercise of fundamental rights of laborers for an indefinite period. However, the Korean negotiators do not maintain that the employees should be able to engage in disruptive practices at any time they feel like it. Therefore, the Korean negotiators proposed subparagraph (d) of their revised draft and subparagraph (e) which is almost identical with subparagraph (d) of the U.S. draft. The Korean negotiators hoped that the U.S. negotiators would find their propòsals acceptable. They had tried their best to meet the U.S. requirements and urged the U.S. negotiators to study the revised Koraan draft carefully and respond at an early date.

0078

16. Mr. Habib replied that the U.S. negotiators would study the Korean draft and comment on it at a later meeting. At present, they would like to ask a few questions in order to clarify the Korean position.

17. With regard to Agreed Minute #1, the Korean negotiators had said that it was equivalent to Agreed Minute #2 of the U.S. draft. This was not the case, however, as the Korean draft contained the language "to conform with those laid down by the legislation of the Republic of Korea" while the U.S. draft reads "to conform to Korean labor laws, customs, and practices". The U.S. negotiators failed to understand what the language of the Korean draft meant. Mr. Chang replied that the Korean negotiators understood that the basic intention of the U.S. negotiators is that the U.S. authorities will not conform with decisions of the Korean courts or labor committees. The Korean negotiators believed that customs and practices are not related to court decisions or to Korean law and therefore need not be mentioned. Mr. Habib remarked that the intent of the Korean negotiators appeared to be to exclude reference to customs and practice from the language of this Agreed Minute. Mr. Chang confirmed this and it was agreed to change the language of the Agreed Minute in the Korean draft to read: "to conform with the labor legislation of the Republic of Korea."

18. Mr. Reed inquired about the reference in Agreed Minute #5 subparagraph (d) of the revised Korean draft to Article 14 of the Korean Labor Dispute Law. Mr. Chang thereupon read Article 14, as follows:

> "Article 14. (Cooling Period). No act of dispute shall be conducted unless 20 days have elapsed in the case of general enterprise and 30 days in the case of public utility after a lawful adjudication of the labor

0079

committee prescribed in Article 16 has been rendered." There then followed a discussion as to whether subparagraph (d) of the Korean draft was consistent with Article 14 of the Labor Dispute Law. Mr. Chang confirmed that while Article 14 refers to a 30-day cooling off period following adjudication by the labor committee, subparagraph (d) refers to a 30-day cooling off period following referral to the Office of Labor Affairs. Mr. Habib stated that the U.S. negotiators would study this question, as well as the rest of the revised Korean draft. The meeting was then adjourned.

0080

2. 제70차, 2.12

0081

1/3

기 안 용 지

자체 통제		기안처	미주과 이근팔	전화번호	근거서류접수일자
	과장	국장	차관	장관	
관계관 서명	법무부: 검찰과장	검찰국장	차관	장관	
기안 년월일	1965. 2. 2.	시행 년월일		보존 년한	정서 기장
분류 기호	외구미 722.2—	전체 통제		종결	
경유 수신 참조	건 의			발신	
제목	제 70 차 주둔군지위협정 체결 교섭에 임할 우리측 입장				

1. 1964. 12. 16. 일 개최된 제 67 차 주둔군지위협정 체결 교섭실무자회의에서 미국측이 제안한 형사재판관할권에 관한 대안은 우리측이 제 50 차 및 제 52 차 회의 이래 주장하여 오던 입장과는 상당한 차의가 있음에 감하여,

2. 우리측은 1965. 1. 29. 일 관계부처간 실무자회의를 개최하고 종래의 우리측 입장을 최대한 살리는 한편 미측 제안을 참작하여 별첨과 같은 포괄적 대안을 수립하여 제 70차 회의에서 미측에 이를 일괄 수탁하라고 제안코저 하오니 재가하여 주시기 바랍니다.

유 첨: 제 70 차 주둔군지위협정 체결 교섭실무자회의에 임할 형사재판관할권에 관한 우리측 입장. 끝.

승인서식 1-1-3 (11—00900—03) (195mm×265mm16절지)

0082

제 70 차

주둔군지위협정 체결 교섭 실무자회의에 임할
우리측 입장

제 67 차 한·미간 실무자회의에서 미측이 제시한 포괄적 제안은 우리측 대표가 제 50 차 및 동 52 차회의 석상에서 제안한 우리의 입장과는 아직 상당한 거리가 있으므로 우리는 제 50 차 및 동 52 차 회의이래 우리측이 주장하여 온 입장, 특히 경합적 관할권의 포기에 관한 종전의 입장을 최대한 반영시키는 한편 미측이 제 67 차 회의시 제안한 주장을 참작하여 다음과 같은 역시 포괄적인 대안을 제시하여 미측으로 하여금 이를 일괄적으로 수락할 것을 촉구한다.

1. 경합적 관할권의 포기

가. 합의의사록 제 3 항초안

대한민국은 미군법에 복하는 자에 관하여 질서와 규율을 유지함이 미국당국의 주된 책임임을 인정하여 본조 3 (c) 항의 규정에 따른 미군당국의 요청을 받으면 대한민국당국이 관할권을 행사함이 특히 중대하다고 결정하는 경우를 제외하고 제 3 (b) 항의 규정하에서 관할권을 행사하는 제 1 차적 권리를 미군당국에 포기한다. 만약에 대한민국 당국이 상기 규정에 따라 내리는 결정에 관하여 이의가 제기될 경우에는 대한민국당국은 미국외교사절에 대한민국당국과 협의할수 있는 기회를 부여한다. 대한민국이 관할권을 행사할 제 1 차적 권리를 포기하는 사건의 재판과 제 3 (a) (ii) 항에 규정된 범죄(공무집행중 범죄)로서 대한민국 또는 대한민국국민에 대하여 범하여진 범죄에 관련된 사건의 재판은 별도의 조치가 상호 합의되지 않는한 범죄가 행하여 졌다는 장소로부터 적당한 거리내에서 행하여진다. 대한민국의 대표는 그러한 재판에 참석할수 있다.

경미한 범죄의 신속한 처리를 촉진하기 위하여 미국 및 대한민국당국간에 통고없이 처리하기 위한 약정을 만들수 있다.

나. 상기 초안을 제안함에 있어서 실지운영상의 논난의 여지를 제거하기 위하여 다음과 같은 양해사항을 기록에 남긴다.

"특정한 사건에 있어서 특수한 사정을 이유로 대한민국이 관할권을 행사함이 특히 중대하다고 인정하는 경우에 해당되는 사건이라 함은 ~~특정사건에 대한 상세한 조사결과에 달려 있지만 특히~~ 다음과 같은 ~~경우를~~ 칭한다: (ㄱ) 대한민국의 안전에 대한 범죄, (ㄴ) 사람을 죽이거나 또는 치사케한 범죄, (ㄷ) 강도죄, (ㄹ) 강간죄, (ㅁ) 기타 한.미양국정부의 어느당국이 특히 중대하다고 인정하는 범죄, 및 (ㅂ) 상기 범죄의 미수 또는 공범죄."

2. 공무집행중 범죄

가. 합의의사록 제3 (a) (ii) 항 초안

(1) 미측안을 수락한다. 즉,

"미국군대구성원 또는 군속이 범죄의 혐의를 받았을때에 그자가 범하였다면 혐의된 범죄가 공무집행중에 행한 작위 또는 부작위에 기인한 것임을 진술한 ~~미국군대의 군법회의를 소집할수 있는 지휘관이~~ 발행한 증명서는 제1차 관할권을 결정하기 위한 사실의 충분한 증거가 된다.

"대한민국의 지방검찰청 검사장은 공무집행증명서에 대한 반증이 있다고 사료하는 예외적인 경우에는 공무집행증명서는 대한민국관계관과 주한외고사절간의 협의를 통한 재심의 대상이 되어야 한다."

0084

(2) 미측이 제시한 2개의 양해사항을 다음과 같이 일부 수정하여 수락한다.

(ㄱ) 미군당국이 발행한 공무집행증명서는 미측이 수정하지 않는한 구속력을 갖는다. 그러나 미군당국은 대한민국이 제시한 이의에 대하여 정당한 고려를 하여야 한다.

(ㄴ) 공무집행증명서에 대한 재심의 지연으로 피의자의 신속한 재판을 받을 권리가 박탈되어서는 아니된다.

나. 미측이 제49차 회의에서 양해사항으로 제안한 공무집행의 정의를 합의의사록에 규정할 것을 제안한다.

"공무라 함은 미군대구성원 및 군속이 공무중 행한 모든 행위를 포함하는 것을 의미하는 것이 아니며 개인이 집행하는 공무의 기능으로서 행하여 질것이 요구되는 행위에만 적용되는 것을 의미한다. 그러므로 어떤자가 특정 공무에 있어서 행할것이 요구되는 행위로 부터 이탈된 행위는 통상 그의 공무밖의 행위이다."

3. 피의자의 재판전 구금

우리측이 제52차회의에서 미측에 제안한 초안과 그후의 미측 주장을 참작하여 다음과 같은 우리측 수정안을 제안한다.

가. 본문제5항 초안

5(c) 미군당국이 대한민국이 관할권을 행사할 제1차적 권리를 갖는 사건에 관련된 미군인, 군속 또는 가족을 체포하였을 경우에는 즉시 대한민국에 통고하여야 한다.

0085

5 (d) 대한민국이 관할권을 행사할 미군인, 군속 또는 가족이 미군당국의 수중에 있을 경우에는 모든 재판절차 진행중 그리고 대한민국당국이 신병을 요청할때까지 미군당국이 구금한다. 피의자의 신병이 대한민국의 수중에 였을 경우에 대한민국당국이 그러한 피의자의 신병을 구금할 정당한 사유와 필요성이 있다고 사료하지 않는한 미군당국이 요청하면 미국당국에 신병 구금을 이양하며 모든 사법절차 진행중 그리고 대한민국당국이 신병인도를 요청할때까지 미군당국이 구금한다.

5 (e) 제2 (c) 항에 규정된바 대한민국의 안전에 대한 범죄에 관련된 피의자의 신병은 대한민국당국이 구금한다.

5 (f) 제5 (d) 항의 규정에 따라 피의자의 신병이 미군당국의 수중에 있을 경우에 미군당국은 언제던지 신병을 한국당국에 인도할수 있으며 특별한 사건에 있어서 대한민국당국이 신병의 인도를 요청하면 호의적인 고려를 한다. 미군당국은 한국당국이 요청하면 즉시 대한민국당국이 피의자에 대한 수사 또는 재판을 할수 있게 하여야 한다. 대한민국당국은 미군당국이 군인, 군속 또는 가족의 신병을 구금함에 있어서 조력을 요청하면 호의적인 고려를 한다.

나. 본문제5 (d) 항 및 제5 (e) 에 관한 양해사항

미측 양해사항을 다음과 같이 수정 채택한다.

(ㄱ) "제5 (d) 항 및 제5 (e) 항에 규정된 한국당국의 신병구금사정의 적당여부에 대하여 한·미양국간의 상호 협의가 있어야 한다."

(ㄴ) 한국의 구금시설은 미국수준으로 보아 적당 하여야 한다.

4. 피의자의 권리

가. 합의의사록 제9항 초안

우리측은 미측이 주장하고 있는 피의자의 권리중 우리나라 형사소송제도에 위배되는 규정을 다음과 같이 수정 또는 삭제할 것을 조건으로 미측이 제안한 피의자의 권리를 합의의사록에 열거할 것을 수락한다.

(1) 미측 합의의사록 제9(a)항 후단에 규정된 한국군법회의에 관한 사항은 협정본문 제1(b)항에 규정될 한국의 관할권 행사당국의 문제의 해결을 기다려 해결하기 위하여 보류한다.

(2) 합의사록 제9(g)항에 규정된 미국정부대표가 결석중에 행한 피의자의 진술은 유죄의 증거로 사용할수 없다는 초안은 삭제할것을 계속 주장한다.

(3) 합의의사록 제9항의 제2(e)항 및 제4항에 규정된 상소제도에 관한 미측초안에 관하여는 다음과 같이 주장한다.

(ㄱ) 합의의사록 제9항의 제2(e)항에 대하여는 우리측이 제50차 회의에서 제안한 다음과 같은 대안을 계속 주장한다.

"피고인이 상소한 사건과 피고인을 위하여 상소한 사건에 있어서는 원심판결의 형보다 중한 형을 선고받지 아니하는 권리".

(ㄴ) 합의의사록 제9항의 제4항의 상소이유에 관한 규정은 우리나라 상소제도의 취지와 상반되는 것임으로 삭제할 것을 계속 주장한다.

(4) 합의의사록 제9항의 제2(k)항의 육체적 또는 정신적으로 부적당한 경우의 심판 불출두 권리에 관하여는 다음과 같은 우리측 원안대로 주장한다.

0087

"피고인이 심판에 출두하거나 자기의 방어에 참여하기에 신체상 또는 정신상으로 부적당한 때에는 출두연기를 신청할수 있는 권리."

(5) 합의의사록 제9항의 제3항에 규정된 위법부당한 방법으로 수집된 증거의 증명능력에 관한 미측 제안에 대하여는 다음과 같은 대안을 제시한다.

"고문, 폭행, 협박, 신체구속의 부당한 장기화 또는 기망 기타의 방법으로 임의로 진술한것이 아니라고 의심할만한 이유가 있는 자백, 자인, 기타 진술은 유죄의 증거로 하지 못한다."

나. 미측이 제안한 다음과 같은 권리는 이를 수락한다.

(1) 합의의사록 제9(b)항의 규정중 피의자에게 불리하게 사용될 증거의 성질을 사전에 통고받을 권리.

(2) 합의의사록 제9(e)항에 규정된 피고인이 변호인과 비밀히 상의할 권리,

(3) 합의의사록 제9항의 제2(f)항에 규정된 범죄의 범행후 피고인에게 불리하게 변경된 증거법칙이나 증명요건에 의하여 소추받지 아니하는 권리.

(4) 합의의사록 제9항의 제2(i)항에 규정된 피고인이 재판에 회부됨이 없이 입법부 또는 행정부에 의하여 소추 또는 처벌되지 아니하는 권리.

12/15

제 70 차
주둔군지위협정 체결 교섭 실무자회의에 임할
우리측 입장

제 67 차 한·미간 실무자회의에서 미측이 제시한 모괄적 제안은 우리측 대표가 제 50 차 및 동 52 차회의 석상에서 제안한 우리의 입장과는 아직 상당한 거리가 있으므로 우리는 제 50 차 및 동 52 차 회의이래 우리측이 주장하여 온 입장, 특히 경합적 관할권의 포기에 관한 종전의 입장을 최대한 반영시키는 한편 미측이 제 67 차 회의시 제안한 주장을 참작하여 다음과 같은 역시 포괄적인 대안을 제시하여 미측으로 하여금 이를 일괄적으로 수락할 것을 촉구한다.

1. 경합적 관할권의 포기

가. 합의의사록 제 3 항초안

대한민국은 미군법에 복하는 자에 관하여 질서와 규률을 유지함이 미국당국의 주된 책임임을 인정하여 본조 3 (c) 항의 규정에 따른 미군당국의 요청을 받으면 대한민국당국이 관할권을 행사함이 특히 중대하다고 인정하는 경우를 제외하고 제 3 (b) 항의 규정하에서 관할권을 행사하는 제 1 차적 권리를 미군당국에 포기한다. 만약에 어느편이 관할권을 행사하느냐에 관하여 의문이 생길 경우에는 주한미국외교사절은 대한민국당국과 협의할수 있는 기회가 부여되어야 한다. 대한민국당국은 한·미양국의 이해관계를 충분히 고려하여 그 문제를 해결하여야 한다.

대한민국이 관할권을 행사할 제 1 차적 권리를 포기하는 사건의 재판과 제 3 (a) (ii) 항에 규정된 범죄 (공무집행중 범죄)로서 대한민국 또는 대한민국 국민에 대하여 범하여진 범죄에 관련된 사건의 재판은 별도의 조치가 상호 합의되지 않는한 범죄가 행하여 졌다는 장소로부터 적당한 거리내에서 행하여 진다. 대한민국의 대표는 그러한 재판에 입회할수 있다.

범죄의 신속한 처리를 촉진하기 위하여 미국 및 대한민국당국간에 통고없이 처리하기 위한 조치를 할수 있다.

나. 상기 초안을 제안함에 있어서 실지운영상의 논난의 여지를 제거하기 위하여 다음과 같은 양해사항을 기록에 남긴다.

"특정한 사건에 있어서 특수한 사정을 이유로 대한민국이 관할권을 행사함이 특히 중대하다고 인정하는 경우에 해당되는 사건이라 함은 특정사건에 대한 상세한 조사결과에 달려 있지만특히 다음과 같은 경우를 칭한다: (ㄱ) 대한민국의 안전에 대한 범죄, (ㄴ) 사람을 죽이거나 또는 치사케한 범죄, (ㄷ) 강도죄, (ㄹ) 강간죄, (ㅁ) 기타 한·미양국이 특히 중대하다고 인정하는 범죄, 및 (ㅂ) 상기 범죄의 미수 또는 공범죄."

다. 문제점

(1) 우리측이 과거 제1차관할권의 포기문제에서 주장하여 온바와 같이 한국당국이 특히 중대하다고 인정하는 사건을 한국법정에서 재판할 수 있는 재량권이 확보된다면,

(2) 기타 미측이 제67차회의에서 제의한바와 같이 미국당국에 미국법에 복하는 자들에 대한 질서와 규률을 유지하는 주된 책임이 있음을 인정하고,

(3) 재판권 행사당국 결정에 관하여 한·미간에 이의가 있을 경우에 외교교섭을 통하여 해결하려는 미측제안을 수락하는 것은 무방할 것이다.

- 2 -

0090

(4) 미측이 한국측이 관할권을 행사할 수 있는 범죄의 종류를 예시한정한 대한민국의 안전에 대한 범죄, 강간죄, 또는 고의적 살인에 관련된 범죄에 국한하고 있는바 실지운영상의 필요성을 고려하여 강도죄, 기타 한·미양국이 중대하다고 인정하는 범죄, 및 상기 각종 범죄의 미수 또는 공범죄를 추가삽입하여 양해사항으로 규정함도 가할 것이다.

2. 공무집행중 범죄

가. 합의의사록제3(a)(ii)항 초안

(1) 미측안을 수락한다. 즉,

"미국군대구성원, 또는 군속이 범죄의 혐의를 받았을 때에 그자가 범하였다면 혐의된 범죄가 공무집행중에 행한 작위 또는 부작위에 기인한 것임을 진술한 미국군대의 권한있는 당국이 발행한 증명서는 제1차 관할권을 결정하기 위한 사실의 충분한 증거가 된다.

"대한민국의 검찰청장은 공무집행증명서에 대한 반증이 있다고 사료하는 예외적인 경우에는 공무집행증명서는 대한민국관계관과 주한외교사절간의 협의를 통한 재심의 대상이 될수 있다."

(2) 미측이 제시한 2개의 양해사항을 다음과 같이 일부 수정하여 수락한다.

(ㄱ) 미군당국이 발행한 공무집행증명서는 미측이 수정하지 않는한 구속력을 갖는다. 그러나 미군당국은 대한민국이 제시한 이의에 대하여 정당한 고려를 하여야 한다.

(ㄴ) 공무집행증명서에 대한 재심의 지연으로 피의자의 신속한 재판을 받을 권리가 박탈되어서는 아니된다.

0091

나. 미측이 제49차 회의에서 양해사항으로 제안한 공무집행의 정의를 합의의사록에 규정할 것을 제안한다.

"공무라 함은 미군대구성원 및 군속이 공무중 행한 모든 행위를 포함하는 것을 의미하는 것이 아니며 개인이 집행하는 공무의 기능으로서 행하여 할것이 요구되는 행위에만 적용되는 것을 의미한다. 그러므로 어떤자가 특정 공무에 있어서 행할 것이 요구되는 행위로 부터 이탈된 행위는 통상 그의 공무밖의 행위이다.".

다. 문제점

(1) 미측이 제67차회의에서 제안한 공무집행중 범죄에 관한 대안은 대체적으로 독일보충협정의 내용과 유사하며

(2) 그내용중 미군당국이 발행한 공무집행증명서의 효력을 일단 충분한 것으로 인정한 점과,

(3) 반증이 있는 경우 외교교섭을 통하여 재심토록 한점은 협정안으로서 하나의 발전이라고 사료됨.

(4) 다만 미측이 지금까지 주장하여 온바와 같이 검찰청장이 이의를 제기한 경우에 합의되지 않는한, 이미 발행된 증명서는 계속 유효하여야 한다는 것은 미측의 기본적 방침인 것으로 사료됨으로 우리측은 이를 양해사항으로 수락하되 그대신 우리측도 한국당국이 이의를 제기한 경우에는 미국당국도 이를 신중히 고려하여야 한다는 점을 미측에 주장할 필요가 있으며,

(5) 무엇이 공무집행중 행위인가를 명확히 하기 위하여 미국동군이 1956년도에 예하부대에 시달한 일이 있는 공무집행중 행위에 관한 정의를 합의의사록에 규정하기 위하여 노력할 필요가 있다.

– 4 –

0092

3. 피의자의 재판전 구금

우리측이 제52차회의에서 미측에 제안한 초안과 그후의 미측 주장을 참작하여 다음과 같은 우리측 수정안을 제안한다.

가. 본문제5항 초안

5(c) 미군당국이 대한민국이 관할권을 행사할 제1차적 권리를 갖는 사건에 관련된 미군인, 군속 또는 가족을 체포하였을 경우에는 즉시 대한민국에 통고하여야 한다.

5(d) 대한민국이 관할권을 행사할 미군인, 군속 또는 가족이 미군당국의 수중에 있을 경우에는 모든 재판절차 진행중 그리고 대한민국당국이 신병을 요청할때까지 미군당국이 구금한다.

5(e) 피의자의 신병이 대한민국의 수중에 있을 경우에 대한민국당국이 그러한 피의자의 신병을 구금할 정당한 사유와 필요성이 있다고 사료하지 않는 한 미군당국이 요청하면 미국당국에 신병 구금을 이양하며 모든 사법절차 진행중 그리고 대한민국당국이 신병인도를 요청할때 까지 미군당국이 구금한다.

5(f) 제2(c)항에 규정된바 대한민국의 안전에 대한 범죄에 관련된 피의자의 신병은 대한민국당국이 구금한다.

제5(d)항 및 5(e)항의 규정에 따라 피의자의 신병이 미군당국의 수중에 있을 경우에 미군당국은 언제던지 신병을 한국당국에 인도할수 있으며 특별한 사건에 있어서 대한민국당국이 신병의 인도를 요청하면 호의적인 고려를 한다.

미군당국은 한국당국이 요청하면 즉시 대한민국당국이 피의자에 대한 수사 또는 재판을 할수 있게 하여야 한다.

대한민국당국은 미군당국이 군인, 군속 또는 가족의 신병을 구금함에 있어서 조력을 요청하면 호의적인 고려를 한다.

나. 본문제 5(e)항 및 제 5(f)에 관한 양해사항

미측 양해사항을 다음과 같이 수정 채택한다.

(가) "제 5(e)항 및 제 5(f)항에 규정된 한국당국의 신병구금사정의 적당여부에 대하여 한.미양국간의 상호 협의가 있어야 한다."

(나) 한국의 구금시설은 미국수준으로 보아 적당하여야 한다.

다. 문제점

(1) 대한민국이 피의자를 체포하였을 때에 그러한 피의자의 신병을 계속 구금할 필요가 있다고 인정되는 경우에 그렇게 할수있는 근거를 마련하려는 것이 우리측의 기본적 입장임으로 이입장을 관철하기 위하여 미측의 입장을 참작하여

(2) 한국당국이 구금할 사정의 적당여부에 관하여 미국당국과 협의내지는 합의할수 있는 방법도 고려된다.

(3) 한.미양국당국중 어느편이 체포하였건 간에 일단 미국당국이 구금하게된 피의자의 신병을 재판후 한국당국에 인도하는 시기는 동일함이 타당하며,

(4) 다만 피의자의 신병이 미국당국 수중에 있을 때에 한국당국이 수사상 또는 재판상 필요할 경우 신속하고도 용의하게 피의자를 신문

또는 소환할수 있는 권리가 보장되어야 할 것이다.

4. 피의자의 권리

가. 합의의사록 제9항초안

우리측은 미측이 주장하고 있는 피의자의 권리중 우리나라 형사소송제도에 위배되는 규정을 다음과 같이 수정할 것을 주건으로 미측이 제안한 피의자의 권리를 합의의사록에 열거할 것을 수락한다.

(1) 미측 합의의사록 제9(a)항 후단에 규정된 한국군법회의에 관한 사항은 협정본문 제1(b)항에 규정될 한국의 관할권 행사당국의 문제의 해결을 기다려 해결하기 위하여 보류한다.

(2) 합의의사록 제9(e)항에 규정된 미국정부대표가 결석중에 행한 피의자의 진술은 유리의 증거로 사용할수 없다는 미측초안에 다음과 같은 단서를 추가한다.

(ㄱ) "다만 미국정부대표가 정당한 이유없이 출석하지 아니한 경우에는 그러하지 아니한다."

(3) 합의의사록 제9항의 제2(e)항 및 제4항에 규정된 상소제도에 관한 미측초안에 관하여는 다음과 같이 주장한다.

(ㄱ) 합의의사록 제9항의 제2(e)항에 대하여는 우리측이 제70차회의에서 제안한 다음과 같은 대안을 계속 주장한다.

"피고인이 상소한 사건과 피고인을 위하여 상소한 사건에 있어서는 원심판결의 형보다 중한 형을 선고받지 아니하는 권리.

(ㄴ) 합의의사록 제9항의 제4항의 상소이유에 관한 규정은 우리나라 상소제도의 취지와 상반되는 것임으로 삭제할 것을 계속

0095

주장한다.

(4) 합의의사록 제9항의 제3항에 규정된 위법 부당한 방법으로 수집된 증거의 증명능력에 관한 미측 제안에 대하여는 우리측 종전제안 대로 "부당한"이라는 용어를 삭제하고 수락한다.

나. 미측이 제안한 다음과 같은 권리는 이를 수락한다.

(1) 합의의사록 제9(b)항의 규정중 피의자에게 불리하게 사용될 증거의 성질을 사전에 통고 받을 권리.

(2) 합의의사록 제9(e)항에 규정된 피고인이 변호인과 비밀히 상의할 권리.

(3) 합의의사록 제9항의 제2(f)항에 규정된 범죄의 범행후 피고인에게 불리하게 변경된 증거법칙이나 증명요건에 의하여 소추받지 아니하는 권리.

(4) 합의의사록 제9항의 제2(i)항에 규정된 피고인이 재판에 회부됨이 없이 입법부 또는 행정부에 의하여 소추 또는 처벌되지 아니하는 권리.

(5) 합의의사록 제9항의 제2(k)항의 육체적 또는 정신적으로 부적당한 경우의 심판 불출두 권리.

다. 문제점

(1) 미측이 미초안의 피의자의 권리를 전부 합의의사록에 규정하려는 것은 미행정부가 미국의회 및 국민에 대하여 설사 미군관계 범법자를 한국의 재판관할권에 복하게 할지라도 미국법에 보장된 인권이 충분히 보장될 것임을 납득

0096

시키려는데 그 근본적 의도가 있다고 사료됨으로 미측의 권리옆거원칙에 동의함으로써 미측에 대하여 우리나라의 성의를 표시하는 것은 고섭타결 촉구를 위하여 유의할 것으로 보며,

(2) 다만 우리나라 형사소송제도의 근본정신에 위배되는 권리만은 계속 수정 또는 삭제할 것을 미측에 요구하여 우리나라 소송제도 운영에 지장을 초래하지 않도록 노력함이 필요하다.

A. Waiver of the Primary Right to exercise Jurisdiction

1. Agreed Minute, Re Paragraph 3

"The Republic of Korea, recognizing that it is the primary responsibility of the United States authorities to maintain good order and discipline where persons subject to United States military law are concerned, will, upon the request of the military authorities of the United States pursuant to paragraph 3(c), waive its primary right to exercise jurisdiction under paragraph 3(b) except when it determines that it is of particular importance that jurisdiction be exercised by the authorities of the Republic of Korea. If any question arises concerning who is to exercise jurisdiction the United States diplomatic mission will be afforded an opportunity to confer with the proper authorities of the Republic of Korea. The authorities of the Republic of Korea giving due consideration to the interests of the Republic of Korea and to the interests of the United States, shall resolve the matter.

Trials of cases in which the authorities of the Republic of Korea waive the primary right to exercise jurisdiction, and trials of cases involving offenses described in paragraph 3(a) (ii) committed against the state or nationals of the Republic of Korea will be held within a reasonable distance from the place where the offenses are alleged to have taken place unless other arrangements are mutually agreed upon. Representatives of the Republic of Korea may be present at such trials.

To facilitate the expeditious disposal of offenses of minor importance, arrangements may be made between the United States authorities and the competent authorities of the Republic of Korea to dispense with notification.

2. Understanding

"Subject to a careful examination of each specific cases and to the results of such examination, the authorities of the Republic of Korea shall, under the provisions of Re Paragraph 3, exercise jurisdiction in particular in the following cases:

a. An offense against the security of the Republic of Korea;

b. An offense causing the death of a human being;

c. Rape;

d. Robbery;

e. Any other offense which the authorities of both Governments consider to be of particular importance as the result of examination thereof;

f. An attempt to commit foregoing offenses or participation therein.

B. Official Duty Certificate

1. Agreed Minute 1, Re Paragraph 3(a) (ii)

"Where a member of the United States armed forces or civilian component is charged with an offense, a certificate issued by competent authorities of the United States armed forces stating that the alleged offense, if committed by him, arose out of an act or omission done in the performance of official duty shall be sufficient evidence of the fact for the purpose of determining primary jurisdiction.

In those exceptional cases where the chief prosecutor for the Republic of Korea considers that there is proof contrary to a certificate of official duty, it may be made the subject of review through discussions between appropriate officials of the Government of the Republic of Korea and the diplomatic mission of the United States."

0099

2. Agreed Minute 2, Re Paragraph 3(a)(ii)

"The term 'official duty' as used in Article ____ and the Agreed Minute is not meant to include all acts by members of the armed forces and the civilian components during periods when they are on duty, but is meant to apply only to acts which are required to be done as functions of those duties the individuals are performing. Thus, any departure from the acts a person is required to perform in a particular duty usually will indicate an act outside of his official duty."

3. Understandings

a. "The certificate will be conclusive unless modification is agreed upon. The United States shall give due consideration to any objection which may be raised by the chief prosecutor for the Republic of Korea.

b. The accused should not be deprived of his entitlement to a prompt and speedy trial as a result of protracted reconsideration of the duty certificate."

C. Pre-Trial Custody

1. Text

5(c). The military authorities of the United States shall promptly notify the authorities of the Republic of Korea of the arrest of a member of the United States armed forces, the civilian component, or a dependent in any case in which the Republic of Korea has the primary right to exercise jurisdiction.

5(d). An accused member of the United States armed forces or civilian component or a dependent over whom the Republic of Korea is to exercise jurisdiction will, if he is in the hands of the military authorities of the United States, be under the custody of the military authorities of the United

States during all judicial proceedings and until custody is requested by the authorities of the Republic of Korea.

5(e). If an accused is in the hands of the Republic of Korea, he will, on request, be handed over to the military authorities of the United States, unless the authorities of the Republic of Korea consider that there is adequate cause and necessity to retain him, and be in their custody during all judicial proceedings and until custody is requested by the authorities of the Republic of Korea.

5(f). In respect of offenses solely against the security of the Republic of Korea provided in paragraph 2(c), an accused shall be under the custody of the authorities of the Republic of Korea.

Where an accused has been under the custody of the military authorities of the United States under paragraph 5(d) and (e), the military authorities of the United States may transfer custody to the authorities of the Republic of Korea at any time, and shall give sympathetic consideration to any request for the transfer of custody which may be made by the authorities of the Republic of Korea in specific cases.

The military authorities of the United States shall promptly make any such accused available to the authorities of the Republic of Korea upon their request for purposes of investigation and trial.

The authorities of the Republic of Korea will give sympathetic consideration to a request from the military authorities of the United States for assistance in maintaining custody of an accused member of the United States armed force, the civilian component or a dependent.

2. Understandings

a. There must be mutual ROK-U.S. consultation as to the circumstances in which such custody of the authorities of the Republic of Korea as provided for in paragraph 5(e) and 5(f) is appropriate.

b. Korean confinement facilities must be adequate by U.S. standard.

D. Trial Safeguards

1. Re Paragraph 9(b)

He shall be informed a reasonable time prior to trial of the nature of the evidence that is to be used against him.

2. Re Paragraph 9(g)

And no statement of the accused taken in the absence of such a representative shall be admissible as evidence in support of the guilt of the accused except when such a representative fails to be present at a designated place on a fixed date without due cause.

3. Paragraph 2(e) and 4, Re Paragraph 9

(e). shall not be subject to a heavier penalty than the one that was applicable at the time the alleged criminal offense was committed or was adjudged by the court of the first instance as the original sentence when an appeal of a case is made by or on behalf of the accused.

Paragraph 4, Re Paragraph 9 --- To be deleted

4. Paragraph 2(k), Re Paragraph 9

(k). shall not be required to stand trial if he is physically or mentally unfit to stand trial and participate in his defense.

5. Paragraph 3, Re Paragraph 9

No confession, admission, or other statement, or real

evidence, obtained by illegal means will be considered by courts of the Republic of Korea in prosecutions under this Article.

6. Re Paragraph 9(e)

The right to legal representation shall exist from the moment of arrest or detention and shall include the right to have counsel present, and to consult confidentially with such counsel, at all preliminary investigations, examinations, pretrial hearings, the trial itself, and subsequent proceedings, at which the accused is present.

7. Paragraph 2(f), Re Paragraph 9

(f) shall not be held guilty of an offense on the basis of rules of evidence or requirements of proof which have been altered to his prejudice since the date of the commission of the offense.

8. Paragraph 2(i), Re Paragraph 9

(i) shall not be subject to prosecution or punishment by legislative or executive act.

Criminal Jurisdiction Article

Agreed Minute 1 Re Paragraph 3(a) (ii)

"Where a member of the United States armed forces or civilian component is charged with an offense, a certificate issued by a staff judge advocate on behalf of his commanding officer stating that the alleged offense, if committed by him, arose out of an act or omission done in the performance of official duty shall be sufficient evidence of the fact for the purpose of determining primary jurisdiction.

In those exceptional cases where the chief district prosecutor of the Republic of Korea considers that there is proof contrary to a certificate of official duty, it shall be made the subject of review through discussions between appropriate officials of the Government of the Republic of Korea and the diplomatic mission of the United States."

Agreed Minute 2 Re Paragraph 3(a) (ii)

"The term 'official duty' as used in Article ____ and the Agreed Minute is not meant to include all acts by members of the United States armed forces and the civilian components during periods when they are on duty, but is meant to apply only to acts which are required to be done as functions of those duties the individuals are performing. Thus, any departure from the acts a person is required to perform in a particular duty usually will indicate an act outside of his official duty.

0104

Criminal Jurisdiction Article

Paragraph 3 of the Agreed Minute Re Paragraph 9

No confession, admission, or other statement, obtained by torture, violence, threat, deceit, or after prolonged arrest or detention, or which has been made involuntarily, will be considered by the courts of the Republic of Korea as evidence in support of the guilt of the accused under this Article.

0105

Criminal Jurisdiction Article

Paragraph 5

5(c). The military authorities of the United States shall promptly notify the authorities of the Republic of Korea of the arrest of a member of the United States armed forces, the civilian component, or a dependent in any case in which the Republic of Korea has the primary right to exercise jurisdiction.

5(d). An accused member of the United States armed forces or civilian component, or of a dependent over whom the Republic of Korea is to exercise jurisdiction will, if he is in the hands of the military authorities of the United States, be in the custody of the military authorities of the United States during all judicial proceedings and until custody is requested by the authorities of the Republic of Korea.

If an accused is in the hands of the Republic of Korea, he will, on request, be handed over to the military authorities of the United States, unless the authorities of the Republic of Korea consider that there is adequate cause and necessity to retain him. Such accused will be in the custody of the military authorities of the United States during all judicial proceedings and until custody is requested by the authorities of the Republic of Korea.

0106

5(e). In respect of offenses solely against the security of the Republic of Korea provided in paragraph 2(c), an accused shall be in the custody of the authorities of the Republic of Korea.

5(f). Where an accused has been in the custody of the military authorities of the United States under paragraph 5(d), the military authorities of the United States may transfer custody to the authorities of the Republic of Korea at any time, and shall give sympathetic consideration to any request for the transfer of custody which may be made by the authorities of the Republic of Korea in specific cases.

The military authorities of the United States shall promptly make any such accused available to the authorities of the Republic of Korea upon their request for purposes of investigati n and trial.

The authorities of the Republic of Korea will give sympathetic consideration to a request from the military authorities of the United States for assistance in maintaining custody of an accused member of the United States armed forces, the civilian component, or a dependent.

0107

Criminal Jurisdiction Article

Agreed Minute Re Paragraph 3

The authorities of the Republic of Korea, recognizing that it is the primary responsibility of the United States military authorities to maintain good order and discipline where persons subject to United States military law are concerned, will, upon the request of the military authorities of the United States pursuant to paragraph 3(c), waive their primary right to exercise jurisdiction under paragraph 3(b) except when they determine that it is of particular importance that jurisdiction be exercised by the authorities of the Republic of Korea. In case where any question arises concerning such determination as may be made by the authorities of the Republic of Korea in accordance with the foregoing provisions, the United States diplomatic mission will be afforded an apportunity to confer with the proper authorities of the Republic of Korea.

Trials of cases in which the authorities of the Republic of Korea waive the primary right to exercise jurisdiction, and trials of cases involving offenses described in paragraph 3(a) (ii) committed against the state or nationals of the Republic of Korea will be held within a reasonable distance from the place where the offenses are alleged to have taken place unless other arrangements are mutually agreed upon.

0108

Representatives of the Republic of Korea may be present at such trials.

To facilitate the expeditious disposal of offenses of minor importance, arrangements may be made between the United States military authorities and the Competent authorities of the Republic of Korea to dispense with notification.

0109

기 안 용 지

자체 통제		기안처	미주과 이근팔	전화번호	근거서류접수일자
	과장	국장	차관	장관	
관계관 서명					
기안 년월일	1965. 2. 17.	시행 년월일	1965. 2. 2	보존 년한	정서기장
분류 기호	외구미 722.2—	전체 통제			
경유 수신 참조	대 통 령, 참조: 비서실장 국 무 총 리, 참조: 비서실장 사본: 법무부장관	발신	장 관		
제목	제 70 차 주둔군지위협정 체결 교섭실무자회의 결과 보고				

1965 년 2 월 12 일 하오 3 시 부터 동 4 시 30 분 까지 외무부 제 1 회의실에서 개최된 제 70 차 주둔군지위협정 체결 교섭실무자회의에서 토의된 형사재판관할권에 관한 내용을 별첨과 같이 보고합니다.

유 첨: 제 70 차주둔군지위협정 체결 교섭실무자회의 결과 보고서. 끝

85 — 85

승인서식 1—1—3 (11—00900—03) (195mm×265mm16절지)

0110

기 안 용 지

자체 통제		기안처	미주과 이근팔	전화번호	근거서류접수일자
	과장	국장	차관	장관	
관계관 서명					
기안 년월일	1965. 2. 17.	시행 년월일		보존 년한	정서기장
분류 기호	외구미 722.2—	전체 통제		종결	
경유 수신 참조	법무부장관	발신	장관		
제목	제 70 차 주둔군지위협정 체결 교섭실무자회의 결과 보고				

1965 년 2 월 12 일 하오 당부에서 개최된 제 70 차주둔군 지위협정 체결 교섭 실무자회의 결과 보고서 사본을 송부하오니 이를 검토하시기 바랍니다.

유 첨: 제 70 차주둔군지위협정 체결 교섭실무자회의 결과 보고서 사본 1 부. 및 우리측 대안(영문) 1 부. 끝

0111

승인서식 1-1-3 (11—00900—03) (195mm×265mm16절지)

제 70 차

한·미간 주둔군지위협정 체결 교섭실무자회의

보 고 서

가. 일 시: 1965 년 2 월 12 일 하오 3 시 부터 동 4 시 30 분 까지.

나. 장 소: 외무부 제 1 회의실

다. 토의사항:

<u>형사재판관할권</u>

우리측은 미측이 제 67 차회의에서 제안한 형사재판관할권에 관한 일괄적 대안이 상금 우리측 입장과는 상당한 거리가 있음을 지적하고 한·미 양측 주장을 최대한도로 참작하는 한편 현안인 교섭을 조속한 시일내에 타결하기 위하여 다음과 같은 역시 포괄적 대안을 제안하고 미측에 일괄 수락할 것을 촉구하였다.

1. <u>공무집행중 범죄</u>

(가) <u>합의의사록 제 3(a)(ii)항 초안</u>

미측 제안을 원칙적으로 수락하기 위하여 우리측 제안을 다음과 같이 일부 수정하여 제안하였다.

"미국군대구성원 또는 군속이 범죄의 혐의를 받았을 때에 그 자가 범하였다면 혐의된 범죄가 공무집행중에 행한 작위 또는 부작위에 기인한 것임을 진술한 군법무관이 그의 지휘관을 위하여 발행한 증명서는 제 1 차관할권을 결정하기 위한 사실의 충분한 증거가 되어야 한다.

대한민국의 지방검찰청 검사장이 공무집행증명서에 대한 반증이 있다고 사료하는 예외적인 경우에는 공무집행증명서는 대한민국관계관과 주한외교사절간의 협의를 통한 재심의 대상이 되어야 한다."

(나) <u>합의의사록 제 3(a)(ii)항 초안</u>

미측이 제 49 차회의에서 양해사항으로 제안한 공무집행의 정의를 다음과 같이 일부 수정하여 합의의사록에 규정할 것을 제안하였다.

0112

~~0104~~

85-5-8

-5-5-2 (6)

미국문 112-9(6)

0113

"공무라함은 미국군대구성원 및 군속이 공무중 행한 모든 행위를 포함하는 것을 의미하는 것이 아니며 개인이 집행하는 공무의 내용으로서 행하여 질 것이 요구되는 행위에 만 적용되는 것을 의미한다. 그러므로 어떤 자가 특정 공무에 있어서 행할 것이 요구되는 행위로 부터 이탈된 행위는 통상 그의 공무 밖의 행위이다."

(다) 미측이 제시한 2개의 양해사항을 수락하되 한국당국이 제기하는 이의에 대한 미국측의 충분한 고려를 보장받기 위하여 다음과 같이 수정할 것을 요구하였다.

(1) 공무집행증명서는 수정에 합의되지 않는 한 확정적이다. 미국당국은 대한민국의 지방검찰청 검사장이 제기하는 이의에 대하여 정당한 고려를 하여야 한다.

(2) 공무집행증명서에 대한 재심의 지연으로 피의자의 신속한 재판을 받을 권리가 박탈되어서는 아니된다.

2. 피의자의 권리

(가) 우리측은 미측이 주장하고 있는 피의자의 권리중 우리 나라 형사소송제도에 위배되는 규정을 다음과 같이 수정 또는 삭제할 것을 조건으로 미측이 제안한 피의자의 권리를 일괄적으로 합의의사록에 열거 규정할 것을 수락하였다.

(1) 미측 합의의사록 제 9(a)항 후단에 규정된 한국군법회의에 관한 사항은 협정본문 제 1(b)항에 규정될 한국의 관할권 행사당국문제가 해결될 때 까지 보류한다.

(2) 합의의사록 제 9(g)항에 규정된 미국정부대표가 결석중에 행한 피의자의 진술은 유죄의 증거로 사용할 수 없다는 조안은 삭제하여야 한다.

(3) 합의의사록 제 9 항의 상소제도에 관한 미측 주장은 다음과 같이 수정 또는 삭제할 것을 계속 요구한다.

(ㄱ) 제 2(e)항에 대하여서는 우리측이 제 50 차회의에서 제안한 다음과 같은 수정안을 계속 주장한다.

0114

65-5-2

미문112-9

0115

"피고인이 상소한 사건과 피고인을 위하여 상소한 사건에 있어서는 원심판결의 형 보다 중한 형을 선고받지 아니하는 권리."

(ㄴ) 합의의사록 제 9 항의 제 4 항의 상소이유에 관한 규정은 우리나라 상소제도와 상반되는 것임으로 삭제하여야 한다.

(4) 합의의사록 제 9항의 제 2(k)항의 육체적 또는 정신적으로 부적당한 경우의 심판불출두권리에 관하여는 다음과 같은 우리측 원안대로 주장한다.

"피고인이 심판에 출두하거나 자기의 방어에 참여하기에 신체상 또는 정신상으로 부적당한 때에는 출두연기를 신청할 수 있는 권리."

(5) 합의의사록 제 9 항의 제 3항에 구정된 위법부당한 방법으로 수집된 증거의 증명능력에 관한 미측 제안에 대하여는 다음과 같은 대안을 제안한다.

"고문 폭행 협박 기망 신체구속의 부당한 장기화에 의하여 입수하였거나, 또는 임의로 진술된 것이 아닌 자백 자인 기타 진술은 대한민국법원에 의하여 유죄의 증거로 고료되지 아니 한다."

(나) 미측이 제안한 다음과 같은 피의자의 권리는 이를 수락하였다.

(1) 합의의사록 제 9(b)항에 규정된 피의자에게 불리하게 사용될 증거의 성질을 사전에 통고받을 권리.

(2) 합의의사록 제 9(e)항의 피고인이 변호인과 비밀히 상의할 수 있는 권리.

(3) 합의의사록 제 9항의 제 2(f)항에 구정된 범죄의 범행후 피고인에게 불리하게 변경된 증거법칙이나 증명요건에 의하여 소추받지 아니하는 권리.

(4) 합의의사록 제 9항의 제 2(i)항의 피고인이 재판에 회부됨이 없이 입법부 또는 행정부에 의하여 소추 또는 처벌되지 아니하는 권리.

0116

65-5-8

65-5-2

미.로 112-9

0117

3. 피의자의 재판전 구금

(가) 본문 제 5항 초안

다음과 같은 우리측 수정안을 제안하였다.

5(c)항 미군당국은 대한민국이 관할권을 행사할 제 1 차적 권리를 갖는 사건에 관련된 미국군인 군속 또는 가족의 체포를 즉시 대한민국당국에 통고하여야 한다.

5(d)항 대한민국이 관할권을 행사할 미국군인 군속 또는 가족이 미군당국의 수중에 있을 경우에는 모든 재판절차 진행중 그리고 대한민국당국이 신병을 요청할 때까지 미군당국이 구금한다. 피의자의 신병이 대한민국의 수중에 있을 경우에는 대한민국당국이 그러한 피의자의 신병을 구금할 적당한 사유와 필요성이 있다고 사료하지 않는 한 미군당국이 요청하면 미군당국에 신병을 인도하며 모든 사법절차 진행중 그리고 대한민국당국이 신병을 요청할 때까지 미군당국이 구금한다.

5(e)항 제 2(c)항에 규정된 대한민국의 안전에 대한 범죄에 관련된 피의자의 신병은 대한민국당국이 구금한다.

5(f)항 제 5(d)항의 규정에 따라 피의자의 신병이 미군당국의 수중에 있을 경우에 미군당국은 언제던지 신병을 대한민국당국에 인도할 수 있으며 특정한 사건에 있어서 대한민국당국이 신병의 인도를 요청하면 호의적인 고료를 하여야 한다.

미군당국은 대한민국당국이 요청하면 즉시 대한민국당국이 피의자에 대한 수사 또는 재판을 할 수 있게 하여야 한다. 대한민국당국은 미군당국이 미국군인 군속 또는 가족의 신병을 구금함에 있어서 조력을 요청하면 호의적인 고료를 한다.

0118

65-5-2

기·문 112-9

0119

(나) 본문 제 5(d)항 및 제 5(e)항에 관한 양해사항

미측 양해사항을 다음과 같이 수정할 것을 제안하였다.

(1) 제 5(d)항 및 제 5(e)항에 규정된 한국당국의 신병 구금 사정의 적당여부에 관하여 한.미양국간의 상호 협의가 있어야 한다.

(2) 한국의 구금시설은 미국 수준으로 보아 적당하여야 한다.

4. 제 1 차적 관할권의 포기

(가) 미측이 67 차회의에서 제안한 제1 차관할권의 포기에 관한 대안은 상금 우리측 입장과 상반되는 것임으로 우리는 미측 대안을 수락할 수 없음을 밝히고 다음과 같은 대안을 제시하였다.

"대한민국당국은 미군법에 복하는 자에 관하여 질서와 규율을 유지함이 미군당국의 주된 책임임을 인정하여 본조 3(c)항의 규정에 따른 미군당국의 요청을 받으면 대한민국이 관할권을 행사함이 특히 중대하다고 결정하는 경우를 제외하고 제 3(b)항의 규정 하에서 관할권을 행사하는 제 1 차적 권리를 미군당국에 포기한다. 만약에 대한민국당국이 상기 규정에 따라 내리는 결정에 관하여 이의가 제기될 경우에는 미국외교사절에 대한민국관계당국과 협의할 수 있는 기회가 부여된다.

대한민국이 관할권을 행사할 제 1 차적권리를 포기하는 사건의 재판과 제 3(a)(ii)항에 규정된 범죄로서 대한민국 또는 대한민국 국민에 대하여 범하여 진 범죄에 관련된 사건의 재판은 별도의 약정이 상호 합의되지 않는 한 범죄가 행하여진 것으로 인정되는 장소로 부터 적당한 거리내에서 행하여진다. 대한민국의 대표는 그러한 재판에 참석할 수 있다.

경미한 범죄의 신속한 처리를 촉진하기 위하여 미군당국 및 대한민국 관계 당국 간에 통고없이 처리하기 위한 약정을 만들 수 있다."

(나) 상기 초안을 제안함에 있어서 미측의 주장을 참작하고 또한 실지 운영상의 논난의 여지를 제거하기 위하여 다음과 같은 양해사항을 기록에 남길 것을 제안하였다.

0120

65-5-10

65-5-2

미문112-9

0121

"대한민국이 관할권을 행사함이 특히 중대하다고 결정하는 사건의 범주에 해당하는 범죄는 다음과 같은 범죄를 포함하는 것으로 양해한다:

(1) 대한민국의 안전에 대한 범죄.

(2) 사람을 죽음에 이르게 한 범죄.

(3) 강간죄.

(4) 강도죄.

(5) 범죄의 조사 결과 한.미양국정부의 어느 일방 당국이 특히 중대하다고 인정하는 기타 악의적인 범죄.

(6) 상기 범죄의 미수 또는 공범죄.

5. 미측은 우리측 제안설명을 청취한 다음 신중히 검토한 후 다음 기회에 그들의 태도를 밝힐 것이라고 말하였다.

라. 기타 사항:

1. 다음 회의 일자: 한.미 양측이 합의 결정키로 하였다. 끝

0122

66-6-11

65-5-2 (6)

外.亞 112-9 (6)

0123

관리
번호

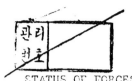

STATUS OF FORCES NEGOTIATIONS: 70th Meeting

SUBJECT: Criminal Jurisdiction Article

PLACE: Ministry of Foreign Affairs

DATE: February 12, 1965

PARTICIPANTS:

Republic of Korea	United States
CHANG Sang-mun	Philip C. Habib
✓ YUN Wun-yong	Brig. General Carroll H. Dunn, USA
YI Nam-ki	✓ Colonel Kenneth C. Crawford, USA
Colonel KIM Won-kil, ROKA	Frank R. LaMacchia
✓ IM Tu-pin	Benjamin A. Fleck
✓ CHAE Sang-yup	Robert A. ~~Kinney~~ Kinney
KIM Ki-cho	Goodwin Shapiro
YI Kun-pal (Interpreter)	Major Alton Harvey, USA
~~XXXXXXXXXXXXXX~~	David Y.C. Lee (Interpreter)
HWANG Yong-chae	
Major YI Ke-hun	

1. Mr. Chang opened the meeting by introducing Mr. Im Tu-pin and Mr. Chae Sang-yup, both prosecutors of the Ministry of Justice. Mr. Habib welcomed them to the negotiations on behalf of the U.S. negotiators.

2. Taking up the Criminal Jurisdiction Article, Mr. Chang stated that, as a result of most careful study with the appropriate authorities of the Korean Government of the package proposal which had been tabled by the U.S. negotiators at the 67th negotiating meeting, the Korean negotiators had found that there still exists a wide gap between the drafts tabled by each side regarding major points at issue, particularly with regard to the provisions concerning waiver of the primary right to exercise jurisdiction and pre-trial custody. However, in an attempt to meet the requirements of the U.S. negotiators and to be consistent with their own basic position, the Korean negotiators now wished to propose most significant modifications, designed to be responsive to the U.S. package proposal. Mr. Chang said he would explain the Korean package proposal paragraph by paragraph.

0124

Official Duty Certificate

3. The Korean negotiators tabled the following proposed Agreed Minutes Re Paragraph 3(a)(ii):

"Agreed Minute #1 Re Paragraph 3(a)(ii)

"Where a member of the United States armed forces or civilian component is charged with an offense, a certificate issued by a staff judge advocate on behalf of his commanding officer stating that the alleged offense, if committed by him, arose out of an act or omission done in the performance of official duty shall be sufficient evidence of the fact for the purpose of determining primary jurisdiction.

"In those exceptional cases where the chief district prosecutor of the Republic of Korea considers that there is proof contrary to a certificate of official duty, it shall be made the subject of review through discussions between appropriate officials of the Government of the Republic of Korea and the diplomatic mission of the United States."

"Agreed Minute #2 Re Paragraph 3(a)(ii)

"The term 'official duty' as used in Article ____ and the Agreed Minute is not meant to include all acts by members of the United States armed forces and the civilian components during periods when they are on duty, but is meant to apply only to acts which are required to be done as functions of those duties the individuals are performing. Thus, any departure from the acts a person is required to perform in a particular duty usually will indicate an act outside of his official duty."

4. Mr. Chang stated that with regard to the provisions concerning the official duty certificate, the Korean negotiators believe the latest U.S. proposal to be considerably different from the position of the Korean negotiators. Nevertheless, in order to facilitate the negotiations, and to meet the concern expressed in the past over this problem by the U.S. negotiators, the Korean negotiators were now prepared to make one of their most significant concessions by accepting the U.S. version with minor changes of wording and subject to certain conditions which he would enumerate.

0125

5. With regard to the authority to issue the duty certificate, the Korean negotiators preferred the wording "by a Staff Judge Advocate on behalf of his commanding officer", Mr. Chang continued. [redacted] The U.S. negotiators had proposed at a previous meeting the wording "by competent authorities of the U.S. armed forces", on the grounds that many major units of the U.S. armed forces do not have a Staff Judge Advocate assigned to them, although such units may always request legal advice from their superior headquarters. In view of the importance [redacted] which they attached to the validity of the duty certificate and complicated problems of a legal nature which may follow the issuance thereof, the Korean negotiators prefer their wording to that of the U.S. draft. In the actual implementation of the language which the Korean negotiators proposed, they believe some arrangement could easily be worked out so that if there is no Staff Judge Advocate assigned to a particular unit, as explained by the U.S. negotiators, a Staff Judge Advocate [redacted] assigned to a superior headquarters, [redacted] from whom [redacted] that unit requests legal advice, may be able to issue the duty certificate on behalf of his commanding officer, thus solving this problem.

6. In short, Mr. Chang said, the basic position of the Korean negotiators is that in the light of the very decisive role which the duty certificate plays in most cases in determining primary jurisdiction, the scope of the issuing authority should be limited to a Staff Judge Advocate assigned to a unit equivalent to or higher than an army division.

7. In the interest of preciseness, Mr. Chang noted that the Korean negotiators also propose to [redacted] substitute the language "chief district prosecutor of the Republic of Korea" for the language "chief prosecutor of the Republic of Korea".

0126

8. Mr. Chang pointed out that the Korean negotiators also propose inclusion of the definition of official duty in the Agreed Minutes, along with the provisions regarding issuance of the duty certificate. They believe that including the defini-

tion in the Agreed Minutes would provide the authorities concerned with a guide line in determing whether or not an offense was committed in the performance of official duty.

9. Mr. Chang said the Korean negotiators were prepared to accept the two understandings which had been proposed by the U.S. negotiators for inclusion in the Joint Summary record. However, the Korean negotiators believed that in case the chief district prosecutor raises any objection[redacted] regarding the validity of the duty certificate, full consideration of his objection by the U.S. authorities should be guaranteed. Therefore, they proposed to include an additional sentence in the first understanding. The two understandings would then read as follows:

> "a. The certificate will be conclusive unless modification is agreed upon. The United States authorities shall give due consideration to any objection which may be raised by the chief district prosecutor of the Republic of Korea.
>
> "b. The accused shall not be deprived of his entitlement to a prompt and speedy trial as a result of prolonged reconsideration of the duty certificate."

10. Mr. Chang said that the Korean negotiators believed the conditions, which he had just enumerated, to acceptance of the U.S. provisions regarding the duty certificate were of a modest nature and therefore would be acceptable to the U.S. negotiators.

<u>Trial Safeguards</u>

11. Mr. Chang said that, after giving very careful consideration to the importance which the U.S. negotiators attach to guarantees of a fair trial, and in order to expedite discussions of safeguards and other major points at issue, the Korean negotiators were now going to make one of their most significant concessions xxxthexUxSx by accepting the principle of enumeration of all of the trial safeguards proposed by the U.S. negotiators. However, this concession was made on con-

0127

dition that the U.S. negotiators accept the following proposed modifications of some of the safeguards in the U.S. draft. The Korean negotiators believe the suggested modifications [redacted] are most essential to the efficient operation of the Korean judicial system.

12. Agreed Minute Re Paragraph 9(a). Mr. Chang said the second sentence of this Agreed Minute, regarding trial of U.S. [redacted] personnel by Korean military tribunals, is closely related to the subject of jurisdiction by Korean authorities in Paragraph 1(b) of the Article. Therefore, decision[redacted] regarding the second sentence of the Agreed Minute should await agreement on the provisions of ~~Article~~ paragraph 1(b) of this text. In this connection, the basic Korean position regarding Paragraph 1(b) is that the language should read "the authorities of the Republic of Korea" instead of the present language in the U.S. draft: "the civil authorities of the Republic of Korea". Mr. Chang said the Korean negotiators would appreciate early comment on this matter by the U.S. negotiators.

13. Mr. Habib said he wished to obtain clarification of the Korean position. Were the Korean negotiators proposing that if the word "civil" were deleted from the text of Paragraph 1(b) the second sentence of the Agreed Minute be retained? Mr. Chang replied that the Korean negotiators had already stated that no U.S. personnel would be subject to trial by Korean military tribunal. They wished that statement, which had been recorded in the [redacted] Agreed Joint Summary, to be accepted by the U.S. negotiators. Both the word "civil" and the second sentence of the Agreed Minute should be deleted. Mr. Habib thanked Mr. Chang for his explanation and said that the Korean position was understood by the U.S. negotiators.

14. Agreed Minute Re Paragraph 9. Mr. Chang referred to the third (unnumbered) paragraph of the Agreed Minute Re Paragraph 9 of the U.S. draft, which deals with the non-admissibility of confessions, admissions, or real evidence obtained by illegal or improper means. The Korean negotiators had already pointed out the possibility [redacted] that acc[redacted]ntation of this portion of the Agree-

0128

ment might be confused as a result of ambiguous interpretation of the language to the effect that certain means taken by the Korean authorities were illegal or improper. Therefore, the Korean negotiators wished to propose the following more specific language:

> "No confession, admission, or other statement, obtained by torture, violence, threat, deceit, or after prolonged arrest or detention, or which has been made involuntarily, will be considered by the courts of the Republic of Korea as evidence in support of the guilt of the accused under this Article."

As the U.S. negotiators might notice, Mr. Chang continued, the proposed revision omits the term "real evidence". The Korean negotiators propose this omission not because the Korean authorities are not hesitant to resort to illegal means to obtain real evidence but simply because of the fact that even if the evidence should be obtained by illegal means that would not necessarily affect the validity of that evidence in support of the guilt of the accused.

15. Agreed Minute Re Paragraph 9(g). Mr. Chang referred to the language of the Agreed Minute Re Paragraph 9(g) of the U.S. draft regarding the non-admissibility as valid evidence of a statement taken in the absence of a representative of the Government of the United States. At the 50th negotiating meeting, the Korean negotiators had emphasized that since a representative of the Government, a counsel, an interpreter, and the accused himself are all given the right to be present at all of the judicial proceedings, it is entirely within the discretion of the Government representative whether or not to appear in such cases. Furthermore, the absence of the Government representative from the judicial proceedings should not impair the admissibility of a statement in view of the revised language which the Korean negotiators had just proposed for the third paragraph of the Agreed Minute Re Paragraph 9. Accordingly, Mr. Chang continued, the Korean negotiators propose the deletion of all of the first sentence of the Agreed Minute Re Paragraph 9(g) following the word "detention".

16. With regard to the provisions of subparagraph (e) of the second (unnumbered) paragraph of the Agreed Minute Re Paragraph 9 and the fourth (unnumbered)

0129

paragraph of that Agreed Minute, Mr. Chang recalled that the Korean negotiators at the 50th negotiating meeting had proposed an alternative draft reading as follows: "shall not be subject to a heavier penalty than the one that was applicable at the time the alleged criminal offense was committed or was adjudged by the court of the first instance as the original sentence when an appeal of a case is made by or on behalf of the accused".

17. The Korean judicial system, Mr. Chang continued, is based upon the right to appeal to a High Court or to the Supreme Court by a prosecutor or an accused either on the grounds of "errors of law" or of mistakes of fact. According to the provisions of [redacted] the fourth paragraph and subparagraph (e) of the second paragraph of the Agreed Minute Re Paragraph 9 of the U.S. draft, appeal by the prosecutor is limited to such an extent that appeal to a higher court can not be made except in the case of errors of law.

18. Because a trial is conducted by a judge or a group of judges, Mr. Chang stated, it is readily understandable that in spite of all the efforts on the part of the court, judgments of the court cannot always be free from human mistakes. Accordingly, it is necessary to establish a safeguard which is designed to review and ultimately preclude any misjudgement resulting from errors of law as well as mistakes of fact. In this connection, it becomes apparent that a sort of reviewing system is necessary to correct misjudgements for the accused as an interested party in particular and for the prosecutor as a guardian of legal justice and uniform application of law in general. To serve this end, the provisions of Article 361-V of the Korean Code of Criminal Procedure clearly enumerate reasons for appeal to a High Court on grounds of errors of law as well as mistakes of fact. Article 383 of the same Code, although somewhat restrictive, stipulates reasons for appeal to the Supreme Court on the grounds of mistakes of fact.

19. Since the United States negotiators have expressed their sincerity and willingness to subject [redacted] personnel to the jurisdiction

0130

22. Mr. Chang tabled the following proposed revisions of portions of Paragraph 5:

"(c) The military authorities of the United States shall promptly notify the authorities of the Republic of Korea of the arrest of a member of the United States armed forces, the civilian component, or a dependent in any case in which the Republic of Korea has the primary right to exercise jurisdiction.

"(d) An accused member of the United States armed forces or civilian component, or of a dependent over whom the Republic of Korea is to exercise jurisdiction will, if he is in the hands of the military authorities of the United States, be in the custody of the military authorities of the United States during all judicial proceedings and until custody is requested by the authorities of the Republic of Korea.

"If an accused is in the hands of the Republic of Korea, he will, on request, be handed over to the military authorities of the United States, unless the authorities of the Republic of Korea consider that there is adequate cause and necessity to retain him. Such accused will be in the custody of the military authorities of the United States during all judicial proceedings and until custody is requested by the authorities of the Republic of Korea.

"(e) In respect of offenses solely against the security of the Republic of Korea provided in Paragraph 2(c), an accused shall be in the custody of the authorities of the Republic of Korea.

"(f) Where an accused has been in the custody of the military authorities of the United States under Paragraph 5(d), the military authorities of the United States may transfer custody to the authorities of the Republic of Korea at any time, and shall give sympathetic consideration to any request for the transfer of custody which may be made by the authorities of the Republic of Korea in specific cases.

"The military authorities of the United States shall promptly make any such accused available tp the authorities of the Republic of Korea upon their request for purposes of investigation and trial.

"The authorities of the Republic of Korea will give sympathetic consideration to a request from the military authorities of the United States for assistance in maintaining custody of an accused member of the United States armed forces, the civilian component, or a dependent."

0131

of the Republic of Korea, Mr. Chang continued, the Korean negotiators wish to point out that it would be much more efficient if the U.S. negotiators would generously accept the basic principles of the Korean judicial system, such as the appeal system, rather than try to reshape that system along the lines of a system which is alien to the Korean judiciary. Therefore, the Korean negotiators propose that the U.S. negotiators accept the revised Korean draft of subparagraph (e) of the second paragraph of the Agreed Minute Re Paragraph 9 and agree to deletion of the fourth paragraph of that Agreed Minute.

20. Mr. Chang stated that the position of the Korean negotiators remains [redacted] unchanged with [redacted] regard to subparagraph (k) of the second (unnumbered) paragraph of the Agreed Minute Re Paragraph 9. He recalled that at the 50th meeting, the Korean negotiators had pointed out that the U.S. draft does not preclude the possibility of abuse [redacted] by the accused of the right provided for in the subparagraph. Moreover, the Korean negotiators believe it is appropriate to leave the question up to the court for decision, after its examination of the accused's request. The Korean negotiators had no hesitation in assuring the U.S. negotiators that, in spite of the concern of the latter, implementation of the [redacted] language proposed by the Korean negotiators at the 50th meeting would be mutually satisfactory.

21. With regard to other provisions of the U.S. draft concerning [the following Agreed Minutes to which the Korean negotiators had raised [redacted] initial objection] trial safeguards, Mr. Chang said the Korean negotiators accepted: ~~the second paragraph of~~ [the first sentence of] the Agreed Minute Re Paragraph 9(b) ~~(first sentence only)~~; the Agreed Minute Re Paragraph 9(e); and subparagraphs (f) and (i) of the second (unnumbered) paragraph of the Agreed Minute Re Paragraph 9.

Pre-Trial Custody

¶ 22 → ~~22.~~ 23. Mr. Chang recalled that at the 49th negotiating meeting, the U.S. negotiators had stated that Paragraph 5(c) of the Korean draft had no counterpart in the U.S. draft nor any precedents in the NATO Agreement or the SOFA with Japan, the reason being that [redacted] military forces an onerous

0132

requirement which serves no fundamental purpose. With these remarks of the U.S. negotiators in mind, the Korean negotiators wished to substitute the words "in any case in which the Republic of Korea has the primary right to exercise jurisdiction" for the words "unless the United States authorities have the right to exercise exclusive jurisdiction over such a person". The language proposed by the Korean negotiators is based not only on precedents elsewhere but also on the belief of the Korean negotiators that since Paragraph 5(b) stipulates the obligation of the Korean authorities to notify the U.S. military authorities [redacted] of the arrest of U.S. personnel, the obligation of the U.S. authorities [redacted] likewise to notify the Korean authorities of the arrest of U.S. personnel over whom the Republic of Korea has the primary right to exercise jurisdiction is no longer onerous but only reciprocal.

24. Regarding pre-trial custody of persons in the hands of the U.S. military authorities, Mr. Chang went on, Paragraph 5(d) of the Korean draft is practically identical with the similar provisions in Paragraph 5(c) of the U.S. draft. Therefore, the Korean negotiators foresee no difficulty in the U.S. negotiators accepting the Korean version.

25. However, regarding pre-trial custody of persons in the hands of the Korean authorities, Mr. Chang said, the position of the Korean negotiators remains unchanged. Although the Korean negotiators [redacted] would be willing to assure the U.S. negotiators that custody will be turned over to the [redacted] U.S. military authorities unless there is a specific reason and necessity to retain custody in the hands of the Korean authorities, the Korean negotiators are unable to accept the U.S. version which requires prompt and unconditional transfer of custody to the U.S. military authorities.

26. Mr. Chang recalled that the U.S. negotiators had stated at the 45th negotiating meeting that they had proposed the language of the U.S. draft partly because examination of the [redacted] detention facilities had

0133

indicated that they are not satisfactory places for an American soldier, member of the civilian component, or dependent to be confined while awaiting trial, and partly because of the many cases reported in Korean newspapers in which persons awaiting trial in Korean courts have been subject to torture and compulsion to incriminate themselves. However, the concern of the U.S. negotiators is neither well-founded nor necessary because the Korean negotiators have expressed not only their readiness to accept the proposed U.S. understanding that Korean confinement facilities should be adequate by U.S. standards, but also their willingness to accept the principle of enumerating almost all of the trial safeguards [redacted] the U.S. negotiators have felt necessary for a fair trial for U.S. personnel, thereby precluding all the anxieties expressed in the past by the U.S. negotiators. The Korean negotiators believe, therefore, that there is no reason why the U.S. negotiators cannot now accept Paragraph 5(d) of the Korean draft.

27. Mr. Chang noted also that the Korean negotiators had made another significant concession regarding the timing of the re-transfer of custody to the Korean authorities after completion of criminal proceedings.

28. With regard to Korean custody under the provisions of Paragraph 5(c) of the Korean draft in the case of an offense against the security of the Republic of Korea, Mr. Chang stated that the Korean negotiators still believe that mutual agreement is not necessary since they believe that in security offenses the Korean authorities should be the sole authorities to determine whether or not such custody is appropriate. However, the Korean [redacted] authorities are ready to consult with the U.S. authorities whenever such custody is deemed imperative in security cases, as well as in cases where there is adequate cause and necessity to retain such custody, as provided for in Paragraph 5(d) of the Korean draft. In this connection, therefore, the Korean negotiators proposed two understandings for inclusion in the Agreed Joint Summary:

0134

"a. There shall be mutual ROK-US consultation as to the circumstances in which such custody of the authorities of the Republic of Korea as provided for in paragraphs 5(d) and 5(e) is appropriate;

"b. Korean confinement facilities shall be adequate by U.S. standards."

29. Mr. Chang said the Korean negotiators believe their proposal regarding Paragraph 5(f) to be self-explanatory. If the [redacted] U.S. military authorities do not desire to retain custody under special circumstances, this provision would enable them to transfer at any time the custody of the accused. When an accused has been under custody of the U.S. military authorities or when an arrested person has been handed over to them, a situation may arise in which the Korean authorities may have to request transfer of custody[redacted] for efficient trial proceedings. Since this possibility exists, the Korean negotiators believe the Korean version is preferable, which would guarantee sympathetic consideration by the U.S. military authorities to a request by the Korean authorities.

30. In accepting the U.S. language regarding the obligation of the U.S. authorities to make an accused in U.S. custody available to the Korean authorities upon their request for [redacted] investigation and trial, Mr. Chang continued, the Korean negotiators consider it essential that the U.S. should make the arrested person available without delay. The Korean negotiators were pleased to incorporate into the Korean draft the U.S. language regarding Korean assistance in maintaining custody of an accused member of the U.S. armed forces.

Waiver of the Primary Right to Exercise Jurisdiction

31. Mr. Chang tabled the following revised draft of the Agreed Minute Re Paragraph 3:

"The authorities of the Republic of Korea, recognizing that it is the primary responsibility of the United States military authorities to maintain good order and discipline where persons subject to United States military law are concerned, will, upon the request of the military authorities of the United States pursuant to [redacted](c), waive their primary "right to exercise jurisdiction under Paragraph 3(b) except when they determine that it is of particular importance that jurisdiction be exercised by the authorities of the Republic of Korea. In case where any question arises concerning such determination as may be made by the authorities of the Republic of Korea in accordance with the foregoing provisions, the United States diplomatic mission will be afforded an opportunity to confer with the proper authorities of the Republic of Korea.

"Trials of cases in which the authorities of the Republic of Korea waive the primary right to exercise jurisdiction, and trials of cases involving offenses described in Paragraph 3(a)(ii) committed against the state or nationals of the Republic of Korea will be held within a reasonable distance from the place where the offenses are alleged to have taken place unless other arrangements are mutually agreed upon. Representatives of the Republic of Korea may be present at such trials.

"To facilitate the expeditious disposal of offenses of minor importance, arrangements may be made between the United States military authorities and the competent authorities of the Republic of Korea to dispense with notification."

32. Mr. Chang stated that when the U.S. negotiators had tabled their latest version of the waiver provisions, at the 67th negotiating meeting, they had said that they were tabling significant modifications of the waiver of the primary right to exercise jurisdiction. After carefully studying the U.S. draft, the Korean negotiators regretted to state that although the revised U.S. language indicates some progress from the original U.S. position, it is unacceptable to the Korean negotiators since it is still diametrically opposed to the formula which the Korean negotiators have been trying to retain in the Agreed Minute.

33. Mr. Chang recalled that the U.S. negotiators in the past had stated that their position was to obtain a maximum degree of waiver from the Korean authorities. To accommodate the U.S. requirements, the Korean negotiators had already given assurances that the Korean authorities would waive in as many cases as other countries do under their very simple waiver provisions. Nevertheless, the

0136

~~Kxxxxxxnegotiatorsxxxxxxxxxxxxxxxxxxxxxxxxxxxxnegotiatorsxxxxxxxxxxxxxxxxxxxxxxxx~~

Korean negotiators firmly maintain the position that the language of the Agreed Minute should be "the standard language" which would enable the Korean authorities to waive except when they determine that it is of particular importance to them to try an accused in a Korean court. The Korean negotiators wonder why the U.S. negotiators, "after all those years of obtaining a considerably high degree of waiver under their standard wording with many other countries", refuse to accept similar language in the [redacted] draft proposed by the Korean negotiators.

34. Mr. Chang noted that the texts of both drafts clearly enumerate certain categories of offenses which are supposed to be subject to the jurisdiction of the United States. They further provide that any other offenses are to be subject to the jurisdiction of the Republic of Korea as the host country. In addition to listing those offenses which fall under U.S. jurisdiction, the U.S. negotiators, in their proposed Agreed Minute, go even further, to the extent that they are practically asking waiver of all offenses over which the Republic of Korea, under the provisions of the Article itself, has the primary right of jurisdiction. In view of the U.S. position, the Korean negotiators are unable to see any merit in [redacted] differentiating the primary jurisdiction of the receiving state from that of the sending state. In other words, Mr. Chang continued, the Korean negotiators believe the U.S. is trying to exact onerous concessions from the Republic of Korea. [redacted] As the government of a state playing host to a friendly foreign army, the Korean authorities are trying to retain only a small portion of the primary right to exercise jurisdiction over offenses which are subject to their jurisdiction. In summing up their position, the Korean negotiators are unable to think of any [redacted] principle or formula for deciding whether or not to waive jurisdiction in specific cases other than that based upon self-determination by the Republic of Korea as a sovereign country acting as host to the U.S. army.

0137

35. Mr. Chang said the Korean negotiators were pleased to incorporate into their draft of the Agreed Minute that sentence in the U.S. draft which would give the U.S. diplomatic mission in the Republic of Korea an opportunity to make representations to the appropriate Korean authorities in case any question arises concerning the Korean determination to exercise jurisdiction.

36. Mr. Chang stated that the Korean negotiators are prepared to agree to enumeration of offenses over which the Korean authorities are to exercise jurisdiction, not in the Agreed Minutes but in the Agreed Joint Summary. Accordingly, the Korean negotiators wished to propose the following understanding for inclusion in the Agreed Joint Summary:

> "It is understood that offenses falling under the categories of cases in which it is determined that exercise of jurisdiction by the Republic of Korea is of particular importance include the following:
>
> "a. An offense against the security of the Republic of Korea;
>
> "b. An offense causing the death of a human being;
>
> "c. Rape;
>
> "d. Robbery;
>
> "e. Any other offenses of malicious nature which the authorities of either Government consider to be of particular importance as the result of examination thereof;
>
> "f. An attempt to commit foregoing offenses or participation therein."

Mr. Chang said the Korean negotiators [redacted] not only opposed enumeration of offenses in the Agreed Minutes but also believed the enumeration proposed by the U.S. negotiators to be too restrictive.

37. The Korean negotiators, Mr. Chang continued, are also prepared to recognize the primary responsib[redacted]military authorities to maintain

0138

good order and discipline where persons subject to United States [military] law are concerned. [redacted] Therefore, they had incorporated that portion of the U.S. draft into their revised draft.

38. Mr. Chang noted that the Korean negotiators were also accepting the final portion of the U.S. draft regarding arrangements to dispense with notification with respect to disposal of offenses of minor importance. The Korean negotiators believe that such arrangements should be limited to offenses of minor importance, leaving major offenses to deliberation by both sides. The Korean negotiators also believe that any other detailed arrangements for efficient implementation of this Article can be worked out between the appropriate authorities of each side in the Joint Committee, restricting the text of the Article and the Agreed Minutes to the stipulation of important principles.

39. Mr. Chang remarked that after a year of sincere discussion of the Criminal Jurisdiction Article, following the tabling of their respective drafts by both sides on February 14, 1964, the Korean negotiators believe beyond all doubt that [redacted] ultimate agreement on this Article, particularly on the subject of waiver, hinges on the very key question as to [redacted] whether or not the formula of self-determination [is] adopted in the Agreed Minute Re Paragraph 3. The Korean negotiators wished to emphasize once again what they had already stated, namely that the Republic of Korea is unable to accept any other formula than the one guaranteeing discretion to the host country as to whether or not to waive its primary jurisdiction.

40. Mr. Chang said the Korean negotiators sincerely hope that the U.S. negotiators, taking into account the concessions made to meet U.S. requirements with respect to official duty and trial safeguards, would accept the Korean package proposal, thereby paving the way toward early conclusion of the current negotiations to which the people and the N[redacted] Ass[redacted] the Republic of Korea attach very great importance and [the progress of [redacted]] which they are following [redacted] keen interest.

41. Mr. Chang stated that the Korean negotiators believed that their presentation had covered all the subjects which had been included in the earlier package proposal tabled by the U.S. negotiators. With regard to other remaining issues of major or minor nature, not mentioned at this meeting, the position of the Korean negotiators remained the same. The Korean negotiators would appreciate an early and favorable reply from the U.S. negotiators regarding both the proposals just tabled by the Korean negotiators and the remaining issues.

42. Mr. Habib replied that the Korean negotiators had presented extensive material for the consideration of the U.S. negotiators. They would study the Korean proposals and, if necessary, would seek clarification at a later meeting. It was agreed to adjourn without setting a date for the next meeting.

0140

JOINT SUMMARY RECORD OF THE 70TH SESSION

1. Time and Place: 3:00 - 4:30 p.m. February 12, 1965 at the Foreign Ministry's Conference Room (No.1)

2. Attendants:

ROK Side:

Mr. Chang, Sang Moon	Director European and American Affairs Bureau
Mr. Yoon, Woon Young	Director Prosecutors Bureau Ministry of Justice
Mr. Lee, Nam Ki	Chief America Section Ministry of Foreign Affairs
Col. Kim, Won Kil	Chief Military Affairs Section Ministry of National Defense
Maj. Lee, Kye Hoon	Military Affairs Section Ministry of National Defense
Mr. Im, Du Bin	Prosecutor Ministry of Justice
Mr. Choi, Sang Yup	Prosecutor Ministry of Justice
Mr. Kim, Kee Joe	3rd Secretary Ministry of Foreign Affairs
Mr. Lee, Keun Pal (Rapporteur and Interpreter	3rd Secretary Ministry of Foreign Affairs
Mr. Hwang, Young Jae	3rd Secretary Ministry of Foreign Affairs

U.S. Side:

Mr. Philip C. Habib	Counselor American Embassy
Brig. Gen. Carroll H. Dunn	Deputy Chief of Staff 8th U.S. Army
Col. Kenneth C. Crawford	Staff Judge Advocate 8th U.S. Army
Mr. Frank R. LaMacchia	First Secretary American Embassy

0141

Mr. Benjamin A. Fleck (Rapporteur and Press Officer)	First Secretary American Embassy
Mr. Robert A. Kinney	J-5 8th U.S. Army
Mr. Goodwin Shapiro	Second Secretary American Embassy
Maj. Alton H. Harvey	Staff Judge Advocate's Office 8th U.S. Army
Mr. David Y.S. Lee (Interpreter)	Second Secretary American Embassy

1. Mr. Chang opened the meeting by introducing Mr. Im Tu-pin and Mr. Choi Sang-yup, both prosecutors of the Ministry of Justice. Mr. Habib welcomed them to the negotiations on behalf of the U.S. negotiators.

Criminal Jurisdiction

2. Taking up the Criminal Jurisdiction Article, Mr. Chang stated that, as a result of most careful study with the appropriate authorities of the Korean Government of the package proposal which had been tabled by the U.S. negotiators at the 67th negotiating meeting, the Korean negotiators had found that there still exists a wide gap between the drafts tabled by each side regarding major points at issue, particularly with regard to the provisions concerning waiver of the primary right to exercise jurisdiction and pre-trial custody. However, in an attempt to meet the requirements of the U.S. negotiators and to be consistent with their own basic position, the Korean negotiators now wished to propose most significant modifications, designed to be responsive to the U.S. package proposal. Mr. Chang said he would explain the Korean package proposal paragraph by paragraph.

0142

Official Duty Certificate

3. The Korean negotiators tabled the following proposed Agreed Minutes Re Paragraph 3(a) (ii):

"Agreed Minute #1 Re Paragraph 3(a) (ii)

"Where a member of the United States armed forces or civilian component is charged with an offense, a certificate issued by a staff judge advocate on behalf of his commanding officer stating that the alleged offense, if committed by him, arose out of an act or omission done in the performance of official duty shall be sufficient evidence of the fact for the purpose of determining primary jurisdiction.

"In those exceptional cases where the chief district prosecutor of the Republic of Korea considers that there is proof contrary to a certificate of official duty, it shall be made the subject of review through discussions between appropriate officials of the Government of the Republic of Korea and the diplomatic mission of the United States."

"Agreed Minute #2 Re Paragraph 3(a) (ii)

"The term 'official duty' as used in Article _____ and the Agreed Minute is not meant to include all acts by members of the United States armed forces and the civilian components during periods when they are on duty, but is meant to apply only to acts which are required to be done as functions of those duties the individuals are performing. Thus, any departure from the acts a person is required to perform in a particular duty usually will indicate an act outside of his official duty."

4. Mr. Chang stated that with regard to the provisions concerning the official duty certificate, the Korean negotiators believe the latest U.S. proposal to be considerably different from the position of the Korean negotiators. Nevertheless, in order to facilitate the negotiations, and to meet the concern expressed in the past over this problem by the U.S. negotiators, the Korean negotiators were now prepared to make one of their most significant concessions by accepting the U.S. version with minor changes of wording and subject to certain conditions which he would enumerate.

0143

5. With regard to the authority to issue the duty certificate, the Korean negotiators preferred the wording "by a Staff Judge Advocate on behalf of his commanding officer", Mr. Chang continued. The U.S. negotiators had proposed at a previous meeting the wording "by competent authorities of the U.S. armed forces", on the grounds that many major units of the U.S. armed forces do not have a Staff Judge Advocate assigned to them, although such units may always request legal advice from their superior headquarters. In view of the importance which they attached to the validity of the duty certificate and complicated problems of a legal nature which may follow the issuance thereof, the Korean negotiators prefer their wording to that of the U.S. draft. In the actual implementation of the language which the Korean negotiators proposed, they believe some arrangement could easily be worked out so that if there is no Staff Judge Advocate assigned to a particular unit, as explained by the U.S. negotiators, a Staff Judge Advocate assigned to a superior headquarters, from whom that unit requests legal advice, may be able to issue the duty certificate on behalf of his commanding officer, thus solving this problem.

6. In short, Mr. Chang said, the basic position of the Korean negotiators is that in the light of the very decisive role which the duty certificate plays in most cases in determining primary jurisdiction, the scope of the issuing authority should be limited to a Staff Judge Advocate assigned to a unit equivalent to or higher than an army division.

0144

7. In the interest of preciseness, Mr. Chang noted that the Korean negotiators also propose to substitute the language "chief district prosecutor of the Republic of Korea" for the language "chief prosecutor of the Republic of Korea".

8. Mr. Chang pointed out that the Korean negotiators also propose inclusion of the definition of official duty in the Agreed Minutes, along with the provisions regarding issuance of the duty certificate. They believe that including the definition in the Agreed Minutes would provide the authorities concerned with a guide line in determing whether or not an offense was committed in the performance of official duty.

9. Mr. Chang said the Korean negotiators were prepared to accept the two understandings which had been proposed by the U.S. negotiators for inclusion in the Joint Summary record. However, the Korean negotiators believe that in case the chief district prosecutor raises any objection regarding the validity of the duty certificate, full consideration of his objection by the U.S. authorities should be guaranteed. Therefore, they propose to include an additional sentence in the first understanding. The two understandings would then read as follows:

> "a. The certificate will be conclusive unless modification is agreed upon. The United States authorities shall give due consideration to any objection which may be raised by the chief district prosecutor of the Republic of Korea.
>
> "b. The accused shall not be deprived of his entitlement to a prompt and speedy trial as a result of prolonged reconsideration of the duty certificate."

10. Mr. Chang said that the Korean negotiators believed the conditions, which he had just enumerated, to acceptance of the U.S. provisions regarding the duty certificate were

0145

of a modest nature and therefore would be acceptable to the U.S. negotiators.

Trial Safeguards

11. Mr. Chang said that, after giving very careful consideration to the importance which the U.S. negotiators attach to guarantees of a fair trial, and in order to expedite discussions of safeguards and other major points at issue, the Korean negotiators were now going to make one of their most significant concessions by accepting the principle of enumergtion of all of the trial safeguards proposed by the U.S. negotiators. However, this concession was made on condition that the U.S. negotiators accept the following proposed modifications of some of the safeguards in the U.S. draft. The Korean negotiators believe the suggested modifications are most essential to the efficient operation of the Korean judicial system.

12. Agreed Minute Re Paragraph 9(a). Mr. Chang said the second sentence of this Agreed Minute, regarding trial of U.S. personnel by Korean military tribunals, is closely related to the subject of jurisdiction by Korean authorities in Paragraph 1(b) of the Article. Therefore, decision regarding the second sentence of the Agreed Minute should await agreement on the provisions of Paragraph 1(b) of the text. In this connection, the basic Korean position regarding Paragraph 1(b) is that the language should read "the authorities of the Republic of Korea" instead of the present language in the U.S. draft: "the civil authorities of the Republic of Korea". Mr. Chang said the Korean negotiators would appreciate early comment on this matter by the U.S. negotiators.

0146

13. Mr. Habib said he wished to obtain clarification of the Korean position. Were the Korean negotiators proposing that if the word "civil" were deleted from the text of Paragraph 1(b) the second sentence of the Agreed Minute be retained? Mr. Chang replied that the Korean negotiators had already stated that no U.S. personnel would be subject to trial by Korean military tribunal. They wished that statement, which had been recorded in the Agreed Joint Summary, to be accepted by the U.S. negotiators. Both the word "civil" and the second sentence of the Agreed Minute should be deleted. Mr. Habib thanked Mr. Chang for his explanation and said that the Korean position was understood by the U.S. negotiators.

14. Agreed Minute Re Paragraph 9. Mr. Chang referred to the third (unnumbered) paragraph of the Agreed Minute Re Paragraph 9 of the U.S. draft, which deals with the non-admissibility of confessions, admissions, or real evidence obtained by illegal or improper means. The Korean negotiators had already pointed out the possibility that actual implementation of this portion of the Agreement might be confused as a result of ambiguous interpretation of the language to the effect that certain means taken by the Korean authorities were illegal or improper. Therefore, the Korean negotiators wished to propose the following more specific language:

> "No confession, admission, or other statement, obtained by torture, violence, threat, deceit, or after prolonged arrest or detention, or which has been made involuntarily, will be considered by the courts of the Republic of Korea as evidence in support of the guilt of the accused under this Article."

As the U.S. negotiators might notice, Mr. Chang continued, the proposed revision omits the term "real evidence". The Korean negotiators propose this omission not because the Korean authorities are not hesitant to resort to illegal

0147

means to obtain real evidence but simply because of the fact that even if the evidence should be obtained by illegal means that would not necessarily affect the validity of that evidence in support of the guilt of the accused.

15. Agreed Minute Re Paragraph 9(g). Mr. Chang referred to the language of the Agreed Minute Re Paragraph 9(g) of the U.S. draft regarding the non-admissibility as valid evidence of a statement taken in the absence of a representative of the Government of the United States. At the 50th negotiating meeting, the Korean negotiators had emphasized that since a representative of the Government, a counsel, an interpreter, and the accused himself are all given the right to be present at all of the judicial proceedings, it is entirely within the discretion of the Government representative whether or not to appear in such cases. Furthermore, the absence of the Government representative from the judicial proceedings should not impair the admissibility of a statement in view of the revised language which the Korean negotiators had just proposed for the third paragraph of the Agreed Minute Re Paragraph 9. Accordingly, Mr. Chang continued, the Korean negotiators propose the deletion of all of the first sentence of the Agreed Minute Re Paragraph 9(g) following the word "detention".

16. With regard to the provisions of subparagraph (e) of the second (unnumbered) paragraph of the Agreed Minute Re Paragraph 9 and the fourth (unnumbered) paragraph of that Agreed Minute, Mr. Chang recalled that the Korean negotiators at the 50th negotiating meeting had proposed an alternative draft reading as follows: "shall not be subject to a heavier penalty than the one that was applicable at the time the alleged criminal offense was committed

0148

or was adjudged by the court of the first instance as the original sentence when an appeal of a case is made by or on behalf of the accused."

17. The Korean judicial system, Mr. Chang continued, is based upon the right to appeal to a High Court or to the Supreme Court by a prosecutor or an accused either on the grounds of "errors of law" or of mistakes of fact. According to the provisions of the fourth paragraph and subparagraph (e) of the second paragraph of the Agreed Minute Re Paragraph 9 of the U.S. draft, appeal by the prosecutor is limited to such an extent that appeal to a higher court can not be made except in the case of errors of law.

18. Because a trial is conducted by a judge or a group of judges, Mr. Chang stated, it is readily understandable that in spite of all the efforts on the part of the court, judgments of the court cannot always be free from human mistakes. Accordingly, it is necessary to establish a safeguard which is designed to review and ultimately preclude any misjudgement resulting from errors of law as well as mistakes of fact. In this connection, it becomes apparent that a sort of reviewing system is necessary to correct misjudgements for the accused as an interested party in particular and for the prosecutor as a guardian of legal justice and uniform application of law in general. To serve this end, the provisions of Article 361-V of the Korean Code of Criminal Procedure clearly enumerate reasons for appeal to a High Court on grounds of errors of law as well as mistakes of fact. Article 383 of the same Code, although somewhat restrictive, stipulates reasons for appeal to the Supreme Court on the grounds of mistakes of fact.

19. Since the United States negotiators have expressed their sincerity and willingness to subject the U.S. military personnel to the jurisdiction of the Republic of Korea, Mr. Chang continued, the Korean negotiators wish to point out that it would be much more efficient if the U.S. negotiators would generously accept the basic principles of the Korean judicial system, such as the appeal system, rather than try to reshape that system along the lines of a system which is alien to the Korean judiciary. Therefore, the Korean negotiators propose that the U.S. negotiators accept the revised Korean draft of subparagraph (e) of the second paragraph of the Agreed Minute Re Paragraph 9 and agree to deletion of the fourth paragraph of that Agreed Minute.

20. Mr. Chang stated that the position of the Korean negotiators remains unchanged with regard to subparagraph (k) of the second (unnumbered) paragraph of the Agreed Minute Re Paragraph 9. He recalled that at the 50th meeting, the Korean negotiators had pointed out that the U.S. draft does not preclude the possibility of abuse by the accused of the right provided for in the subparagraph. Moreover, the Korean negotiators believe it is appropriate to leave the question up to the court for decision, after its examination of the accused's request. The Korean negotiators had no hesitation in assuring the U.S. negotiators that, in spite of the concern of the latter, implementation of the language proposed by the Korean negotiators at the 50th meeting would be mutually satisfactory.

21. With regard to other provisions of the U.S. draft concerning trial safeguards, Mr. Chang said the Korean

0150

negotiators accepted the following Agreed Minutes to which the Korean negotiators had raised initial objection:the first sentence of the second paragraph of the Agreed Minute Re Paragraph 9(b); the Agreed Minute Re Paragraph 9(e); and subparagraphs (f) and (i) of the second (unnumbered) paragraph of the Agreed Minute Re Paragraph 9.

Pre-Trial Custody

22. Mr. Chang tabled the following proposed revisions of portions of Paragraph 5:

"(c) The military authorities of the United States shall promptly notify the authorities of the Republic of Korea of the arrest of a member of the United States armed forces, the civilian component, or a dependent in any case in which the Republic of Korea has the primary right to exercise jurisdiction.

"(d) An accused member of the United States armed forces or civilian component,or of a dependent over whom the Republic of Korea is to exercise jurisdiction will, if he is in the hands of the military authorities of the United States, be in the custody of the military authorities of the United States during all judicial proceedings and until custody is requested by the authorities of the Republic of Korea.

"If an accused is in the hands of the Republic of Korea, he will, on request, be handed over to the military authorities of the United States, unless the authorities of the Republic of Korea consider that there is adequate cause and necessity to retain him. Such accused will be in the custody of the military authorities of the United States during all judicial proceedings and until custody is requested by the authorities of the Republic of Korea.

"(e) In respect of offenses solely against the security of the Republic of Korea provided in Paragraph 2(c), an accused shall be in the custody of the authorities of the Republic of Korea.

"(f) Where an accused has been in the custody of the military authorities of the United States under Paragraph 5(d), the military authorities of the United States may transfer custody to the authorities of the Republic of Korea at any time, and shall give sympathetic consideration to any request for the transfer of custody which may be made by the authorities of the Republic of Korea in specific cases.

0151

"The military authorities of the United States shall promptly make any such accused available to the authorities of the Republic of Korea upon their request for purposes of investigation and trial.

"The authorities of the Republic of Korea will give sympathetic consideration to a request from the military authorities of the United States for assistance in maintaining custody of an accused member of the United States armed forces, the civilian component, or a dependent."

23. Mr. Chang recalled that at the 49th negotiating meeting, the U.S. negotiators had stated that Paragraph 5(c) of the Korean draft had no counterpart in the U.S. draft nor any precedents in the NATO Agreement or the SOFA with Japan, the reason being that it imposes on the U.S. military forces an onerous requirement which serves no fundamental purpose. With these remarks of the U.S. negotiators in mind, the Korean negotiators wished to substitute the words "in any case in which the Republic of Korea has the primary right to exercise jurisdiction" for the words "unless the United States authorities have the right to exercise exclusive jurisdiction over such a person". The language proposed by the Korean negotiators is based not only on precedents elsewhere but also on the belief of the Korean negotiators that since Paragraph 5(b) stipulates the obligation of the Korean authorities to notify the U.S. military authorities of the arrest of U.S. personnel, the obligation of the U.S. authorities likewise to notify the Korean authorities of the arrest of U.S. personnel over whom the Republic of Korea has the primary right to exercise jurisdiction is no longer onerous but only reciprocal.

24. Regarding pre-trial custody of persons in the hands of the U.S. military authorities, Mr. Chang went on,

0152

Paragraph 5(d) of the Korean draft is practically identical with the similar provisions in Paragraph 5(c) of the U.S. draft. Therefore, the Korean negotiators foresee no difficulty in the U.S. negotiators accepting the Korean version.

25. However, regarding pre-trial custody of persons in the hands of the Korean authorities, Mr. Chang said, the position of the Korean negotiators remains unchanged. Although the Korean negotiators would be willing to assure the U.S. negotiators that custody will be turned over to the U.S. military authorities unless there is a specific reason and necessity to retain custody in the hands of the Korean authorities, the Korean negotiators are unable to accept the U.S. version which requires prompt and unconditional transfer of custody to the U.S. military authorities.

26. Mr. Chang recalled that the U.S. negotiators had stated at the 45th negotiating meeting that they had proposed the language of the U.S. draft partly because examination of the Korean pre-trial detention facilities had indicated that they are not satisfactory places for an American soldier, member of the civilian component, or dependent to be confined while awaiting trial, and partly because of the many cases reported in Korean newspapers in which persons awaiting trial in Korean courts have been subject to torture and compulsion to incriminate themselves. However, the concern of the U.S. negotiators is neither well-founded nor necessary because the Korean negotiators have expressed not only their readiness to accept the proposed U.S. understanding that Korean confinement facilities should be adequate by U.S. standards, but also their willingness to accept the principle of enumerating almost all of the trial safeguards the U.S. negotiators

have felt necessary for a fair trial for U.S. personnel, thereby precluding all the anxieties expressed in the past by the U.S. negotiators. The Korean negotiators believe, therefore, that there is no reason why the U.S. negotiators cannot now accept Paragraph 5(d) of the Korean draft.

27. Mr. Chang noted also that the Korean negotiators had made another significant concession regarding the timing of the re-transfer of custody to the Korean authorities after completion of criminal proceedings.

28. With regard to Korean custody under the provisions of Paragraph 5(e) of the Korean draft in the case of an offense against the security of the Republic of Korea, Mr. Chang stated that the Korean negotiators still believe that mutual agreement is not necessary since they believe that in security offenses the Korean authorities should be the sole authorities to determine whether or not such custody is appropriate. However, the Korean authorities are ready to consult with the U.S. authorities whenever such custody is deemed imperative in security cases, as well as in cases where there is adequate cause and necessity to retain such custody, as provided for in Paragraph 5(d) of the Korean draft. In this connection, therefore, the Korean negotiators proposed two understandings for inclusion in the Agreed Joint Summary:

> "a. There shall be mutual ROK-US consultation as to the circumstances in which such custody of the authorities of the Republic of Korea as provided for in paragraphs 5(d) and 5(e) is appropriate;
>
> "b. Korean confinement facilities shall be adequate by U.S. standards."

0154

29. Mr. Chang said the Korean negotiators believe their proposal regarding Paragraph 5(f) to be self-explanatory. If the U.S. military authorities do not desire to retain custody under special circumstances, this provision would enable them to transfer at any time the custody of the accused. When an accused has been under custody of the U.S. military authorities or when an arrested person has been handed over to them, a situation may arise in which the Korean authorities may have to request transfer of custody for efficient trial proceedings. Since this possibility exists, the Korean negotiators believe the Korean version is preferable, which would guarantee sympathetic consideration by the U.S. military authorities to a request by the Korean authorities.

30. In accepting the U.S. language regarding the obligation of the U.S. authorities to make an accused in U.S. custody available to the Korean authorities upon their request for investigation and trial, Mr. Chang continued, the Korean negotiators consider it essential that the U.S. should make the arrested person available without delay. The Korean negotiators were pleased to incorporate into the Korean draft the U.S. language regarding Korean assistance in maintaining custody of an accused member of the U.S. armed forces.

Waiver of the Primary Right to Exercise Jurisdiction

31. Mr. Chang tabled the following revised draft of the Agreed Minute Re Paragraph 3:

> "The authorities of the Republic of Korea, recognizing that it is the primary responsibility of the United States military authorities to maintain good order and discipline where persons subject to United States military law are concerned, will, upon the request of the military authorities of the United States pursuant to Paragraph 3(c), waive their primary

0155

"right to exercise jurisdiction under Paragraph 3(b) except when they determine that it is of particular importance that jurisdiction be exercised by the authorities of the Republic of Korea. In case where any question arises concerning such determination as may be made by the authorities of the Republic of Korea in accordance with the foregoing provisions, the United States diplomatic mission will be afforded an opportunity to confer with the proper authorities of the Republic of Korea.

"Trials of cases in which the authorities of the Republic of Korea waive the primary right to exercise jurisdiction, and trials of cases involving offenses described in Paragraph 3(a) (ii) committed against the state or nationals of the Republic of Korea will be held within a reasonable distance from the place where the offenses are alleged to have taken place unless other arrangements are mutually agreed upon. Representatives of the Republic of Korea may be present at such trials.

"To facilitate the expeditious disposal of offenses of minor importance, arrangements may be made between the United States military authorities and the competent authorities of the Republic of Korea to dispense with notification."

32. Mr. Chang stated that when the U.S. negotiators had tabled their latest version of the waiver provisions, at the 67th negotiating meeting, they had said that they were tabling significant modifications of the waiver of the primary right to exercise jurisdiction. After carefully studying the U.S. draft, the Korean negotiators regretted to state that although the revised U.S. language indicates some progress from the original U.S. position, it is unacceptable to the Korean negotiators since it is still diametrically opposed to the formula which the Korean negotiators have been trying to retain in the Agreed Minute.

33. Mr. Chang recalled that the U.S. negotiators in the past had stated that their position was to obtain a maximum degree of waiver from the Korean authorities. To accommodate the U.S. requirements, the Korean negotiators had already

0156

given assurances that the Korean authorities would waive in as many cases as other countries do under their very simple waiver provisions. Nevertheless, the Korean negotiators firmly maintain the position that the language of the Agreed Minute should be "the standard language" which would enable the Korean authorities to waive except when they determine that it is of particular importance to them to try an accused in a Korean court. The Korean negotiators wonder why the U.S. negotiators, "after all those years of obtaining a considerably high degree of waiver under their standard wording with many other countries", refuse to accept similar language in the draft proposed by the Korean negotiators.

34. Mr. Chang noted that the texts of both drafts clearly enumerate certain categories of offenses which are supposed to be subject to the jurisdiction of the United States. They further provide that any other offenses are to be subject to the jurisdiction of the Republic of Korea as the host country. In addition to listing those offenses which fall under U.S. jurisdiction, the U.S. negotiators in their proposed Agreed Minute, go even further, to the extent that they are practically asking waiver of all offenses over which the Republic of Korea, under the provisions of the Article itself, has the primary right of jurisdiction. In view of the U.S. position, the Korean negotiators are unable to see any merit in differentiating the primary jurisdiction of the receiving state from that of the sending state. In other words, Mr. Chang continued, the Korean negotiators believe the U.S. is trying to exact onerous concessions from the Republic of Korea. As the

government of a state playing host to a friendly foreign army, the Korean authorities are trying to retain only a small portion of the primary right to exercise jurisdiction over offenses which are subject to their jurisdiction. In summing up their position, the Korean negotiators are unable to think of any principle or formula for deciding whether or not to waive jurisdiction in specific cases other than that based upon self-determination by the Republic of Korea as a sovereign country acting as host to the U.S. army.

35. Mr. Chang said the Korean negotiators were pleased to incorporate into their draft of the Agreed Minute that sentence in the U.S. draft which would give the U.S. diplomatic mission in the Republic of Korea an opportunity to make representations to the appropriate Korean authorities in case any question arises concerning the Korean determination to exercise jurisdiction.

36. Mr. Chang stated that the Korean negotiators are prepared to agree to enumeration of offenses over which the Korean authorities are to exercise jurisdiction, not in the Agreed Minutes but in the Agreed Joint Summary. Accordingly, the Korean negotiators wished to propose the following understanding for inclusion in the Agreed Joint Summary:

"It is understood that offenses falling under the categories of cases in which it is determined that exercise of jurisdiction by the Republic of Korea is of particular importance include the following:

"a. An offense against the security of the Republic of Korea;

"b. An offense causing the death of a human being;

"c. Rape;

"d. Robbery;

0158

"e. Any other offenses of malicious nature which the authorities of either Government consider to be of particular importance as the result of examination thereof;

"f. An attempt to commit foregoing offenses or participation therein."

Mr. Chang said the Korean negotiators not only opposed enumeration of offenses in the Agreed Minutes but also believed the enumeration proposed by the U.S. negotiators to be too restrictive.

37. The Korean negotiators, Mr. Chang continued, are also prepared to recognize the primary responsibility of the U.S. military authorities to maintain good order and discipline where persons subject to United States military law are concerned. Therefore, they had incorporated that portion of the U.S. draft into their revised draft.

38. Mr. Chang noted that the Korean negotiators were also accepting the final portion of the U.S. draft regarding arrangements to dispense with notification with respect to disposal of offenses of minor importance. The Korean negotiators believe that such arrangements should be limited to offenses of minor importance, leaving major offenses to deliberation by both sides. The Korean negotiators also believe that any other detailed arrangements for efficient implementation of this Article can be worked out between the appropriate authorities of each side in the Joint Committee, restricting the text of the Article and the Agreed Minutes to the stipulation of important principles.

39. Mr. Chang remarked that after a year of sincere discussion of the Criminal Jurisdiction Article, following the tabling of their respective drafts by both sides on February 14, 1964, the Korean negotiators believe beyond all

0159

doubt that ultimate agreement on this Article, particularly on the subject of waiver, hinges on the very key question as to whether or not the formula of self-determination is adopted in the Agreed Minute Re Paragraph 3. The Korean negotiators wished to emphasize once again what they had already stated, namely that the Republic of Korea is unable to accept any other formula than the one guaranteeing discretion to the host country as to whether or not to waive its primary jurisdiction.

40. Mr. Chang said the Korean negotiators sincerely hope that the U.S. negotiators, taking into account the concessions made to meet U.S. requirements with respect to official duty and trial safeguards, would accept the Korean package proposal, thereby paving the way toward early conclusion of the current negotiations to which the people and the National Assembly of the Republic of Korea attach very great importance and the progress of which they are following with keen interest.

41. Mr. Chang stated that the Korean negotiators believed that their presentation had covered all the subjects which had been included in the earlier package proposal tabled by the U.S. negotiators. With regard to other remaining issues of major or minor nature, not mentioned at this meeting, the position of the Korean negotiators remained the same. The Korean negotiators would appreciate an early and favorable reply from the U.S. negotiators regarding both the proposals just tabled by the Korean negotiators and the remaining issues.

42. Mr. Habib replied that the Korean negotiators had presented extensive material for the consideration of the U.S. negotiators. They would study the Korean proposals and, if necessary, would seek clarification at a later meeting.

0160

It was agreed to adjourn without setting a date for the next meeting.

0161

3. 제7차 회의, 2.26

0162

기 안 용 지

자 체 통 제		기안처	미주과 이근팔	전화번호	근거서류접수일자
	과장	국장	차관	장관	
관계관 서명	법무부: 검찰과장	검찰국장:	법무차관:	법무장관:	
기안 년월일	1965. 2. 24.	시행 년월일		보존 년한	정서 기장
분류 기호	외구미 722.2	전체 통제		종결	
경유 수신 참조	건 의		발 신		
제 목	주둔군지위협정 체결 교섭에 임할 우리측 입장				

1. 외무부장관 도미를 계기로 하여 한.미 양국실무자급에서 진행중인 주둔군지위협정 체결 교섭의 중요 문제에 관하여 미국 정부의 성의있는 협조를 촉구함은 현안인 협정 체결 교섭을 조기에 타결하기 위하여 유익할 것으로 사료합니다.

2. 한.미간 고위회담 시에는 주둔군지위협정의 핵심이라고 할 수 있는 형사재판관할권의 포기문제를 중심으로하여 우리측이 제 70 차 회의 때 미측에 제안한 포괄적 제안을 수락할 것을 계속 미측에 주장하여야 겠지만 교섭 진행상 부득이 한 경우에 대비하여 별첨과 같은 신축성있는 대안을 마련하여 회담에 임함이 필요할 것으로 사료하오니 재가하여 주시기 바랍니다.

유 첨: 관할권의 포기에 관한 우리측 대안(제1, 제 2안) 국,영문 각 1통. 끝.

승인서식 1-1-3 (11-00900-03) (195mm×265mm16절지)

0163

형사재판 관할권

관할권의 포기

가. 제 1 안

1. 합의의사록 본문 (70차 회의시 제안과 동일)

" 대한민국당국은 미군법에 복하는 자에 관하여 질서와 규율을 유지함이 미군당국의 주된 책임임을 인정하여 본조 3 (c) 항의 규정에 따른 미군당국의 요청을 받으면 대한민국이 관할권을 행사함이 특히 중대하다고 결정하는 경우를 제외하고 제 3 (b) 항의 규정하에서 관할권을 행사하는 제 1 차적 권리를 미군당국에 포기 한다. 만약에 대한민국당국이 상기 규정에 따라 내리는 결정에 관하여 이의가 제기될 경우에는 미국외교사절에 대한민국관계 당국과 협의할수 있는 기회가 부여된다.

대한민국이 관할권을 행사할 제 1 차적 권리를 포기하는 사건의 재판과 제 3 (a) (ii) 항에 규정된 범죄로서 대한민국 또는 대한민국 국민에 대하여 범하여진 범죄에 관련된 사건의 재판은 별도의 약정이 상호 합의되지 않는한 범죄가 행하여진 것으로 인정되는 장소로부터 적당한 거리내에서 행하여 진다. 대한민국의 대표는 그러한 재판에 참석할수 있다.

경미한 범죄의 신속한 처리를 촉진하기 위하여 대한민국당국 및 미군당국간에 통고없이 처리하기 위한 약정을 만들수 있다. "

2. 양해사항 또는 합의의사록으로 제안

" 대한민국이 관할권을 행사함이 특히 중대하다고 결정하는 사건의 범주에 해당하는 범죄는 다음과 같은 범죄를 포함하는 것으로 양해한다:

(1) 대한민국의 안전에 대한 범죄

(2) 악의적인 살인에 관한 범죄

0164

(3) 강간에 관한 범죄

(4) 범죄의 조사결과 한미양국정부의 어느 일방 당국이 특히 중대하다고 인정하는 기타 악의적인 범죄

(5) 상기 범죄의 미수 또는 공범죄

나. 제 2 안

1. 합의의사록 본문

"대한민국당국은 미군법에 복하는 자에 관하여 질서와 규율을 유지함이 미군당국의 주된 책임임을 인정하여 본조 3 (c) 항의 규정에 따른 미군당국의 요청을 받으면 대한민국이 관할권을 행사함이 특히 중대하다고 결정하는 경우를 제외하고 제 3 (b) 항의 규정하에서 관할권을 행사하는 제 1 차적 권리를 미군당국에 포기한다. 만약에 대한민국당국이 상기 규정에 따라 내리는 결정에 관하여 이의가 제기될 경우에는 미국 외교사절에 대한민국관계 당국과 협의할수 있는 기회가 부여된다.

대한민국당국은 그러한 사건에 관련된 미합중국의 이해관계에 대하여 정당한 고려를 하여야 한다.

대한민국이 관할권을 행사할 제 1 차적 권리를 포기하는 사건의 재판과 제 3 (a) (ii) 항에 규정된 범죄로서 대한민국 또는 대한민국국민에 대하여 범하여진 범죄에 관련된 사건의 재판은 별도의 약정이 상호 합의되지 않는 한 범죄가 행하여진 것으로 인정되는 장소로부터 적당한 거리내에서 행하여 진다. 대한민국의 대표는 그러한 재판에 참석할수 있다.

경미한 범죄의 신속한 처리를 촉진하기 위하여 대한민국당국 및 미군당국간에 통고없이 처리하기 위한 약정을 만들수 있다."

0165

2. 양해사항 또는 합의의사록으로 제안

"대한민국이 관할권을 행사함이 특히 중대하다고 결정하는 사건의 범주에 해당하는 범죄는 다음과 같은 범죄를 포함하는 것으로 양해한다:

(1) 대한민국의 안전에 대한 범죄

(2) 악의적인 살인에 관한 범죄

(3) 강간에 관한 범죄

(4) 범죄의 조사 결과 한미양국정부의 어느 일방 당국이 특히 중대하다고 인정하는 기타 악의적인 범죄

(5) 상기범죄의 미수 또는 공범죄.

0166

Criminal Jurisdiction Article

Draft - 1

Agreed Minute Re Paragraph 3

The authorities of the Republic of Korea, recognizing that it is the primary responsibility of the military authorities of the United States to maintain good order and discipline where persons subject to United States military law are concerned, will, upon the request of the military authorities of the United States pursuant to paragraph 3(c), waive their primary right to exercise jurisdiction under paragraph 3(b) except when they determine that it is of particular importance that jurisdiction be exercised by the authorities of the Republic of Korea. In case where any question arises concerning such determination as may be made by the authorities of the Republic of Korea in accordance with the foregoing provisions, the United States diplomatic mission will be afforded an opportunity to confer with the proper authorities of the Republic of Korea.

Trials of cases in which the authorities of the Republic of Korea waive the primary right to exercise jurisdiction, and trials of cases involving offenses described in paragraph 3(a) (ii) committed against the state or nationals of the Republic of Korea will be held within a reasonable distance from the place where the offenses are alleged to have taken place unless other arrangements are mutually agreed upon. Representatives of the Republic of Korea may be present at such trials.

To facilitate the expeditious disposal of offenses of minor importance, arrangements may be made between the competent authorities of the Republic of Korea and the military authorities of the United States to dispense with notification.

0167

Understanding or Agreed Minute Re Paragraph 3

It is understood that offenses falling under the categories of cases in which it is determined that exercise of jurisdiction by the Republic of Korea is of particular importance include the following:

a. An offense against the security of the Republic of Korea;

b. An offense of a malicious killing;

c. An offense of forcible rape;

d. Any other offenses of malicious nature which the authorities of either Government consider to be of particular importance as the result of examination thereof.

e. An attempt to commit foregoing offenses or participation therein.

Draft - 2

1. Agreed Minute Re Paragraph 3

The authorities of the Republic of Korea, recognizing that it is the primary responsibility of the military authorities of the United States to maintain good order and discipline where persons subject to United States military law are concerned, will, upon the request of the military authorities of the United States pursuant to paragraph 3(c), waive their primary right to exercise jurisdiction under paragraph 3(b) except when they determine that it is of particular importance that jurisdiction be exercised by the authorities of the Republic of Korea. In case where any question arises concerning such determination as may be made by the authorities of the Republic of Korea in accordance

0168

with the foregoing provisions, the United States diplomatic mission will be afforded an opportunity to confer with the proper authorities of the Republic of Korea. The authorities of the Republic of Korea shall give due consideration to the interests of the United States involved in such case.

Trials of cases in which the authorities of the Republic of Korea waive the primary right to exercise jurisdiction, and trials of cases involving offenses described in paragraph 3(a) (ii) committed against the state or nationals of the Republic of Korea shall be held promptly within a reasonable distance from the place where the offenses are alleged to have taken place unless other arrangements are mutually agreed upon. Representatives of the Republic of Korea may be present at such trials.

To facilitate the expeditious disposal of offenses of minor importance, arrangements may be made between the competent authorities of the Republic of Korea and the military authorities of the United States to dispense with notification.

2. Understanding or Agreed Minute Re Paragraph 3

It is understood that offenses falling under the categories of cases in which it is determined that exercise of jurisdiction by the Republic of Korea is of particular importance include the following:

a. An offense against the security of the Republic of Korea;

b. An offense of a malicious killing;

c. An offense of forcible rape;

d. Any other offenses of malicious nature which the authorities of either Government consider to be of particular importance as the result of examination thereof;

e. An attempt to commit foregoing offenses or participation therein.

0170

Criminal Jurisdiction Article

70th SOFA Session

Feb. 26, .965.

The Korean negotiators believe that the U.S. negotiators are giving the most careful consideration to our comprehensive package proposal which we had tabled at the previous session. In the meantime, the Korean negotiators would like to reiterate their positions on the most important issue: that is, waiver of primary jurisdiction.

As explained at the previous session, the Korean negotiators had made the most significant concessions to the U.S. side regarding trial safeguards because guarantees of a fair trial to the U.S. personnel seemed to be major concern of the U.S. negotiators. Further concessions on the Korean side with respect to the official duty certificate were made in the belief that discretion with regard to determination on whether an offense is arising out of performance of official duty or not rests primarily with the military authorities of the United States. At the same time, the Korean negotiators had made those concessions in the hope that the U.S. negotiators would naturally reciprocate our concessive approach by providing the Korean side with discretion regarding to waiver of primary jurisdiction.

Previously, the U.S. negotiators had stated that under the standard wording of the SOFA with Japan, the U.S. military authorities have been obtaining a considerably high degree of waiver from the Japanese authorities. In view of the U.S. statements above, the Korean negotiators are unable to understand the reason why the U.S. side.

0171

while generously granting complete discretion to Japan, is now hesitating to accept our version which is in some respects definitely more concessive and cooperative toward the United States than that of Japanese SOFA.

We would like to note here a fact which deservers careful consideration by the U.S. side. In view of the brotherly relationship which exists between the two countries, our Government is confident that we would be more lenient toward the offenses committed by the U.S. military personnel in Korea than any other Governments could be. In this connection, the Korean people could hardly understand why they should accept any discriminatory version on criminal jurisdiction, far inferior to the versions granted to other countries, particularly to Japan which once was a defeated enemy of the United States.

We are well aware of the concern expressed by the U.S. side in the light of the fact that the Korean judicial system is entirely different from the system of the United States. However, in this respect, we would like to point out that our judicial system is similar to the Japanese system under which the U.S. side had, as explained by them in the past, already accumulated satisfactory experiences. Furthermore, the U.S. concern is no longer valid since the Korean side had made their position clear by meeting all the U.S. requirements in the field of trial safeguards.

In asmuch as the U.S. side had expressed their sincerity of subjecting their military personnel to the Korean jurisdiction, the Korean negotiators believe that it would be logical to recognize our discretion in determining whether or not to waive our primary jurisdiction in specific cases.

0172

The Korean negotiators wish to make it clear that they have already conceded to the U.S. side to such an extent that they are unable to think of any further concessions in connection with the problem of waiver. To be specific, we have reached to the final limit of our concession in the formula presented at the provious session, namely the version containing the clause "except when they determine that it is of particular importance that jurisdiction be exercised by the authorities of the Republic of Korea," in the first sentence of the Agreed Minute Re Paragraph 3.

There-fore, we sincerely hope that the U.S. negotiators would accept our package proposal, thereby clearling the way toward an earlier conclusion of the Agreement.

In the past, the U.S. negotiators had stressed that the U.S. Congress and the people care about the outcome of the negotiations. We would like also to emphasize that our people and the National Assembly have, ever since the resumption of the negotiations on September 20, 1962, been following every progress of the pending negotiations with very keen interests.

Summing up, the Korean negotiators believe it is high time for the U.S. side to reevaluate its positions and to solve the problem of waiver as well as other pending issues by accepting our package proposal and, further, to expedite the discussions of remaining problems of the criminal jurisdiction article.

0173

6.

題目	韓.美協定	美.日協定	美.比協定
	라. 犯罪의 犯行時 또는 第一審法院의 判決宣告時 適用되는 刑보다 重한 刑을 받지 아니하는 權利.	無	無
	마. 肉体的으로나 精神的으로 不適當한 때에는 審判에 出席하도록 要請받지 아니하는 權利.	〃	〃
	바. 合衆國軍隊의 威信과 合當한 條件이 아니면 審判을 받지 아니하는 權利.	〃	〃
	사. 强制等方法에 依한 自白, 自認, 其他 陳述과 物的證據는 有罪證據로 할 수 없다.	〃	〃
	아. 法令의 錯誤를 理由로 하는 境遇를 除外하고 檢察로 부터 上訴당하지 아니하는 權利.	〃	〃
7. 避難處 提供.	無	無	美國은 比國의 裁判權으로 부터 逃避하는 者에 對하여 避難處를 提供하지 아니한다. 万若, 그러한 者가 基地内에서 發見되는 境遇에는 그者는 比國當局에 引渡되어야 한다.

보통문서로 재[redacted](1966.12.31.)

0174

F.

刑事裁判权 対比表

題目	韓美協定	美·日協定	美·比協定
1. 裁判权의 行使 가. 人的範囲 (1) 合衆國의 裁判权에 服하는 者 (2) 接受國裁判权에 服하는 者	 (1) 合衆國軍隊의 構成員. 軍屬 및 家族 (2) 合衆國軍隊의 構成員. 軍屬 및 家族	 (1) 合衆國軍法에 服하는 모든 者 (2) 左同	 (1) 合衆國軍法에 服하는 모든 者. (軍屬 또는 家族은 包含되지 아니함) (2) 左同
2. 專屬的 裁判权 가. 抛棄要請	가. 韓國当局은 合衆國当局으로 부터의 專屬的 裁判权 抛棄要請에 対하여 好意的 考慮를 한다.	가. 無	가. 無
3. 裁判权의 競合 가. 公務執行中 犯罪 (1) 証明書 発行.	(ㄱ) 合衆國의 主務 軍当局이 法務官의 勸告에 따라 発行. (ㄴ) 証明書는 第一次的 裁判权 決定을 為한 充分한 証據. (ㄷ) 韓國 檢察總長이 反証이 있다고 思慮하는 例外的 境遇 韓國関係官과 合衆國 外交使節間의 再檢[redacted] 對象이 [redacted]야 한다.	(ㄱ) 指揮官이 発行. (ㄴ) 反証이 없는 限 刑事手続의 모든 段階에 있어서 充分한 証據資料가 된다. (ㄷ) 日本 刑事訴訟法 第318條를 害하는 것으로 解釋되지 아니한다.	(ㄱ) 指揮官이 法務官의 勸告에 따라 発行. (ㄴ) 証明書는 尊重된다. (ㄷ) 比國法務部長官이 討議가 必要하다고 認定하는 境遇에는 証明書 接受 10日 以内에 比國関係官과 合衆國 外交使節間의 再檢討의 対象이 되어야 한다.

題 目	韓·美 協定	美·日 協定	美·比 協定
(2) 公務의 定義	(2) 公務라 함은 美軍人, 軍屬이 公務 執行 期間中 行한 모든 行爲를 包含하는 것이 아니며 그者가 執行하고 있는 公務의 機能으로서 行하여질 것이 要求되는 行爲에만 適用되는 것을 말한다.	(2) 無.	(2) (1) 公務는 法規, 規則, 上司의 命令 또는 軍事上의 慣行에 依하여 行하여질 것이 要求되는 職務를 말하며, (L) 公務는 ...... 以下 韓美協定과 同一.
나. 接受國의 第一次的 裁判权의 抛棄	(1) 韓國은 第一次的 裁判权을 美國을 為하여 抛棄한다. (2) 美軍当局은 权利抛棄에 該当하는 個別的 事件을 韓國当局에 通告한다. (3) 韓國当局은 特定事件에 있어서 特殊한 事情을 理由로 司法上의 重大한 利益이 韓國의 裁判权 行使를 不可避하게 할 境遇 通告 接受後 21日以内에 美國当局에 通知하여 权利抛棄를 撤回할수 있다. (가) 韓國当局은 特히 다음과 같은 事件에 있어서 抛棄를 撤回할수 있다. (ㄱ) 韓國의 安全에 関한 犯罪. (ㄴ) 殺人에 関한 罪. (ㄷ) 强盜罪 및 强姦罪. (ㄹ) 上記 各 犯罪의 未遂 또는 先[redacted]	(1) 第一次的 裁判权의 抛棄에 関한 相互의 手続은 合同委員会가 決定한다.	(1) 比國当局은 美軍当局이 美軍法에 服하는 者에 対하여 秩序와 規律을 維持할 主된 責任이 있음을 是認하고 美軍当局이 要請하면 比國当局이 裁判权을 行使함이 特히 重要하다고 決定하는 境遇를 除外하고 第一次的 裁判权을 美軍当局에 抛棄한다. (가) 一方政府가 他方政府의 第一次的 裁判权의 抛棄를 要請코자 할 때에는 犯罪 發生通告 接受後 10日以内에 書面으로 要請하여야 한다. (나) 一方政府는 第一次的 裁判权의 抛棄要請을 接受한 國家가 同要請 接受後 15日以内에 그 政府가 裁判权을 行使할 뜻을 通知 받지 아니하는 境遇 要請한 國家는 裁判权을 行使할수 있다.

0176

題目	韓·美 協定	美·日 協定	美·比 協定
	(4) (가) 韓國이 权利抛棄를 撤回한 境遇 關係當局間의 討議에서 諒解가 成立되지 않을 时 美國政府는 韓國政府에 異議를 提起할수 있다. (나) 韓國政府는 兩國政府의 利益을 充分히 考慮하여 外交分野에 있어서 그의 权限을 行使하여 意見差異를 解決한다. (다) 韓國政府가 意見差異를 解決함에 있어서 韓國이 裁判权을 行使함이 不可避하다고 決定하는 境遇 权利抛棄의 撤回는 最終的이며 確定的이다.		(라) 一方 國家가 他方國家에 特殊한 理由로 裁判权 行使에 関한 決定의 保留를 通告한 境遇, 要請国家는 他方國家가 裁判权을 行使하지 않겠다는 通告 接受 时 또는 追加的 15日間의 期間 経過 时까지는 裁判权을 行使할 수 없다.
4. 裁判前 被疑者의 拘禁. 가. 拘禁 (1) 美軍當局이 逮捕 时.	(1) 모든 裁判節次가 完了되고 韓國當局이 要請할 때까지 美軍當局이 拘禁한다. (가) 美軍當局은 언제든지 被疑者를 韓國當局에 引渡할수 있다. (나) 韓國當局의 引渡要請에 対하여 好[illegible] 考慮를 한다.	(1) 日本国當局에 依하여 起訴될때까지 美國當局이 拘禁한다.	(1) 比國當局에 依하여 起訴될 때까지 美國當局이 拘禁한다.

0177

題目.	韓·美 協定	美·日 協定	美·比 協定
	(다) 美軍當局은 韓國當局의 搜査와 裁判進行을 爲하여 모든適切한 措置를 取하여야 한다. (라) 美軍當局은 司法節次進行에 對한 障碍를 防止한다. (마) 拘禁에 關한 韓國當局의 特別한 要請을 充分히 考慮한다.		(다)
(2) 韓國當局이 逮捕時.	(2) 韓國當局은 美軍當局이 要請하면 被疑者를 美軍當局에 引渡하며 美軍當局은 모든 裁判節次가 完了되고 韓國當局이 要請할 때까지 拘禁한다.	(2) 日本國當局은 그 犯人을 拘束할 正當한 理由 및 必要가 있다고 思慮하는 境遇를 除外하고 當該 犯人의 拘禁을 美軍當局에 引渡한다. 美國當局은 日本國當局의 要請이 있으면 起訴時 犯人을 日本國當局에 引渡한다.	比國當局은 遲滯없이 被疑者의 拘禁을 美軍基地 司令官에게 委任하여야 하며, 基地司令官은 搜査, 審理, 및 裁判 終結 時까지 그 者를 拘禁할 것과 比國當局의 要請이 있으면 比國當局이 搜査와 裁判을 할수 있게 할것을 書面으로 認定하여야 한다.
4. 韓國의 安全에 關한 被疑者의 拘禁.	4. 韓國當局이 拘禁한다.		
5. 拘禁刑의 執行.	韓國當局이 言渡한 拘禁刑은 原則的으로 韓國當局이 執行한다. 但, (1) 韓國當局은 韓國法院이 宣告한 刑에 服役中인 受刑者의 拘禁引渡를 美軍當局이 要請하면 好意的 考慮를 한다.	無	無

0178

題目	韓美協定	美日協定	美比協定
	(2) 受刑者의 拘禁이 美軍当局에 引渡되었을 境遇, 美軍当局은 拘禁刑의 服役 終了時까지 또는 韓國当局이 釈放을 承認할 때까지 拘禁을 継続할 義務가 있다. (가) 美軍当局은 韓國当局에 関係情報를 定期的으로 提供한다. (나) 韓國政府代表는 美國拘禁施設에서 服役中인 受刑者와 接見할 权利를 가진다.	無	無
6. 被疑者 또는 被告人의 权利.	가. 韓國 軍法会議에 依한 裁判을 받지 아니할 权利. 나. 辯護人과 秘密히 相議할 权利 다. 美國政府代表와 接見交通할 权利 및 裁判에 代表를 立会시킬 权利 (1) 代表 阙席時의 陳述은 有罪의 証拠로 採択되지 아니한다. (2) 代表는 被疑者가 出席하는 모든 言[redacted]公判에 立会할 수 있다[redacted]	가. 無 나. 無 다. 左同 (1) 無 (2) 無	가. 無 나. 無 다. 美國政府代表를 裁判에 立会시킬 权利. 但, 그러한 裁判은 比國法院이 比日法에 따라 달리 決定하는 境遇를 除外하고 公開裁判이어야 한다.

0179

大韓民國政府가 美側草案 第4項의 規定에 依하여 意見差異를 解決함에 있어서 大韓民國이 管轄权을 行使하기로 決定하는 境遇 그 決定은 最終的이며 確定的일수 있는가?

万若에 그 対答이 肯定的이라면 美側은 다음과 같은 韓國側 提案을 受諾할수 있는가?

1) 韓國側의 修正案:

"大韓民國政府는 大韓民國의 司法上의 利益과 合衆國의 利益을 充分히 考慮하여 (外交分野에 있어서의 그의 权限을 行使하여) 意見差異를 解決한다."

2) 諒解事項:

"抛棄의 撤回는 兩國政府 当局間의 協議를 通하여 大韓民國政府에依하여 撤回되지 않는 限 確定的이며 또한 最終的이다."

0180

1. In case where the Korean Government determines in resolving disagreement, in accordance with the provisions of Paragraph 4 of the U.S. draft, to exercise its jurisdiction, can the determination be final and conclusive?

If the answer is affirmative, would the U.S. side accept

a. the modified version of the Korean negotiators which reads "The Government of the Republic of Korea, giving due consideration to the interests of Korean administration of justice and to the interests of the Government of the United States, resolve the disagreement in the exercise of its authority in the field of foreign affairs", and

b. the following understanding for the Joint Summary Record:

"The recall of waiver is conclusive and final unless recall is withdrawn by the Government of the Republic of Korea through consultation between the authorities of both Government."

2. With regard to the provisions of Paragraph 6(a),

a. What are the provisions of U.S. laws which fall under the provision of sub-paragraph (i) which reads "except where the law of the U.S. requires otherwise"?

b. Would the U.S. negotiators also clarify the phrase " "in case of military exigency or in the interests of justice"?

3. With regard to the provisions of Paragraph 6(b),

a. What are the rules of the court of the United States which are not compatible with the presence of a representative of a foreign Government?

0181

1. In case where the Korean Government determines in resolving disagreement, in accordance with the provisions of Paragraph 4 of the U.S. draft, to exercise its jurisdiction, can the determination be final and conclusive?

If the answer is affirmative, would the U.S. side ~~said~~ accept the following additional ~~sentence~~ to the provisions of Paragraph 4,

a. the modified version of the Korean negotiators which reads "The Government of the Republic of Korea, giving due consideration to the interests of Korean administration of justice and to the interests of the Government of the United States, resolve the disagreement in the exercise of its authority in the field of foreign affairs", and

b. the following understanding for the ~~Joint Summary Record:~~ Agreed Minute

"The recall of waiver shall be ~~is conclusive~~ and ~~final~~ conclusive unless recall is withdrawn by the Government of the Republic of Korea through ~~consultation~~ between ~~the authorities of~~ both Governments."

The recall of waiver shall be final and conclusive unless the statement for recall referred to in above paragraph is withdrawn by the Government of ROK through consultation between both Governments.

0182

1. In case where the Korean Government, in resolving disagreement in accordance with the provisions of Paragraph 4 of the U.S. draft, determines to exercise its jurisdiction, can the determination be final and conclusive?

If the answer is affirmative, would the U.S. side accept the following additional sentence to the end of the provisions of Paragraph 4?

"The recall of waiver shall be final and conclusive unless the statement for recall referred to in the above paragraph is withdrawn by the Government of the Republic of Korea, through consultation between both Governments."

0183

형사재판관할권의 모기조항

한국당국에 부여된 제1차 관할권의 모기를 규정한 미측제안 제1항을 미측 원안대로 수락하되 다음과 같은 조건을 수락할 것을 미측에 촉구한다.

1. 우리측이 제78차회의에서 미측 무기조항 제4항 말미에 다음과 같은 규정을 추가 삽입할것을 제안한바 있는데 이를 계속 주장한다.

"모기의 철회는 (본합의의사록 제3항에 규정된) 철회를 위한 통고가 그러한 통고 발행(으로 부터) 21일내에 대한민국 정부에 의하여 취소되지 않는한 최종적이며 확정적이어야 한다."

"The recall of waiver shall be final and conclusive unless the statement for recall referred to in Paragraph 3 of this Minute is withdrawn by the Government of the Republic of Korean within a period of Twenty-one days after such statement for recall is made."

2. 국회와 국민의 이해를 얻고 미측 모기조항이 실지운영에 있어서 우리에게 만족스럽지 못한 것으로 판명되는 경우 새로운 규정을 채택하기 위하여 모기조항의 제8항으로 다음과 같은 규정을 신설할 것을 제안한다.

"본 합의의사록에 규정된 모기조항이 본협정 발효후 실시 초기에 있어서 불만한 것으로 판명되는 경우 대한민국 정부의 요청에 따라 새로운 모기 규정이 고섭을 통하여 채택되어야 한다는 것을 양해한다."

"It is understood that should the waiver formula provided for in this Agreed Minute prove to be unsatisfactory in its early implementation, upon the request of the Government of the Republic of Korea, a new waiver provision shall be adopted through negotiations."

0184

기 안 용 지

자 체 통 제		기안처	미주과 이근팔	전화번호 / 근거서류접수일자
	과장	국장	차관	장관
관계관 서명				
기안년월일	1965. 3. 2.	시행년월일		보존년한 / 정서 / 기장
분류기호	외구미 722.2—	전체통제	3.3	종결
경유 수신 참조	대통령 참조: 비서실장 국무총리 참조: 비서실장 사본: 법무장관 및 보건사회부장관	발신	장관	
제목	제 71 차 주둔군지위협정 체결 교섭 실무자회의 결과 보고			

1965 년 2 월 26 일 하오 4 시 부터 동 6 시 까지 외무부 제 1 회의실에서 개최된 제 71 차 주둔군지위협정 체결 교섭 실무자회의에서 토의된 형사재판관할권 및 노무조달문제에 관한 내용을 별첨과 같이 보고합니다.

유 첨: 제 71 차 주둔군지위협정 체결 교섭실무자회의 결과 보고서. 끝.

826 1965. 3. 3. 외무부

승인서식 1-1-3 (11—00900—03) (195mm×265mm16절지)

0185

기 안 용 지

자 체 통 제		기안처	미주과 이근팔	전화번호	근거서류접수일자
	과장	국장	차관	장관	
관계관 서명					
기안 년월일	1965. 3.2.	시행 년월일		보존 년한	정서 / 기장
분류 기호	외구미 722.2—	전체 통제		종결	
경유 수신 참조	법무부장관 보건사회부장관 참조: 노동청장		발신	장관	
제목	제 71 차 주둔군지위협정 체결 교섭 실무자회의 결과 보고				

1965 년 2 월 26 일 하오 4 시 부터 동 6 시 까지 외무부 제 1 회의실에서 개최된 제 71 차주둔군지위협정 체결 교섭 실무자회의 결과 보고서 사본을 송부하오니 이를 참고하시기 바랍니다.

유 첨: 제 71 차주둔군지위협정 체결 교섭실무자회의 결과 보고서 사본. 1 부. 끝.

승인서식 1-1-3 (11-00900-03) (195mm×265mm16절지)

0186

제 71 차

주둔군지위협정 체결 교섭실무자회의

보 고 서

1. 일 시: 1965 년 2 월 26 일 하오 4 시 부터 동 6 시 까지.

2. 장 소: 외무부 제 1 회의실

3. 토의사항:

가. 형사재판관할권

(1) 우리측은 형사재판관할권문제중 가장 중요한 관할권의 포기 문제에 관하여 우리측 입장을 다음과 같이 재강조하고 제 70차 회의 석상에서 제시한 대안을 미측이 일괄 수락함으로서 현안인 교섭을 조속한 시일내에 타결할 것을 촉구하였다:

(가) 우리측이 미측이 요구하는 피의자의 권리를 원칙적으로 전부 수락할 것과 공무집행중 범죄 여부에 대한 결정권을 우선 미군당국에 인정하여 미측 주장을 받아드린 이상 미측도 호양적 입장에서 제 1 차관할권에 속하는 사건의 포기 여부에 대한 우리측 재량권을 수락함이 마땅하며,

(나) 더욱이 미측은 과거 적국이었던 일본국에 대하여 포기에 관한 완전한 재량권을 인정하고 있음에도 불구하고 보다 협조적이고도 양보적인 우리 입장을 수락할 수 없다는 것은 이해하기 곤란하다.

(다) 우리는 우리 나라 법정에서 재판함이 특히 중대하다고 결정하는 경우를 제외한 기타 사건에 대하여서만 재판권을 미측에 포기할 수 있는 재량권이 협정상 보장되어야 하며 이 것이 우리 정부의 최종적인 입장임으로 이 이상의 양보는 할 수 없다.

(라) 그러나 협정의 실지 운영에 있어서 우리 나라는 세계 어느 나라 못지 않게 관대하게 많는 사건을 미측에 포기할 용의가 있으며 따라서 미측이 우리측 입장을 수락함으로서 우리 나라 국회나 국민의 염원인 협정을 하루 바삐 체결 할 수 있기를 바란다.

0187

65-5-10

65-5-3(7)

미주·문 112-8(3)

0188

(2) 미측은 우리측이 제시한 수정안을 신중히 검토중에 있으며 조속한 시일내에 미측 태도를 밝힐 것이라고 답변하였다.

나. 노무조달

우리측이 제 69 차 회의에서 제시한 노무조달에 관한 대안을 중심으로 하여 한.미 양측은 다음과 같이 주장하였다:

(1) 미측은 군계약자가 미군의 군사상 사명을 수행하기 위한 계약을 이행하는 자임으로 미군당국과 같이 협정상의 고용주의 범위에 포함되어야 한다고 주장하였는바, 우리는 영리를 목적으로 하는 군계약자를 미군당국과 동일시 할 수 없으며 따라서 한국법을 준수 하여야 한다고 주장하였다.

(2) 미군당국은 노무관리에 있어서 (ㄱ) "본조항의 규정이나 또는 군사상의 필요성과 상반되지 않는 한도내에서" 만 한국의 노무관계 법령과 관습을 준수할 것이며 (ㄴ) 미군의 군사상의 필요성으로 인하여 한국의 법령을 준수할 수 없을 경우에 합동위원회의 사전 합의를 얻어야 한다는 한국측 주장은 전시나 평시를 막론하고 예측할 수 없는 군사상의 필요성을 도외시하는 것이라고 한데 대하여, 우리측은 (ㄱ) 전시와 같은 예외적인 경우 보다 평상시의 미군의 노무관리를 위주로 하여 토의하고 있는 것이며 (ㄴ) 미군이 군사상의 필요성으로 인하여 부득이 한국법령을 준수할 수 없을 경우를 예상하고 그러한 경우에 단지 사전에 합동위원회에서 검토 하여 원만하게 처리하자는데 불과하다는 우리 입장을 강조하였다.

(3) 또한 미측은 숙련된 미군노무자가 한국군에 근무하는 고용인과 마찬가지로 중요한 군사상의 사명을 수행하는 자들임으로 다 같이 파업이 허용되어서는 아니되며 따라서 냉각기간이 경과하면 파업을 할 수 있는 한국측 분쟁해결절차는 수락할 수 없다고 주장 한데 대하여, 우리측은 (ㄱ) 미군노무자의 신분을 한국군 군속의 신분과 동일시 할 수 없으며 (ㄴ) 노무자의 기본권인 파업권을 포함한 제 권리가 박탈될 수 없는 것이라고 말하여 미측 주장의

0183

66-8-13

65-5-3

미문 112-8

0190

부당성을 지적하였다.

4. 기타 사항:

가. 차기 회의 일자: 1965 년 3 월 2 일 하오 3 시 부터. 끝.

0191

65-5-3(3)

미국.윤112-8(3)

0192

SOFA NEGOTIATIONS: 71st Meeting

SUBJECTS: 1. Criminal Jurisdiction Article
2. Labor Article

PLACE: Ministry of Foreign Affairs

DATE: February 26, 1965

PARTICIPANTS:

Republic of Korea

Chang, Sang Moon
Huh, Sung Joon
Lee, Nam Ki
Hur, Hyong Koo
Col. Kim, Won Kil
Maj. Lee, Kye Hoon
Kim, Kee Joe
Lee, Keun Pal
Hwang Young Jae
Park, Won Chul

United States

Philip C. Habib
Brig. General Carroll H. Dunn, USA
Captain John Wayne, USN
Colonel Kenneth C. Crawford, USA
Robert A. Kinney
Goodwin Shapiro
Lt. Col. C. K. Wright, Jr., USA
Jack Friedman
Edward Hurwitz (Interpreter)
[redacted]
G. W. Flowers (Observer)

0193

Criminal Jurisdiction.

1. Taking up the Criminal Jurisdiction Article, Mr. Chang stated that the Korean negotiators believe that the U.S. side is giving the most careful consideration to the comprehensive package proposal which they had tabled at the 70th negotiating session. In the meantime, the Korean negotiators would like to reiterate their positions on the most important issue: that is, waiver of primary jurisdiction.

2. As explained at the 70th negotiating session, the Korean negotiators had made the most significant concessions to the U.S. side regarding trial safeguards because guarantees of a fair trial to the U.S. personnel seemed to be a major concern of the U.S. negotiators. Further Korean concessions with respect to the official duty certificate were made in the belief that discretion with regard to determination on whether an offense arises out of performance of official duty or not rests primarily with the military authorities of the United States. At the same time, the Korean negotiators had made those concessions in the hope that the U.S. negotiators would naturally reciprocate their concessive approach in turn by providing the Korean side with discretion on the issue of waiver of primary jurisdiction.

3. The U.S. negotiators had stated previously that under the standard wording of the SOFA with Japan, the U.S. military authorities have been obtaining waiver in a high percentage of cases from the Japanese authorities. In view of such U.S. statements, the Korean negotiators are unable to understand the reason why the U.S. side, while generously granting complete discretion to Japan, has been reluctant to accept the Korean proposal, which is definitely more favorable and cooperative toward the United States.

0194

4. Mr. Chang indicated that in view of the brotherly relationship which exists between our two countries, the ROK Government is confident that it would be more lenient toward offenses committed by U.S. military personnel than any other Government could be. He noted that this fact deserves careful consideration by the U.S. side. The Korean people can hardly expect to understand why they should accept any discriminatory treatment regarding criminal jurisdiction, or why they should be asked to accept a version of this article which is far inferior to those granted to other countries, particularly to Japan, which onee was a defeated enemy of the United States.

5. Mr. Chang stated that the Korean negotiators are well aware of the concern expressed by the U.S. side over the fact that the Korean judicial system is entirely different from the U.S. system. On this point, however, the ROK negotiators would like to point out that the ROK judicial system is similar to the Japanese system under which the U.S side had, as previously explained, accumulated satisfactory experiences in the past. Furthermore, since the Korean side had made its position clear by meeting all the U.S. requirements in the field of trial safeguards, previous U.S. expressions of concern are no longer valid.

6. Mr. Chang emphasized that, inasmuch as the U.S. side had expressed ~~their~~ its sincerity by agreeing to subject its military personnel to the Korean jurisdiction, the Korean negotiators believe that it would be logical to recognize Korean discretion in determining whether or not to waive primary jurisdiction in specific cases.

7. The Korean negotiators wish to make it clear, Mr. Chang stated, that they have already conceded to the U.S. side to such an extent that they are unable to think of any further concessions in connection with the problem of waiver. To be specific, the Korean negotiators have reached the final limit of

their concessions in the proposed waiver formula presented at the 70th negotiating session, namely the version containing the following clause in the first sentence of the Agreed Minute Re Paragraph 3:

> "except when they determine that it is of particular importance that jurisdiction be exercised by the authorities of the Republic of Korea."

8. Therefore, Mr. Chang emphasized, the Korean negotiators sincerely hope that the U.S. side will accept the ROK package proposal on Criminal jurisdiction, thereby clearing the way for an early conclusion of the agreement on the US-ROK SOFA. The U.S. negotiators have stressed that the U.S. Congress and the American people are concerned about the outcome of the negotiations. We would like also to emphasize that the Korean people and the ROK National Assembly are also concerned and been following with keen interest the slow progress of the SOFA negotiations since they resumed in September 1962.

9. In summary, Mr. Chang stated that the Korean negotiators believe it is high time ~~that~~ for the U.S. side to reevaluate its position, in order to resolve the problem of waiver as well as other pending issues by accepting the ROK package proposal and to expedite discussion of remaining problems relating to the criminal jurisdiction article.

3

0196

Labor Article.

10. Mr. Habib stated that the US negotiators would like to discuss the Labor Article, in order to exchange views on the recently tabled revised US and ROK drafts and seek clarification and expression of the Korean positions on certain aspects of the new ROK draft. The US negotiators propose to concentrate the discussion at this time mainly on questions of principle in which there appears to be a significant divergence of views between the two sides and to leave minor differences for later discussion and resolution.

11. Mr. Habib noted that Invited Contractors are included in the definition of "employers" in paragraph 1, while the ROK draft, by omission, excludes them from the definition of employers. Invited Contractors are American-based firms which are utilized to perform functions in Korea solely for the U. S. military forces. Although these functions could be performed directly by the U.S. military, the U.S. has found from experience that certain functions and work can be more effectively and efficiently performed under contract with Invited Contractors. American firms are utilized as Invited Contractors only when technical or security considerations dictate, or when the materials or services required by United States standards are unavailable in Korea; otherwise, USFK utilizes Korean contractors. In the interests of uniformity and good labor relations, the U.S. negotiators consider it highly important that Invited Contractors are subject to the same obligations undertaken by the U.S. in the Labor Article. This can only be accomplished by including the "Invited Contractors" as employers, by definition. The Invited Contractors - whose

0197

Korean employees are represented by the same union as other USFK employees - are thus obliged to adhere to wage scales, and grievance and disputes procedures established for employees working directly for an agency of the U.S. Government. This situation insures that every Korean, whether employed by a private American firm working for the USFK under contract or by an agency of the U.S. Government, receive similar rights and advantages. Such an arrangement is now in effect and is practical, since Invited Contractors are limited to working solely for the U.S. Government in Korea.

12. Mr. Chang stated that the ROK draft omitted Invited Contractors because the Koreans felt such employees should be differentiated from direct-hire employees of the U.S. military. The ROK negotiators felt Invited Contractors should be subject to Korean labor laws, just as Korean employees of other foreign business firms. Mr. Habib emphasized that the Invited Contractors operate in Korea for only one purpose - to assist in the defense of Korea - and therefore they ~~cannot~~ are not like other foreign business firms. Mr. Chang agreed that this question deserves further consideration and he asked for information on the number and roles of Invited Contractors and of their Korean employees. Mr. Habib replied that there are about 40 USFK Invited Contractors, who employ about 5,000 Koreans. It was agreed that the US negotiators would provide additional information about the role of the USFK Invited Contractors and their Korean employees, outside the meeting, and that the ROK negotiators would reconsider their position on this subject.

13. Mr. Habib also questioned the second sentence of the ROK para 1, which states: "Such civilian personnel shall be nationals of Korea."

0198

Mr. Habib pointed out that the Labor Article provides the only authorization in the entire agreement for the U.S. to hire civilian employees. If this sentence in the ROK draft were accepted, it would render meaningless the definition of "Civilian Component" as being persons of U.S. nationality, agreed to on 19 March 1963 at the 17th meeting. Under this ROK language, all of USFK's civilian employees would have to be Korean. He indicated that he did not think this was their intention. The question of nationality of USFK employees is covered in previously agreed portions of the SOFA, i.e.,
((paras (b) and the Agreed Minute) and in the Invited Contractors Article)
Article 1, Definitions Article (paras 1 and Agreed Minute 2). The reference to the nationality of USFK Korean employees in para 1 of the ROK draft appears to be in contradiction to these previously agreed portions of the SOFA. Mr. Chang indicated that the ROK negotiators ~~saw~~ understood the point being made by Mr. Habib, and indicated that they would reconsider the matter.

14. Mr. Habib pointed out that the US draft provides that the US will conform to ROK labor laws, customs and practices "to the extent not inconsistent with the provisions of this Article or the military requirements of the USFK," while the ROK draft stipulates conformance to ROK labor legislation, "except as may otherwise be mutually agreed." With regard to the phrase in Para 3 of the US draft, "To the extent not inconsistent with the provisions of this Article," the US as a sovereign nation, cannot be subject to the jurisdiction of ROK labor courts. This fact had been recognized by the ROK negotiators, as reflected in Agreed Minute No. 1 of the revised ROK draft, which indicates the US undertaking to conform with ROK labor laws "does not imply any waiver by the United States Government of its immunities under international law." This phrase in the US draft of Para 3 is also directly

0199

related to the Agreed Minute No. 5, as proposed by both sides, which establishes joint ROK Government-US Government procedures for resolving labor disputes between USFK and its Korean employees. These procedures were proposed by the U.S. to provide for fair and equitable ROK-US settlement of such labor disputes, while not subjecting the U.S. Govt to the ROK Labor Dispute Adjustment Law. On that basis, the phrase in Para 3 of the US draft, "to the extent not inconsistent with the provisions of this Article," must be included in the Labor Article to be consistent with Agreed Minute No. 1 of the ROK draft, Agreed Minute No. 2 of the USFK draft, and Agreed Minute No. 5 of both the US and ROK drafts. Mr. Chang indicated that the ROK negotiators would be prepared to reconsider the Korean position relating to inclusion of the phrase, "to the extent not inconsistent with the provisions of this Article."

15. Regarding the words, "military requirements" in para 3, Mr. Habib stated that both the U.S. and ROK sides agree to the propriety of Joint Committee review of any action ~~which~~ contrary to ROK labor laws which is taken in connection with US-ROK defense requirements. However, the ROK draft which requires that non-conformance based on military requirements be mutually agreed upon in advance by the Joint Committee is too inflexible. As the ROK side knows, military requirements are not of such a nature as to always be foreseeable. The fulfillment of the defense mission in Korea is made more difficult by the existing armistice situation, which requires the United States and the ROK Forces to be prepared at any time to meet any military contingency. In this uncertain environment, unforeseeable military requirements

4

0200

may necessitate immediate solutions. The provisions of the ROK draft could place the United States Forces in the untenable position of either delaying action until agreement was reached in the Joint Committee, possibly jeopardizing the mission, or taking immediate necessary action without approval of the Joint Committee, in violation of the agreement. Neither of these alternatives is acceptable. USFK must have authority to vary from the ROK labor laws when necessary to satisfy the military requirements, which are paramount. The failure to do so could seriously hamper military operations in an emergency.

16. Mr. Chang emphasized that the language of the US draft would make it possible for the USFK to take any action in non-conformance with ROK labor laws without seeking agreement of ROK authorities. The ROK side considers this language too broad. The ROK negotiators are not seeking an absolute commitment of US conformity to ROK labor laws, but they desire the inclusion of the clause "except as may otherwise be mutually agreed." In any emergency situation short of hostilities, the ROK negotiators feel that there would be sufficient time for both sides to consult in the Joint Committee. In the event of hostilities, of course, such advance consultation may not be feasible or possible, and enforcement of the Article ~~could~~ would be ~~suspended~~ ineffective.

17. Mr. Habib pointed out that this Article was being negotiated to cover all contingencies, to be effective in time of peace as well as at a time of national emergency. The ROK response has clarified the Korean position, and the US negotiators will further consider this issue.

0201

18. Mr. Habib pointed out that the US draft of para 4 consists of two subparas, while the ROK draft includes only the second subpara, and that subpara is worded differently. Omitted from the ROK draft is the US subpara which gives the USFK Korean employees the same right to strike as an employee in a comparable position with the ROK Armed Forces, and which provides USFK employees the right to organize and join a Union "whose objectives are not inimical to the U.S. interests." Mr. Habib emphasized that the U.S. side considers this to be one of the most significant paragraphs in the Labor Article. Korean employees of USFK, like the ROK armed forces civilian employees, have a vital role in the effective defense of the Republic. ROK Ministry of National Defense and USFK Korean employees work in direct support of the same objective -- the defense of the Republic. The Korean people, in developing their present constitution, wisely provided in Article 29 that public officials shall not be accorded the right to strike. This ROK Government position is the same as the U.S. Government position on the problem of the right of government workers to strike. We tabled the new Agreed Minute No. 5 on 23 December 1964 in order to provide effective machinery for full US-ROK cooperation and close collaboration in equitably and fairly resolving labor disputes involving Korean employees. We believe it is in our mutual interests to provide effective means to resolve labor disputes without disruptive actions which could jeopardize the joint defense efforts.

19. Mr. Habib pointed out that the USFK currently maintains and will continue to "maintain procedures designed to assure the just and timely

0202

resolution of employee grievances." Such grievance procedures have been significantly refined and improved, and they are believed to be operating effectively to resolve employee grievances. Both sides understand that one party in a dispute cannot formally "insure" what the actions of the other party will be. Therefore, we believe that the U.S. language, i.e., "maintain procedures designed to assure" employees grievances is more realistic than the proposed ROK language that "Employers shall insure the just and timely resolution of employee grievances."

20. Mr. Chang indicated that the Korean negotiators would give further consideration to the point raised about variations in language regarding the resolution of employee grievances. With regard to the strike question, Mr. Chang emphasized that all laborers are guaranteed the right of collective action under the ROK constitution and the ROK negotiators cannot agree to the proposed language of the U.S. draft.

21. Mr. Habib pointed out that the provisions of para 4 (a) of the US draft are closely related to Agreed Minute No. 5. The fundamental difference in the two drafts of this Agreed Minute relates to whether or not USFK Korean employees or organized employee organizations can engage in practices disruptive of normal work requirements. The tabled U.S. draft of the Labor Article would conserve and expand the rights of the USFK employee, and provide the basis for sound employer-employee relationships as well as for joint ROK-US procedures for resolving labor disputes.

22. Mr. Habib emphasized that the procedures established by Agreed Minute No. 5 would insure that the interests and views of USFK Korean employees will be given full consideration and their rights protected. With regard to the

0203

reference in the ROK draft to utilizing procedures in Article 14 of the Labor Dispute Adjustment Law, it should be clearly understood that the US Government cannot be subject to the provisions of this law. Every USFK Korean employee, at the time of employment signed an affidavit which states:

> "Any employee who engages in any strike against the Government of the United States or who is a member of an organization which asserts the right to strike against the Government shall be immediately removed from employment."

In addition, the labor union of the USFK Korean employees, the Foreign Organizations Korean Employees Union (FOKEU) pledged in 1961 as a basic requirement for USFK recognition that it "shall not assert the right of collective action (strike or slow down) of direct hire employees against the United States Government." This pledge was the basis on which the USFK agreed to recognize and cooperate with the union. The US Government is convinced that the best interests of both the ROK and US Government, as well as of USFK Korean employees, require that the SOFA provide for an equitable means of resolving labor disputes as provided in Agreed Minute No. 5. We firmly believe that granting USFK defense employees the right to engage in disruptive activities would be contrary to joint US-ROK defense interests, as well as the best long-term interests of these employees. USFK employees are not ordinary employees, but are comparable in importance in the defense of the Republic to civilian defense employees working for the ROK Government, and we are not prepared to concede that they have the right to strike.

0204

23. Mr. Chang reiterated the ROK objection to the no-strike provisions of the US draft, and indicated that the US side was misinterpreting Article 29 of the ROK Constitution. Both sides agreed they would review ROK legislation relating to this subject, and Mr. Chang indicated he would reply in more detail at an early meeting.

24. It was agreed that the next meeting will be held on March 2 at 3:00 P.M.

0205

JOINT SUMMARY RECORD OF THE 71ST SESSION

1. Time and Place: 4:00-6:00 P.M., February 26, 1965 at the Foreign Ministry's Conference Room (No.1)

2. Attendants:

ROK Side:

Mr. Chang, Sang Moon	Director European and American Affairs Bureau Ministry of Foreign Affairs
Mr. Huh, Sung Joon	Director Labor Administration Bureau Office of Labor Affairs
Mr. Lee, Nam Ki	Chief America Section Ministry of Foreign Affairs
Mr. Hur, Hyong Koo	Chief Prosecutors Section Ministry of Justice
Col. Kim, Won Kil	Chief Military Affairs Section Ministry of National Defense
Maj. Lee, Kye Hoon	Military Affairs Section Ministry of National Defense
Mr. Kim, Kee Joe	3rd Secretary Ministry of Foreign Affairs
Mr. Lee, Keun Pal (Rapporteur and Interpreter)	3rd Secretary Ministry of Foreign Affairs
Mr. Hwang, Young Jae	3rd Secretary Ministry of Foreign Affairs
Mr. Park, Won Chul	3rd Secretary Ministry of Foreign Affairs

U.S. Side:

Mr. Philip C. Habib	Counselor American Embassy
Brig. Gen. Carroll H. Dunn	Deputy Chief of Staff 8th U.S. Army

0206

Capt. John Wayne	Assistant Chief of Staff USN/K
Col. Kenneth C. Crawford	Staff Judge Advocate 8th U.S. Army
Mr. Robert A. Kinney	J-5 8th U.S. Army
Mr. Goodwon Shapiro	2nd Secretary American Embassy
Lt. Col. Charles K. Wright Jr.	Staff Judge Advocate's Office 8th U.S. Army
Mr. Jack Friedman	8th U.S. Army
Mr. Edward Hurwitz (Interpreter)	2nd Secretary American Embassy
Mr. G. W. Flowers	Observer

Criminal Jurisdiction

1. Taking up the Criminal Jurisdiction Article, Mr. Chang stated that the Korean negotiators believe that the U.S. side is giving the most careful consideration to the comprehensive package proposal which they had tabled at the 70th negotiating session. In the meantime, the Korean negotiators would like to reiterate their positions on the most important issue: that is, waiver of primary jurisdiction.

2. As explained at the 70th negotiating session, the Korean negotiators had made the most significant concessions to the U.S. side regarding trial safeguards because guarantees of a fair trial to the U.S. personnel seemed to be a major concern of the U.S. negotiators. Further Korean concessions with respect to the official duty certificate were made in the belief that discretion with regard to determination on whether an offense arises out of performance of official duty or not rests primarily with the military authorities of the United States. At the same time, the Korean negotiators

0207

had made those concessions in the hope that the U.S. negotiators would naturally reciprocate their concessive approach in turn by providing the Korean side with discretion on the issue of waiver of primary jurisdiction.

3. The U.S. negotiators had stated previously that under the standard wording of the SOFA with Japan, the U.S. military authorities have been obtaining waiver in a high percentage of cases from the Japanese authorities. In view of such U.S. statements, the Korean negotiators are unable to understand the reason why the U.S. side, while generously granting complete discretion to Japan, has been reluctant to accept the Korean proposal, which is definitely more favorable and cooperative toward the United States.

4. Mr. Chang indicated that in view of the brotherly relationship which exists between our two countries, the ROK Government is confident that it would be more lenient toward offenses committed by U.S. military personnel than any other Government could be. He noted that this fact deserves careful consideration by the U.S. side. The Korean people can hardly expect to understand why they should accept any discriminatory treatment regarding criminal jurisdiction, or why they should be asked to accept a version of this article which is far inferior to those granted to other countries, particularly to Japan, which once was a defeated enemy of the United States.

5. Mr. Chang stated that the Korean negotiators are well aware of the concern expressed by the U.S. side over the fact that the Korean judicial system is entirely different from the U.S. system. On this point, however, the ROK negotiators would like to point out that the ROK judicial system is similar to the Japanese system under which the U.S. side had, as previously explained, accumulated satis-

0208

factory experiences in the past. Furthermore, since the Korean side had made its position clear by meeting all the U.S. requirements in the field of trial safeguards, previous U.S. expressions of concern are no longer valid.

6. Mr. Chang emphasized that, inasmuch as the U.S. side had expressed its sincerity by agreeing to subject its military personnel to the Korean jurisdiction, the Korean negotiators believe that it would be logical to recognize Korean discretion in determining whether or not to waive primary jurisdiction in specific cases.

7. The Korean negotiators wish to make it clear, Mr. Chang stated, that they have already conceded to the U.S. side to such an extent that they are unable to think of any further concessions in connection with the problem of waiver. To be specific, the Korean negotiators have reached the final limit of their concessions in the proposed waiver formula presented at the 70th negotiating session, namely the version containing the following clause in the first sentence of the Agreed Minute Re Paragraph 3:

> "except when they determine that it is of particular importance that jurisdiction be exercised by the authorities of the Republic of Korea."

8. Therefore, Mr. Chang emphasized, the Korean negotiators sincerely hope that the U.S. side will accept the ROK package proposal on Criminal jurisdiction, thereby clearing the way for an early conclusion of the agreement on the US-ROK SOFA. The U.S. negotiators have stressed that the U.S. Congress and the American people are concerned about the outcome of the negotiations. We would like also to emphasize that the Korean people and the ROK National Assembly are also concerned and been following with keen interest the slow progress of the SOFA negotiations since they resumed in Spptember 1962.

0209

9. In summary, Mr. Chang stated that the Korean negotiators believe it is high time for the U.S. side to reevaluate its position in order to resolve the problem of waiver as well as other pending issues by accepting the ROK package proposal and to expedite discussion of remaining problems relating to the criminal jurisdiction article.

Labor Article

10. Mr. Habib stated that the U.S. negotiators would like to discuss the Labor Article, in order to exchange views on the recently tabled revised US and ROK drafts and seek clarification and expression of the Korean positions on certain aspects of the new ROK draft. The US negotiators propose to concentrate the discussion at this time mainly on questions of principle in which there appears to be a significant divergence of views between the two sides and to leave minor differences for later discussion and resolution.

11. Mr. Habib noted that Invited Contractors are included in the definition of "employers" in paragraph 1, while the ROK draft, by omission, excludes them from the definition of employers. Invited Contractors are American-based firms which are utilized to perform functions in Korea solely for the U.S. military forces. Although these functions could be performed directly by the U.S. military, the U.S. has found from experience that certain functions and work can be more effectively and efficiently performed under contract with Invited Contractors. American firms are utilized as Invited Contractors only when technical or security considerations dictate, or when the materials or services required by United States standards are unavailable in Korea; otherwise, USFK utilizes Korean contractors. In the interests of uniformity and good labor relations,

0210

the U.S. negotiators consider it highly important that Invited Contractors are subject to the same obligations undertaken by the U.S. in the Labor Article. This can only be accomplished by including the "Invited Contractors" as employers by definition. The Invited Contractors - whose Korean employees are represented by the same union as other USFK employees - are thus obliged to adhere to wage scales, and grievance and disputes procedures established for employees working directly for an agency of the U.S. Government. This situation insures that every Korean, whether employed by a private American firm working for the USFK under contract or by an agency of the U.S. Government, receive similar rights and advantages. Such an arrangement is now in effect and is practical, since Invited Contractors are limited to working solely for the U.S. Government in Korea.

12. Mr. Chang stated that the ROK draft omitted Invited Contractors because the Koreans felt such employees should be differentiated from direct-hire employees of the U.S. military. The ROK negotiators felt Invited Contractors should be subject to Korean labor laws, just as Korean employees of other foreign business firms. Mr. Habib emphasized that the Invited Contractors operate in Korea for only one purpose - to assist in the defense of Korea - and therefore they are not like other foreign business firms. Mr. Chang agreed that this question deserves further consideration and he asked for information on the number and role of Invited Contractors and of their Korean employees. Mr. Habib replied that there are about 40 USFK Invited Contractors, who employ about 5,000 Koreans. It was agreed

0211

that the US negotiators would provide additional information about the role of the USFK Invited Contractors and their Korean employees, outside the meeting, and that the ROK negotiators would reconsider their position on this subject.

13. Mr. Habib also questioned the second sentence of the ROK para 1, which states: "Such civilian personnel shall be nationals of Korea." Mr. Habib pointed out that the Labor Article provides the only authorization in the entire agreement for the U.S. to hire civilian employees. If this sentence in the ROK draft were accepted, it would render meaningless the definition of "Civilian Component" as being persons of U.S.nationality, agreed to on 19 March 1963 at the 17th meeting. Under this ROK language, all of USFK's civilian employees would have to be Korean. He indicated that he did not think this was their intention. The question of nationality of USFK employees is covered in previously agreed portions of the SOFA, i.e., Article 1, Definitions Article (paras (b) and the Agreed Minute) and in the Invited Contractors Article (para 1 and Agreed Minute 2). The reference to the nationality of USFK Korean employees in para 1 of the ROK draft appears to be in contradiction to these previously agreed portions of the SOFA. Mr. Chang indicated that the ROK negotiators understand the point being made by Mr. Habib, and indicated that they would reconsider the matter.

14. Mr. Habib pointed out that the US draft provides that the US will conform to ROK labor laws, customs and practices "to the extent not inconsistent with the provisions of this Article or the military requirements of the USFK," while the ROK draft stipulates conformance to ROK labor

0212

legislation, "except as may otherwise be mutually agreed." With regard to the phrase in Para 3 of the US draft, "To the extent not inconsistent with the provisions of this Article," the US as a sovereign nation, cannot be subject to the jurisdiction of ROK labor courts. This fact had been recognized by the ROK negotiators, as reflected in Agreed Minute No. 1 of the revised ROK draft, which indicates the US undertaking to conform with ROK labor laws "does not imply any waiver by the United States Government of its immunities under international law." This phrase in the US draft of Parag3 is also directly related to the Agreed Minute No.5, as proposed by both sides, which establishes joint ROK Government-US Government procedures for resolving labor disputes between USFK and its Korean employees. These procedures were proposed by the U.S. to provide for fair and equitable ROK-US settlement of such labor disputes, while not subjecting the U.S. Govt to the ROK Labor Dispute Adjustment Law. On that basis, the phrase in Para 3 of the US draft, "to the extent not inconsistent with the provisions of this Article," must be included in the Labor Article to be consistent with Agreed Minute No. 1 of the ROK draft, Agreed Minute No.2 of the USFK draft, and Agreed Minute No.5 of both the US and ROK drafts. Mr. Chang indicated that the ROK negotiators would be prepared to reconsider the Korean position relating to inclusion of the phrase, "to the extent not inconsistent with the provisions of this Article."

15. Regarding the words, "military requirements" in para 3, Mr. Habib stated that both the U.S. and ROK sides agree to the properity of Joint Committee review of any

action contrary to ROK labor laws which is taken in connection with US-ROK defense requirements. However, the ROK draft which requires that non-conformance based on military requirements be mutually agreed upon in advance by the Joint Committee is too inflexible. As the ROK side knows, military requirements are not of such a nature as to always be foreseeable. The fulfillment of the defense mission in Korea is made more difficult by the existing armistice situation, which requires the United States and the ROK Forces to be prepared at any time to meet any military contingency. In this uncertain environment, unforeseeable military requirements may necessitate immediate solutions. The provisions of the ROK draft could place the United States Forces in the untenable position of either delaying action until agreement was reached in the Joint Committee, possibly jeopardizing the mission, or taking immediate necessary action without approval of the Joint Committee, in violation of the agreement. Neither of these alternatives is acceptable. USFK must have authority to vary from the ROK labor laws when necessary to satisfy the military requirements, which are paramount. The failure to do so could seriously hamper military operations in an emergency.

16. Mr. Chang emphasized that the language of the US draft would make it possible for the USFK to take any action in non-conformance with ROK labor laws without seeking agreement of ROK authorities. The ROK side considers this language too broad. The ROK negotiators are not seeking an absolute commitment of US conformity to ROK labor laws, but they desire the inclusion of the clause "except as may otherwise be mutually agreed." In any emergency situation

0214

short of hostilities, the ROK negotiators feel that there would be sufficient time for both sides to consult in the Joint Committee. In the event of hostilities, of course, such advance consultation may not be feasible or possible, and enforcement of the Article would be ineffective.

17. Mr. Habib pointed out that this Article was being negotiated to cover all contingencies, to be effective in time of peace as well as at a time of national emergency. The ROK response has clarified the Korean position, and the US negotiators will further consider this issue.

18. Mr. Habib pointed out that the US draft of para 4 consists of two subparas, while the ROK draft includes only the second subpara, and that subpara is worded differently. Omitted from the ROK draft is the US subpara which gives the USFK Korean employees the same right to strike as an employee in a comparable position with the ROK Armed Forces, and which provides USFK employees the right to organize and join a Union "whose objectives are not inimical to the U.S. interests." Mr. Habib emphasized that the U.S. side considers this to be one of the most significant paragraphs in the Labor Article. Korean employees of USFK, like the ROK armed forces civilian employees, have a vital role in the effective defense of the Republic. ROK Ministry of National Defense and USFK Korean employees work in direct support of the same objective - the defense of the Republic. The Korean people, in developing their present constitution, wisely provided in Article 29 that public officials shall not be accorded the right to strike. This ROK Government position is the same as the U.S. Government position on the problem of the right of government workers to strike. We

0215

tabled the new Agreed Minute No.5 on 23 December 1964 in order to provide effective machinery for full US-ROK cooperation and close collaboration in equitably and fairly resolving labor disputes involving Korean employees. We believe it is in our mutual interests to provide effective means to resolve labor disputes without disruptive actions which could jeopardize the joint defense efforts.

19. Mr. Habib pointed out that the USFK currently maintains and will continue to "maintain procedures designed to assure the just and timely resolution of employee grievances." Such grievance procedures have been significantly refined and improved, and they are believed to be operating effectively to resolve employee grievances. Both sides understand that one party in a dispute cannot formally "insure" what the actions of the other party will be. Therefore, we believe that the U.S. language, i.e., "maintain procedures designed to assure" employees grievances is more realistic than the proposed ROK language that "Employers shall insure the just and timely resolution of employee grievances."

20. Mr. Chang indicated that the Korean negotiators would give further consideration to the point raised about varia-tions in language regarding the resolution of employee grievances. With regard to the strike question, Mr. Chang emphasized that all laborers are guaranteed the right of collective action under the ROK constitution and the ROK negotiators cannot agree to the proposed language of the U.S. draft.

21. Mr. Habib pointed out that the provisions of para 4(a) of the U.S. draft are closely related to Agreed Minute

0216

No. 5. The fundamental difference in the two drafts of this Agreed Minute relates to whether or not USFK Korean employees or organized employee organizations can engage in practices disruptive of normal work requirements. The tabled U.S. draft of the Labor Article would conserve and expand the rights of the USFK employee, and provide the basis for sound employer-employee relationships as well as for joint ROK-US procedures for resolving labor disputes.

22. Mr. Habib emphasized that the procedures established by Agreed Minute No.5 would insure that the interests and views of USFK Korean employees will be given full consideration and their rights protected. With regard to reference in the ROK draft to utilizing procedures in Article 14 of the Labor Dispute Adjustment Law, it should be clearly understood that the US Government cannot be subject to the provisions of this law. Every USFK Korean employee, at the time of employment signed an affidavit which states:

> "Any employee who engages in any strike against the Government of the United States or who is a member of an organization which asserts the right to strike against the Government shall be immediately removed from employment."

In addition, the labor union of the USFK Korean employees, the Foreign Organizations Korean Employees Union (FOKEU) pledged in 1961 as a basic requirement for USFK recognition that it "shall not assert the right of collective action (strike or slow down) of direct hire employees against the United States Government." This pledge was the basis on which the USFK agreed to recognize and cooperate with the union. The US Government is convinced that the best

0217

interests of both the ROK and US Government, as well as of USFK Korean employees, require that the SOFA provide for an equitable means of resolving labor disputes as provided in Agreed Minute No.5. We firmly believe that granting USFK defense employees the right to engage in disruptive activities would be contrary to joint US-ROK defense interests, as well as the best long-term interests of these employees. USFK employees are not ordinary employees, but are comparable in importance in the defense of the Republic to civilian defense employees working for the ROK Government, and we are not prepared to concede that they have the right to strike.

23. Mr. Chang reiterated the ROK objection to the no-strike provisions of the US draft, and indicated that the US side was misinterpreting Article 29 of the ROK Constitution. Both sides agreed they would review ROK legislation relating to this subject, and Mr. Chang indicated he would reply in more detail at an early meeting.

24. It was agreed that the next meeting will be held on March 2 at 3:00 P.M.

0218

4. 제72차 회의, 3. 2

0219

SOFA NEGOTIATION

Agenda for the 72nd Session

15:: March 2, 1965

1. Continuation of Discussions on:

   a. Civil Claims Article

   b. Labor Article

2. Other Business

3. Agenda and Date of the Next Meeting

4. Press Release

0220

72차 1965. 3. 3.

6. Mr. Habib indicated that the U.S. side would take this ROK statement on the Claims Article under consideration and would reply later.

Labor Article

7. Mr. Habib indicated that he would resume discussion of the Labor Article with paragraph 5, where the negotiators left off at the 71st meeting. He indicated that he would discuss only the most important points which required further explanation and elaboration.

8. Mr. Habib pointed out that Paragraph 5 of both drafts deals with important topic of the availability of the key USFK Korean employees for their assigned defense tasks in time of emergency. The U.S. draft of this paragraph states such employees "shall" be available to continue to perform their key roles in the joint US-ROK defense effort. The ROK draft states only that essential USFK employees "may" be deferred.

9. Mr. Habib indicated that the comments of the ROK negotiators at our 71st negotiating session, as well as the proposed ROK draft of para 5, indicates that ROK Government authorities apparently do not fully realize the important role that the Korean civilian employees of the United States Forces in Korea play in the joint US-ROK defense of the Republic of Korea. It is true that during the years of the Korean War, the USFK Korean employees were used mainly in jobs requiring unskilled labor. But this situation has greatly changed in recent years and most USFK Korean employees are employed in important defense work essential to the security of the Republic of Korea. Less than 5 percent of the present USFK Korean employees are in the unskilled labor-pool category. The majority of USFK Korean employees are in responsible administrative,

technical, industrial, or professional-type positions. About 750 USFK Korean employees now occupy management-type positions. Most USFK employees possess special training and a wide variety of skills and many of them hold vital positions in the support and backup of the joint US-ROK defense effort.

10. Mr. Habib stated that both the U.S. and ROK drafts provide that lists of essential employees will be provided. The U.S. draft of this paragraph assures the U.S. and ROK defense planners that, in time of emergency, essential USFK employees shall be available to continue to perform their important roles in the joint US-ROK defense effort. Effective defense planning requires that the USFK must be assured in advance that its essential Korean employees shall be available to continue their defense work in the event of a national emergency. If the ROK SOFA authorities can only agree that such essential employees "may" be deferred, the USFK cannot then make realistic plans that definitely count on the continued use of such employees in the joint US-ROK defense of Korea in an emergency.

11. The U.S. side emphasized that it is on the basis that such employees would be available in an emergency that the USFK has been promoting policies of upgrading its Korean employees into important defense positions and replacing third-state nationals and U.S. personnel with skilled Korean personnel. In view of the relative abundance of manpower in the ROK and the relatively modest demands on the ROK manpower pool by the USFK, we doubt that you really desire to deny USFK deferment of essential Korean workers in an emergency. If this should prove to be the case, however, the USFK might have to reconsider its policies of expanding utilization of Korean nationals, and of replacing third-state

6-2

0222

and U.S. nationals with Koreans in essential defense positions within the U.S. military establishment in Korea. Perhaps the explanation for the variation between the ROK and US drafts can be found in the remarks of the Korean negotiators at the 71st meeting, that they felt in time of national emergency the provisions of the Labor Article might not be enforced. But Para 5 is written to enable the US and ROK authorities to do sound, advance planning for just such a national emergency. Therefore, USFK's essential employees must be available to continue to serve in their defense roles in any emergency which would threaten the security of the Republic of Korea.

12. At the 69th negotiating session, the Korean side stated that no eligible Korean youth can be exempted from his military service, for it is the solemn duty of all Korean youths to serve in the Armed forces. Mr. Habib emphasized that the U.S. side agrees with these sentiments and does not intend to place on its list of essential employees to be exempted or deferred, eligible Korean youths who have not yet served their basic term of military service. However, the USFK has many Korean employees who are veterans of the military service and who now occupy essential positions with the U.S. forces. In a national emergency, the USFK must retain such essential Korean personnel. The USFK plans to give the Ministry of National Defense its lists of such personnel in advance, as indicated in the revised ROK draft. It is agreed that if the ROK military establishment, in reviewing the USFK lists against its own mobilization plans for an emergency, desires that individual reserve officers be subject to recall to key positions in the ROK military service, such arrangements can be worked out amicably by Korean and American authorities.

13. In summation, Mr. Habib indicated that both sides apparently were in

agreement that lists of essential USFK Korean employees should be prepared in advance of an emergency. In addition, we want assurances that once the lists are submitted, these essential employees will be available in times of emergency. The U.S. side would appreciate an explanation of the ROK position in light of the foregoing factors.

14. Mr. Chung noted that the U.S. side indicated that less than five percent of the present USFK employees are in the unskilled labor-pool category. Therefore, almost 90 percent must be skilled or managerial. What is the approximate number who are considered essential and should be exempt from military service? The ROK draft clearly envisages the availability of these employees to the U.S. forces in any emergency, even though the ROK draft uses the words "may be deferred." But the U.S. draft clearly contradicts the spirit of the ROK Constitution. The US-ROK differences are only differences in expression.

15. Mr. Chung continued that the ROK side cannot accept the word "exempt" as used in the U.S. draft. Once the U.S. list of essential Korean employees is submitted, there should be US-ROK consultations and agreement on the list, including the number, types, and skills of employees to be made available to the U.S. forces. Such agreements should be reached in advance, and then the ROK side would do its best to defer the required personnel. At any rate, in case of national emergency, much of the material in the Labor Article would go "out the window." ?

16. Mr. Habib replied that Para 5 provides the basis for effective advance planning for an emergency, and that the U.S. must have assurances in

86-4

0224

advance that the U.S. forces' essential Korean employees will be available in an emergency to continue in their important defense work. The U.S. side will give the Korean side an estimate of the number of essential employees at a later meeting.

17. Turning to consideration of Agreed Minute No. 2, Mr. Habib noted that the first sentence of Agreed Minute No. 2 of the U.S. draft, and Agreed Minute No. 1 of the ROK draft are essentially similar, with only minor differences in wording. The ROK draft does not include the second sentence of the U.S. draft of this Agreed Minute, but the U.S. negotiators consider it important to include the sentence which makes clear the right of the USFK to terminate employment of its employees. The USFK follows procedures to assure just and timely resolution of employee grievances, and provides severance pay to terminated employees in accordance with Korean law, custom, and prattice. We have every intention of continuing to be a good employer, but since the only reason for USFK being in Korea is to assist in the joint US-ROK defense effort, USFK must maintain its right to terminate employment as required.

18. Mr. Habib pointed out that unless this sentence is included, the USFK has no clear-cut right anywhere in the agreement to terminate employment. We have a very carefully conceived labor program. We are going to continue to be a good employer. What is objectionable about this second sentence which the ROK draft omits?

19. Mr. Chung indicated that although we believe the USFK in principle may terminate employment whenever it wishes, we believe the USFK should conform to the relevant provisions of the ROK laws in such matters. This includes

6-5

0225

advance notification and showing due cause, etc. He pointed out that Article 27 of the ROK Labor Standards Law provides that there can be no termination of employment without justifiable reason. The ROK side has provided - in paragraph 3 and the Agreed Minutes No. 4 - for cases in which it is impossible for the employers to conform to ROK laws because of military requirements.

20. Mr. Habib emphasized that paragraph 3 deals with conformity while the Agreed Minute No. 2 deals with the right to terminate employment. The ROK negotiators were apparently confusing conditions of termination with the right to terminate. The former was covered in Para 3, in which U.S. armed forces pledged to conform with ROK labor laws, customs, and practices. It was emphasized that the right to terminate, as distinct from conditions of termination, must be spelled out in the agreement. Mr. Habib stated that the USFK will conform to ROK practices and customs relating to termination of employment, and if the ROK Government questions any USFK action in this regard, it can take it up with the Joint Committee.

21. Mr. Chung replied that the ROK Government is prepared to assure the U.S. side of the right to terminate for justifiable reasons. The ROK para 3 gives the U.S. enough authority to terminate. Mr. Chung indicated that the ROK side would study the U.S. statements and reply at an early meeting.

6-6

8

0226

기 안 용 지

자 체 통 제		기안처	미주과 이근팔	전화번호	근거서류접수일자
	과장	국장	차관	장관	
관계관 서 명					
기 안 년월일	1965. 3. 11.	시 행 년월일	3.13	보 존 년 한	정 서 / 기 장
분 류 기 호	외구미 722.2—	전 체 통 제	종결		
경 유 수 신 참 조	대 통 령 참조: 비서실장 국무총리 참조: 비서실장 사본: 법무부장관 및 보건사회부장관			발 신	장 관
제 목	제 72 차 주둔군지위협정 체결 교섭실무자회의 결과 보고				

1965 년 3 월 2 일 하오 3 시 부터 동 4 시 30 분 까지 외무부 제 1 회의실에서 개최된 제 72 차 주둔군지위협정 체결 교섭실무자회의에서 토의된 민사청구권 및 노무조달에 관한 내용을 별첨과 같이 보고합니다.

유 첨: 제 72 차 주둔군지위협정 체결 교섭실무자회의 결과 보고서. 끝.

1965. 3. 1

승인서식 1-1-3 (11-00900-03) (195mm×265mm16절지)

0227

기 안 용 지

자체 통제		기안처	미주과 이근팔	전화번호	근거서류접수일자
과장	국장	차관	장관		
관계관 서명					
기안 년월일	1965. 3. 11.	시행 년월일		보존 년한	정서기장
분류 기호	외구미 722.2	전체 통제	종결		
경유 수신 참조	법무부장관 보건사회부장관	발신	장관		
제목	제 72 차 주둔군지위협정 체결 교섭 실무자회의 개최				

1965 년 3 월 2 일 하오 3 시 부터 동 4 시 30 분 까지 외무부 제 1 회의실에서 개최된 제 72 차 주둔군지위협정 체결 교섭실무자회의에서 토의된 민사청구권 및 노무조달에 관한 내용을 별첨과 같이 알리오니 참고하시기 바랍니다.

유 첨: 제 72 차 주둔군지위협정 체결 교섭실무자회의 결과 보고서 1 부. 끝.

보통문서로 재분류(1966. 12. 31)

승인서식 1-1-3 (11-00900-03) (195mm×265mm16절지)

0228

제 72 차

한·미 간 주둔군지위협정 체결 교섭실무자회의

보 고 서

1. 일 시: 1965 년 3 월 2 일 하오 3 시 부터 동 4 시 30 분 까지.

2. 장 소: 외무부 제 1 회의실

3. 토의사항:

가. <u>민사청구권</u>

우리측은 민사청구권문제에 관한 우리측 입장을 다음과 같이 재강조하고 조속한 시일내에 성의있는 태도를 표명할 것을 미측에 촉구하였다.

(1) 1963 년 8 월 8 일 개최된 제 28 차 회의에서 민사청구권에 관한 초안이 교환된 이래 미측은 미군관계 사건으로 말미암아 야기되는 우리 정부 또는 국민에 대한 손해를 미국의 대외 소청법에 따라 현행 미군소청제도에 의하여 해결할 것을 계속 주장하고 있는바, 동 제도에 의하면 민사상의 청구가 전적으로 미군당국의 일방적인 결정에 의하여 처리되는 모순이 있으며,

(2) 우리는 한국 내에서 발생하는 민사청구문제가 "나토"협정이나 미.일협정의 선례와 같이 중재인 또는 우리 나라 법에 따라 공정하게 구제되어야 하며 미측이 조속한 시일 내에 성의있는 태도를 표명하여 줄 것을 촉구하였다.

미측은 우리측 입장에 대한 검토가 끝나는 대로 조속한 시일 내에 미측 태도를 밝힐 것 이라고 답변하였다.

나. <u>노무조달</u>

한.미양측은 제 71 차회의 때의 노무조달문제에 관한 토의를 다음과 같이 계속하였다.

(1) 미측은 전시와 같은 비상사태 하에서 미군의 군사명 수행 업무에 종사하는 숙련된 노무자가 한국의 병역의무 및 노무 증용으로 부터 보류되어야 하며 한국정부의 이에 대한 사전 보장이 미군의 군사상 계획을 수립하는데 필요하다고 주장한데

0229

65-5-4(2)

미국무 112-7(2)

0230

대하여, 우리측은 미군이 군사사명 수행을 위하여 긴요하다고 인정하는 노무자에 대하여 미군당국이 한국당국에 제출하는 명단에 사전 합의 만 볼수 있다면 보류시킬 용의는 있으나 다만 한국정부가 그들에 대한 보류여부에 관한 결정권을 확보하여야 한다고 우리측 입장을 강조하였다.

(2) 또한 미측은 그들의 군사상 필요성과 상반될 경우에 노무자들을 해고할 수 있는 권한이 협정에서 보장되어야 한다고 주장한데 대하여, 우리측은 (ㄱ) 노무자에 대한 미군 당국의 해고권은 원칙적으로 인정하나 우리 나라 현행 노동관계 법령 하에서도 정당한 이유 만 있으면 해고할 수 있으며 따라서 미군이 한국의 노동관계 법령을 준수한다는 원칙 만 수락한다면 충분할 것이며, (ㄴ) 군사상 필요성이라는 이유로 한국의 법령을 준수할 수 없는 예외적인 경우에는 사전에 합동위원회에서 합의를 보아야 한다고 우리측 견해를 밝혔다.

4. 기타 사항:

가. 차기회의일자: 한.미양측실무자가 추후 결정하기로 함. 끝.

0231

65-5-4(2)　　　미국.일 112-7(2)

0232

SOFA NEGOTIATIONS: 72nd Meeting

Subjects: 1. Civil Claims Article

2. Labor Article

Place: Ministry of Foreign Affairs

Date: March 2, 1965

Participants:

Republic of Korea	United States
Chang, Sang Moon	Philip C. Habib
Huh, Sung Joon	Brig. General Carroll H. Dunn, USA
Lee Nam Ki	Capt. John Wayne, USN
Choo, Moon Ki	Col. Howard Smigelow
Kim, Kee Joe	Col. Kenneth C. Crawford, USA
Lee, Keun Pal (Interpreter)	Mr. Benjamin A. Fleck
Hwang, Young Jae	Mr. Robert A. Kinney
	Mr. Goodwin Shapiro
	Major Alton H. Harvey, USA
	Mr. David Y.C. Lee (Interpreter)

0233

STATUS OF FORCES NEGOTIATIONS: 72nd Meeting

SUBJECT	:	Claims and Labor Articles
PLACE	:	Ministry of Foreign Affairs
DATE	:	March 2, 1965

PARTICIPANTS:

Republic of Korea	United States
CHANG Sang-Mun	Philip C. Habib
HO Sung-chung	Brig. Gen Carroll H. Dunn, USA
YI Nam-ki	Captain John Wayne, USN
CHU Mun-ki	Colonel Howard Smigelow, USA
Major YI Ke-hun, ROKA	Benjamin A. Fleck
HWANG Yong-chae	Robert A. Kinney
YI Kun-pal (Interpreter)	Goodwin Shapiro
PAK Won-chol	Lt Col C. K. Wright, Jr.
KIM Ki-cho	David Y.C. Lee (Interpreter)
	G. W. Flowers (Observer)

Colonel Kenneth C. Crawford, USA

0234

72nd Meeting
304-2374

Claims Article

1. The ROK Chief Negotiator, Mr. Chang Sang-mun, stated that the Korean negotiators, with a view to expediting negotiations, would like to call the U.S. negotiators attention to the Claims Article. The drafts on the subject of claims ~~of~~ for the both sides were tabled at the 28th negotiating session on August 8, 1963, more than 18 months ago. Since the exchange of the two sides' respective drafts on this subject, the Korean negotiators have made many attempts to accommodate the expressed concern of the U.S. side. Unfortunately, there still exist fundamental differences in the positions of the two sides.

2. Therefore, the Korean negotiators would like to reiterate their position briefly today regarding the focal point of the past discussions for settlement of claims arising out of acts or omissions of members or employees of the U.S. armed forces done in the performance of official duty, or out of any other act, omission or occurrence for which the U.S. armed forces are legally responsible, and causing damage to third parties other than the Government of the Republic of Korea.

3. The U.S. side maintained on this matter that the claims should be settled in accordance with the "Foreign Claims Act" of the U.S., which is implemented by regulations of the U.S. Army, Navy, and Air Force. This system, however, has a serious defect in view of the principle of equity and justice as expounded by the Korean negotiators at the 66th negotiating session. The U.S. side stated at the 29th session that a claimant could

0235

appeal, under its present system, from the Claims Commission of the U.S. Claims Service in Korea up through to Headquarters, U.S. Armed Forces Claims Service, located in the United States.

4. Nevertheless, the unilateral Claims Service decisions could hardly be supported as a rational treatment for the claimant. Although the Korean negotiators believe that most of the claims would be settled amicably without resorting to court decisions, the Korean negotiators take the view that the only way to overcome the aforementioned defect involved in the proposed U.S. system is to provide the claimant with a chance for a fair trial by a competent court. Furthermore, the Korean negotiators believe that all the claims arising within the territory of the ROK should be settled by the relevant laws of the ROK.

5. Therefore, the Government of the ROK is willing to undertake the responsibility for the processing of the claims for the benefit of the U.S. armed forces in Korea, as proposed in the Korean draft. The Korean proposal guarantees just and equitable settlement of all the claims arising out of death, injury, or property damage caused by the U.S. armed forces in Korea without infringing upon the best interests of both the U.S. and the claimant concerned. Therefore, the Korean negotiators request the U.S. side to reconsider its position and accept the standard language of other Status-of-Forces Agreements regarding the claims article, as proposed by the Korean side, and respond within the earliest date practicable.

0236

6. Mr. Habib indicated that the U.S. side would take this ROK statement on the Claims Article under consideration and would reply later.

Labor Article

7. Mr. Habib indicated that he would resume discussion of the Labor Article with paragraph 5, where the negotiators left off at the 71st meeting. He indicated that he would discuss only the most important points which required further explanation and elaboration.

8. Mr. Habib pointed out that Paragraph 5 of both drafts deals with important topic of the availability of the key USFK Korean employees for their assigned defense tasks in time of emergency. The U.S. draft of this paragraph (states such employees) "shall" be available to continue to perform their key roles in the joint US-ROK defense effort. The ROK draft states only that essential USFK employees "may" be deferred.

9. Mr. Habib indicated that the comments of the ROK negotiators at our 71st negotiating session, as well as the proposed ROK draft of para 5, indicates that ROK Government authorities apparently do not fully realize the important role that the Korean civilian employees of the United States Forces in Korea play in the joint US-ROK defense of the Republic of Korea. It is true that during the years of the Korean War, the USFK Korean employees were used mainly in jobs requiring unskilled labor. But this situation has greatly changed in recent years and most USFK Korean employees are employed in important defense work essential to the security of the Republic of Korea. Less than 5 percent of the present USFK Korean employees are in the unskilled labor-pool category. The majority of USFK Korean employees are in responsible administrative,

technical, industrial, or professional-type positions. About 750 USFK Korean employees now occupy management-type positions. Most USFK employees possess special training and a wide variety of skills and many of them hold vital positions in the support and backup of the joint US-ROK defense effort.

10. Mr. Habib stated that both the U.S. and ROK drafts provide that lists of essential employees will be provided. The U.S. draft of this paragraph assures the U.S. and ROK defense planners that, in time of emergency, essential USFK employees shall be available to continue to perform their important roles in the joint US-ROK defense effort. Effective defense planning requires that the USFK must be assured in advance that its essential Korean employees shall be available to continue their defense work in the event of a national emergency. If the ROK SOFA authorities can only agree that such essential employees "may" be deferred, the USFK cannot then make realistic plans that definitely count on the continued use of such employees in the joint US-ROK defense of Korea in an emergency.

11. The U.S. side emphasized that it is on the basis that such employees would be available in an emergency that the USFK has been promoting policies of upgrading its Korean employees into important defense positions and replacing third-state nationals and U.S. personnel with skilled Korean personnel. In view of the relative abundance of manpower in the ROK and the relatively modest demands on the ROK manpower pool by the USFK, we doubt that you really desire to deny USFK deferment of essential Korean workers in an emergency. If this should prove to be the case, however, the USFK might have to reconsider its policies of expanding utilization of Korean nationals, and of replacing third-state

and U.S. nationals with Koreans in essential defense positions within the U.S. military establishment in Korea. Perhaps the explanation for the variation between the ROK and US drafts can be found in the remarks of the Korean negotiators at the 71st meeting, that they felt in time of national emergency the provisions of the Labor Article might not be enforced. But Para 5 is written to enable the US and ROK authorities to do sound, advance planning for just such a national emergency. Therefore, USFK's essential employees must be available to continue to serve in their defense roles in any emergency which would threaten the security of the Republic of Korea.

12. At the 69th negotiating session, the Korean side stated that no eligible Korean youth can be exempted from his military service, for it is the solemn duty of all Korean youths to serve in the Armed forces. Mr. Habib emphasized that the U.S. side agrees with these sentiments and does not intend to place on its list of essential employees to be exempted or deferred, eligible Korean youths who have not yet served their basic term of military service. However, the USFK has many Korean employees who are veterans of the military service and who now occupy essential positions with the U.S. forces. In a national emergency, the USFK must retain such essential Korean personnel. The USFK plans to give the Ministry of National Defense its lists of such personnel in advance, as indicated in the revised ROK draft. It is agreed that if the ROK military establishment, in reviewing the USFK lists against its own mobilization plans for an emergency, desires that individual reserve officers be subject to recall to key positions in the ROK military service, such arrangements can be worked out amicably by Korean and American authorities.

13. In summation, Mr. Habib indicated that both sides apparently were in

agreement that lists of essential USFK Korean employees should be prepared in advance of an emergency. In addition, we want assurances that once the lists are submitted, these essential employees will be available in times of emergency. The U.S. side would appreciate an explanation of the ROK position in light of the foregoing factors.

14. Mr. Chŭng noted that the U.S. side indicated that less than five percent of the present USFK employees are in the unskilled labor-pool category. Therefore, almost 90 percent must be skilled or managerial. What is the approximate number who are considered essential and should be exempt from military service? The ROK draft clearly envisages the availability of these employees to the U.S. forces in any emergency, even though the ROK draft uses the words "may be deferred." But the U.S. draft clearly contradicts the spirit of the ROK Constitution. The US-ROK differences are only differences in expression.

15. Mr. Chŭng continued that the ROK side cannot accept the word "exempt" as used in the U.S. draft. Once the U.S. list of essential Korean employees is submitted, there should be US-ROK consultations and agreement on the list, including the number, types, and skills of employees to be made available to the U.S. forces. Such agreements should be reached in advance, and then the ROK side would do its best to defer the required personnel. ~~At any rate, in case of national emergency, much of the material in the Labor Article would go "out the window".~~

16. Mr. Habib replied that Para 5 provides the basis for effective advance planning for an emergency, and that the U.S. must have assurances in

0240

advance that the U.S. forces' essential Korean employees will be available in an emergency to continue in their important defense work. The U.S. side will give the Korean side an estimate of the number of essential employees at a later meeting.

17. Turning to consideration of Agreed Minute No. 2, Mr. Habib noted that the first sentence of Agreed Minute No. 2 of the U.S. draft, and Agreed Minute No. 1 of the ROK draft are essentially similar, with only minor differences in wording. The ROK draft does not include the second sentence of the U.S. draft of this Agreed Minute, but the U.S. negotiators consider it important to include the sentence which makes clear the right of the USFK to terminate employment of its employees. The USFK follows procedures to assure just and timely resolution of employee grievances, and provides severance pay to terminated employees in accordance with Korean law, custom, and practice. We have every intention of continuing to be a good employer, but since the only reason for USFK being in Korea is to assist in the joint US-ROK defense effort, USFK must maintain its right to terminate employment as required.

18. Mr. Habib pointed out that unless this sentence is included, the USFK has no clear-cut right anywhere in the agreement to terminate employment. We have a very carefully conceived labor program. We are going to continue to be a good employer. What is objectionable about this second sentence which the ROK draft omits?

19. Mr. Chung indicated that although we believe the USFK in principle may terminate employment whenever it wishes, we believe the USFK should conform to the relevant provisions of the ROK laws in such matters. This includes

0241

advance notification and showing due cause, etc. He pointed out that Article 27 of the ROK Labor Standards Law provides that there can be no termination of employment without justifiable reason. The ROK side has provided - in paragraph 3 and the Agreed Minutes No. 4 - for cases in which it is impossible for the employers to conform to ROK laws because of military requirements.

20. Mr. Habib emphasized that paragraph 3 deals with conformity while the Agreed Minute deals with the right to terminate employment. The ROK negotiators were apparently confusing conditions of termination with right to terminate. The former was covered in Para 3, in which U.S. armed forces pledged to conform with ROK labor laws, customs, and practices. It was emphasized that the right to terminate, as distinct from conditions of termination, must be spelled out in agreement. Mr. Habib stated that the USFK will conform to ROK practices and customs relating to termination of employment, and if the ROK Government questions any USFK action in this regard, they can take it up with the Joint Committee.

21. Mr. Chang replied that the ROK Government is prepared to assure the U.S. side of the right to terminate for justifiable reasons. The ROK para 3 gives the U.S. enough authority to terminate. Mr. Chang indicated that the ROK side would study the U.S. statements and reply at an early meeting.

0242

JOINT SUMMARY RECORD OF THE 72ND SESSION

1. Time and Place: 3:00-4:30 P.M., March 2, 1965 at the Foreign Ministry's Conference Room (No.1)

2. Attendants:

ROK Side:

Mr. Chang, Sang Moon	Director European and American Affairs Bureau
Mr. Huh, Sung Joon	Director Labor Administration Bureau Office of Labor Affairs
Mr. Lee, Nam Ki	Chief America Section Ministry of Foreign Affairs
Mr. Choo, Moon Ki	Chief Legal Affairs Section Ministry of Justice
Maj. Lee, Kye Hoon	Military Affairs Section Ministry of National Defense
Mr. Kim, Kee Joe	3rd Secretary Ministry of Foreign Affairs
Mr. Lee, Keun Pal (Rapporteur and Interpreter)	3rd Secretary Ministry of Foreign Affairs
Mr. Hwang, Young Jae	3rd Secretary Ministry of Foreign Affairs

U.S. Side:

Mr. Philip C. Habib	Counselor American Embassy
Brig. Gen. Carroll H. Dunn	Deputy Chief of Staff 8th U.S. Army
Capt. John Wayne	Assistant Chief of Staff USN/K
Col. Howard Smigelow	Deputy Chief of Staff 8th U.S. Army
Col. Kenneth C. Crawford	Staff Judge Advocate 8th U.S. Army
Mr. Benjamin A. Fleck	First Secretary American Embassy

0243

Mr. Robert A. Kinney	J-5 8th U.S. Army
Mr. Goodwin Shapiro	Second Secretary American Embassy
Maj. Alton H. Harvey	Staff Judge Advocate's Office 8th U.S. Army
Mr. David Y.C. Lee (Interpreter)	Second Secretary American Embassy

Claims Article

1. The ROK Chief Negotiator, Mr. Chang Sang-mun, stated that the Korean negotiators, with a view to expediting negotiations, would like to call the U.S. negotiators attention to the Claims Article. The drafts on the subject of claims for the both sides were tabled at the 28th negotiating session on August 8, 1963, more than 18 months ago. Since the exchange of the two sides' respective drafts on this subject, the Korean negotiators have made many attempts to accommodate the expressed concern of the U.S. side. Unfortunately, there still exist fundamental differences in the positions of the two sides.

2. Therefore, the Korean negotiators would like to reiterate their position briefly today regarding the focal point of the past discussions for settlement of claims arising out of acts or omissions of members or employees of the U.S. armed forces done in the performance of official duty, or out of any other act, omission or occurrence for which the U.S. armed forces are legally responsible, and causing damage to third parties other than the Government of the Republic of Korea.

3. The U.S. side maintained on this matter that the claims should be settled in accordance with the "Foreign

0244

Claims Act" of the U.S., which is implemented by regulations of the U.S. Army, Navy, and Air Force. This system, however, has a serious defect in view of the principle of equity and justice as expounded by the Korean negotiators at the 66th negotiating session. The U.S. side stated at the 29th session that a claimant could appeal, under its present system, from the Claims Commission of the U.S. Claims Service in Korea up through to Headquarters, U.S. Armed Forces Claims Service, located in the United States.

4. Nevertheless, the unilateral Claims Service decisions could hardly be supported as a rational treatment for the claimant. Although the Korean negotiators believe that most of the claims would be settled amicably without resorting to court dedisions, the Korean negotiators take the view that the only way to overcome the aforementioned defect involved in the proposed U.S. system is to provide the claimamt with a chance for a fair trial by a competent court. Furthermore, the Korean negotiators believe that all the claims arising within the territory of the ROK should be settled by the relevant laws of the ROK.

5. Therefore, the Government of the ROK is willing to undertake the responsibility for the processing of the claims for the benefit of the U.S. armed forces in Korea, as proposed in the Korean draft. The Korean proposal guarantees just and equitable settlement of all the claims arising out of death, injury, or property damage caused by the U.S. armed forces in Korea without infringing upon the best interests of both the U.S. and the claimant concerned. Therefore, the Korean negotiators request the U.S. side to reconsider its position and accept the standard

language of other Status-of-Forces Agreements regarding the claims article, as proposed by the Korean side, and respond within the earliest date practicable.

6. Mr. Habib indicated that the U.S. side would take this ROK statement on the Claims Article under consideration and would reply later.

Labor Article

7. Mr. Habib indicated that he would resume discussion of the Labor Article with paragraph 5, where the negotiators left off at the 71st meeting. He indicated that he would discuss only the most important points which required further explanation and elaboration.

8. Mr. Habib pointed out that Paragraph 5 of both drafts deals with important topic of the key USFK Korean employees for their assigned defense tasks in time of emergency. The U.S. draft of this paragraph states such employees "shall" be available to continue to perform their key roles in the joint US-ROK defense effort. The ROK draft states only that essential USFK employees "may" be deferred.

9. Mr. Habib indicated that the comments of the ROK negotiators at our 71st negotiating session, as well as the propased ROK draft of para 5, indicates that ROK Government authorities apparently do not fully realize the important role that the Korean civilian employees of the United States Forces in Korea play in the joint US-ROK defense of the Republic of Korea. It is true that during the years of the Korean War, the USFK Korean employees were used mainly in jobs requiring unskilled labor. But this situation has greatly changed in recent

0246

years and most USFK Korean employees are employed in important defense work essential to the security of the Republic of Korea. Less than 5 percent of the present USFK Korean employees are in the unskilled labor-pool category. The majority of USFK Korean employees are in responsible administrative, technical, industrial, or professional-type positions. About 750 USFK Korean employees now occupy management-type positions. Most USFK employees possess special training and a wide variety of skills and many of them hold vital positions in the support and backup of the joint US-ROK defense effort.

10. Mr. Habib stated that both the U.S. and ROK drafts provide that lists of essential employees will be provided. The U.S. draft of this paragraph assures the U.S. and ROK defense planners that, in time of emergency, essential USFK employees shall be available to continue to perform their important roles in the joint US-ROK defense effort. Effective defense planning requires that the USFK must be assured in advance that its essential Korean employees shall be available to continue their defense work in the event of a national emergency. If the ROK SOFA authorities can only agree that such essential employees "may" be deferred, the USFK cannot then make realistic plans that definitely count on the continued use of such employees in the joint US-ROK defense of Korea in an emergency.

11. The U.S. side emphasized that it is on the basis that such employees would be available in an emergency that the USFK has been promoting policies of upgrading its Korean employees into important defense positions and replacing third-state nationals and U.S. personnel with skilled Korean personnel. In view of the relative abundance of manpower in the ROK and the relatively modest demands on

0247

the ROK manpower pool by the USFK, we doubt that you really desire to deny USFK deferment of essential Korean workers in an emergency. If this should prove to be the case, however, the USFK might have to reconsider its policies of expanding utilization of Korean nationals, and of replacing third-state and U.S. nationals with Koreans in essential defense positions within the U.S. military establishment in Korea. Perhaps the explanation for the variation between the ROK and US drafts can be found in the remarks of the Korean negotiators at the 71st meeting, that they felt in time of national emergency the provisions of the Labor Article might not be enforced. But Para 5 is written to enable the US and ROK authorities to do sound, advance planning for just such a national emergency. Therefore, USFK's essential employees must be available to continue to serve in their defense roles in any emergency which would threaten the security of the Republic of Korea.

12. At the 69th negotiating session, the Korean side stated that no eligible Korean youth can be exempted from his military service, for it is the solemn duty of all Korean youths to serve in the Armed Forces. Mr. Habib emphasized that the U.S. side agrees with these sentiments and does not intend to place on its list of essential employees to be exempted or deferred, eligible Korean youths who have not yet served their basic term of military service. However, the USFK has many Korean employees who are veterans of the military service and who now occupy essential positions with the U.S. forces. In a national

0248

emergency, the USFK must retain such essential Korean personnel. The USFK plans to give the Ministry of National Defense its lists of such personnel in advance, as indicated in the revised ROK draft. It is agreed that if the ROK military establishment, in reviewing the USFK lists against its own mobilization plans for an emergency, desires that individual reserve officers be subject to recall to key positions in the ROK military service, such arrangements can be worked out amicably by Korean and American authorities.

13. In summation, Mr. Habib indicated that both sides apparently were in agreement that lists of essential USFK Korean employees should be prepared in advance of an emergency. In addition, we want assurances that once the lists are submitted, these essential employees will be available in times of emergency. The U.S. side would appreciate an explanation of the ROK position in light of the foregoing factors.

14. Mr. Chang noted that the U.S. side indicated that less than five percent of the present USFK exployees are in the unskilled labor-pool category. Therefore, almost 90 percent must be skilled or managerial. What is the approximate number who are considered essential and should be exempt from military service? The ROK draft clearly envisages the availability of these employees to the U.S. forces in any emergency, even though the ROK draft uses the words "may be deferred." But the U.S. draft clearly contradicts the spirit of the ROK Constitution. The US-ROK differences are only differences in expression.

0249

15. Mr. Chang continued that the ROK side cannot accept the word "exempt" as used in the U.S. draft. Once the U.S. list of essential Korean employees is submitted, there should be US-ROK consultations and agreement on the list, including the number, types, and skills of employees to be made available to the U.S. forces. Such agreements should be reached in advance, and then the ROK side would do its best to defer the required personnel.

16. Mr. Habib replied that Para 5 provides the basis for effective advance planning for an emergency, and that the U.S. must have assurances in advance that the U.S. forces' essential Korean employees will be available in an emergency to continue in their important defense work. The U.S. side will give the Korean side an estimate of the number of essential employees at a later meeting.

17. Turning to consideration of Agreed Minute No. 2, Mr. Habib noted that the first sentence of Agreed Minute No. 2 of the U.S. draft, and Agreed Minute No. 1 of the ROK draft are essentially similar, with only minor differences in wording. The ROK draft does not include the second sentence of the U.S. draft of this Agreed Minute, but the U.S. negotiators consider it important to include the sentence which makes clear the right of the USFK to terminate employment of its employees. The USFK follows procedures to assure just and timely resolution of employee grievances, and provides severance pay to terminated employees in accordance with Korean law, custom, and practice. We have every intention of continuing to be a good employer, but since the only reason for USFK being in Korea is to assist in the joint US-ROK defense effort, USFK must maintain its right to terminate employment as required.

0250

18. Mr. Habib pointed out that unless this sentence is included, the USFK has no clear-cut right anywhere in the agreement to terminate employment. We have a very carefully conceived labor program. We are going to continue to be a good employer. What is objectionable about this second sentence which the ROK draft omits?

19. Mr. Chang indicated that although the ROK side believes the USFK in principle may terminate employment whenever it wishes, it also believes the USFK should conform to the relevant provisions of the ROK laws in such matters. This includes advance notification and showing due cause, etc. He pointed out that Article 27 of the ROK Labor Standards Law provides that there can be no termination of employment without justifiable reason. The ROK side has provided - in paragraph 3 and the Agreed Minutes No.4 - for cases in which it is impossible for the employers to conform to ROK laws because of military requirements.

20. Mr. Habib emphasized that paragraph 3 deals with conformity while Agreed Minute No. 2 deals with the right to terminate employment. The ROK negotiators were apparently confusing conditions of termination with the right to terminate. The former was covered in Para 3, in which U.S. armed forces pledged to conform with ROK labor laws, customs, and practices. It was emphasized that the right to terminate, as distinct from conditions of termination, must be spelled out in the agreement. Mr. Habib stated that the USFK will conform to ROK practices and customs relating to termination of employment, and if the ROK Government questions any USFK action in this regard, it can take it up with the Joint Committee.

0251

21. Mr. Chang replied that the ROK Government is prepared to assure the U.S. side of the right to terminate for justifiable reasons. The ROK para 3 gives the U.S. enough authority to terminate. Mr. Chang indicated that the ROK side would study the U.S. statements and reply at an early meeting.

0252

외교문서 비밀해제: 주한미군지위협정(SOFA) 10

주한미군지위협정(SOFA) 서명 및 발효 10

초판인쇄 2024년 03월 15일
초판발행 2024년 03월 15일

지은이 한국학술정보(주)
펴낸이 채종준
펴낸곳 한국학술정보(주)
주 소 경기도 파주시 회동길 230(문발동)
전 화 031-908-3181(대표)
팩 스 031-908-3189
홈페이지 http://ebook.kstudy.com
E-mail 출판사업부 publish@kstudy.com
등 록 제일산-115호(2000. 6. 19)

ISBN 979-11-7217-021-9 94340
979-11-7217-011-0 94340 (set)